L'héritière piégée

Témoignage à haut risque

BEVERLY LONG

L'héritière piégée

BLACK ROSE

HARLEQUIN

Collection : BLACK ROSE

Titre original : STALKED

Traduction française de CATHERINE VALLEROY

HARLEQUIN®
est une marque déposée par le Groupe Harlequin

BLACK ROSE®
est une marque déposée par Harlequin

HARLEQUIN
83-85, boulevard Vincent-Auriol, 75646 PARIS CEDEX 13.
Service Lectrices — Tél. : 01 45 82 47 47
www.harlequin.fr
ISBN 978-2-2803-3033-6 — ISSN 1950-2753

1

Mack McCann essuya la sueur qui coulait dans ses yeux et tendit la main pour prendre la bière glacée posée à côté de lui. Depuis des heures, il ponçait des planches sous un soleil inhabituellement chaud pour la saison. Mais il faisait des progrès : la maison des McCann, qui avait été réduite en cendres sept mois auparavant, se relevait doucement de ses ruines.

Les travaux devaient impérativement être terminés avant la fin du mois de juin, date à laquelle Ethan, son meilleur ami, épouserait sa sœur Chandler. Cette dernière avait insisté pour se marier à Crow Hollow, et bien qu'Ethan n'ait pas envie d'attendre aussi longtemps, il avait cédé car rien n'était assez beau pour faire plaisir à sa fiancée.

Mack n'en revenait pas que sa sœur soit tombée amoureuse de l'un de ses meilleurs amis. Les maisons de leurs parents étant proches l'un de l'autre, Ethan, Brody et Mack avaient passé leurs étés à crapahuter ensemble dans les Rocheuses. Ils étaient loin de se douter alors que le destin les conduirait tous trois à arpenter en tous sens la surface du globe.

Ethan s'était engagé dans l'armée et pilotait aujourd'hui des hélicoptères. Brody avait fait des études de médecine et les avait tous surpris en s'engageant dans l'Air Force. Quant à Mack… Eh bien, il avait fait ce qu'il voulait faire depuis l'âge de sept ans : il était devenu espion.

Un genre d'espion très spécial puisqu'il travaillait dans le renseignement naval.

Son métier l'avait conduit dans un nombre incalculable de

pays et lui avait fait connaître les conditions de vie les plus contrastées : draps de soie et repas raffinés au Qatar, sol de terre battue et viande de brousse en République démocratique du Congo...

Il avait dîné avec des présidents et des princesses et s'était accroupi à côté de paysannes lavant leur linge dans des rivières boueuses. Son terrain d'action comprenait tous les pays où il y avait du renseignement à glaner.

Il avait travaillé 24 h/24 et sept jours sur sept durant les seize années précédentes et, en toute franchise, il était las de parcourir le monde. Enfin, conscient d'avoir été bien peu récompensé pour autant d'efforts, il avait pris la décision de tout plaquer pour rentrer chez lui.

Bien sûr, il avait eu des instants de doute en attendant la réponse à sa demande de démobilisation. Mais dès qu'il avait respiré l'air frais de ses montagnes, il avait compris que sa décision était la bonne.

Il venait de décrocher un poste de directeur de la sécurité chez Matrice Biomedics, un travail qui lui permettrait de rester dans le Colorado, auprès de sa famille. Sa prise de fonctions était prévue pour le 15 juin, près de six semaines plus tard, et, en attendant, il avait décidé de se la couler douce. A cet instant, son plus gros souci était de savoir quel allait être son déjeuner.

Quinze minutes plus tard, alors qu'il entamait son deuxième sandwich, il entendit une voiture approcher. Etonné, il se demanda si son père avait décidé de venir chez lui plus tôt alors qu'il ne l'attendait pas avant la fin de la semaine.

Mais en voyant la voiture aborder le dernier virage, il secoua la tête, incrédule. L'homme qui était en train d'agiter le bras par la portière n'était autre que Bingham Trovell, son commandant pendant une grande partie de sa carrière.

Mack attendit que le véhicule s'arrête pour s'en approcher.

— Que se passe-t-il, monsieur ? s'écria-t-il en riant. Est-ce la fin du monde ? Je ne vois pas quelle autre raison pourrait vous conduire jusqu'ici.

Bing ouvrit la portière et hissa ses cent vingt-cinq kilos de muscles hors de la voiture. A cinquante ans, ce géant afro-américain pouvait encore en remontrer à des hommes moitié plus jeunes que lui. Trois ans auparavant, il avait pris sa retraite dans le Mississippi et s'était acheté un petit bateau.

Bing jeta un coup d'œil aux emballages de saucisses et de petits pains qui traînaient sur la table.

— Eh bien, je suis content d'être arrivé à temps.

Mack rit et le serra amicalement dans ses bras.

— Venez vous asseoir près du feu, commandant.

Deux hot dogs, deux bières et quarante minutes plus tard, Bing annonça à Mack la raison de sa venue.

— J'ai un service à te demander.

— Tout ce que vous voudrez, dit Mack en s'essuyant la bouche du dos de la main.

— J'ai un ami qui cherche un garde du corps pour protéger sa fille. Je lui ai dit que je connaissais quelqu'un qui ferait parfaitement l'affaire. J'ai pensé à toi.

Mack secoua la tête.

— Je suis désolé, mais je ne peux pas accepter.

— Et pourquoi donc ? Si mes renseignements sont exacts, tu viens de signer un contrat chez Matrice Biomedics ?

Mack acquiesça.

— Je vais sécuriser des données scientifiques et des secrets commerciaux, le genre de choses que je volais autrefois à l'ennemi. Mais plus question de jouer les gros bras.

— Je ne vois pas ce qui t'en empêche. Tu l'as déjà fait.

Mack ne pouvait le nier. Son rôle dans le renseignement naval avait évolué au fil des ans et, en certaines occasions, il avait été chargé de protéger des lieux ou des gens importants.

— Je commence à travailler vers le 15 juin et je dois finir d'aménager la maison avant le mariage de Chandler. Je le lui ai promis.

— Nous enverrons quelqu'un pour finir le travail. A nos frais. Tu n'as pas à t'inquiéter pour ça.

— Et vous pouvez me dire qui est ce type ? demanda Mack.

— C'est un ami. En fait, il s'agit de mon ancien camarade de chambrée à l'université. Le révérend Archibald Minnow.

Mack fronça les sourcils.

— Archibald Minnow ? Le prédicateur télé ?

— Oui. Mais le garde du corps n'est pas pour lui. C'est pour sa fille, Hope.

Hope Minnow.

Mack avait toujours été doué pour mémoriser les informations, et trois semaines à la montagne n'avaient pas amoindri ses facultés.

— Il y avait un portrait d'elle dans *People*, il y a quelques jours. Un petit article. Je l'ai lu pendant les essayages.

Bing haussa un sourcil, ce qui accentua encore le caractère asymétrique de son visage.

— Quels essayages ?

Mack agita la main.

— Ceux de la robe de mariée. La plupart des futures mariées veulent que leurs demoiselles d'honneur assistent aux essayages, mais leur présence ne suffisait pas à ma sœur, elle voulait que je sois là, moi aussi.

Il s'était prêté de bonne grâce à cet exercice. Quoi de plus agréable en effet que de se retrouver entouré de quatre femmes qui sentaient merveilleusement bon, et dont la seule exigence était qu'il approuve ou désapprouve leurs robes. En outre, il s'était senti utile ce jour-là, car le quartier chic où le magasin était situé avait été récemment la cible d'un gang de pickpockets.

Certes, il reconnaissait qu'il se montrait un peu trop protecteur envers sa sœur, pourtant il avait des circonstances atténuantes : n'avait-elle pas failli mourir peu de temps auparavant par la faute de leur belle-mère ? En outre, il était le seul homme à pouvoir assister à cet essayage. Pas question en effet que le futur marié voie la robe avant le jour de la cérémonie.

— Eh bien, j'espère que tu as trouvé un joli modèle, quelque chose de léger qui tombe bien sur les hanches, dit Bing avec le plus grand sérieux.

Mack sourit et regarda un point à l'horizon.

— Vous savez, dit-il avec ironie, il y a plein de gens qui se perdent dans ces bois. Parfois, on ne retrouve leurs corps que des années plus tard. Bien sûr, à ce moment-là, ils ont été dévorés par les animaux…

Bing lui adressa un bref sourire en coin avant de reprendre son sérieux.

— Hope Minnow a besoin de toi.

— Ce n'est pas l'impression que j'ai eue en lisant l'article. Je pense qu'elle a plutôt besoin d'une assistante, d'une masseuse et d'une bonne bouteille de vodka aromatisée. Les paparazzis l'ont surprise lors d'un événement à New York…

— En effet, elle y passe beaucoup de temps. Les Minnow vivent dans le New Jersey, à la campagne. C'est à quarante-cinq minutes de New York quand la circulation est bonne.

— Un trajet qui en vaut la peine, si on cherche de l'action, commenta Mack.

— C'est ma filleule, reprit Bing.

— Ce n'était pas une critique.

— Je ne l'ai pas pris ainsi. Petite, c'était une enfant adorable. Elle s'est mariée il y a quelques années, mais ça n'a pas marché. Et après l'échec de son mariage, elle a changé.

— L'image qu'elle donne d'elle-même ne colle pas exactement aux prêches d'Archibald Minnow, est-ce que je me trompe ?

— Pas vraiment. Mais je ne suis pas là pour défendre les convictions d'Archie, c'est un très vieil ami et je voudrais juste l'aider. Je ne veux pas qu'il arrive quoi que ce soit à Hope.

— Et qu'est devenu l'ex-mari dans tout ça ? questionna Mack.

— Il s'appelle William Baylor. Et il travaille avec Archie à l'église. Les deux familles sont liées depuis longtemps. Je crois que sa mère et Patsy Minnow étaient amies à l'université.

— Hope a donc repris son nom de jeune fille ?

— En effet, elle l'a repris juste après le divorce.

— Ce doit être embarrassant pour elle de croiser son ex à l'église, dit Mack. Mais elle n'y travaille pas, n'est-ce pas ?

Bing secoua la tête.

— Non. Je ne pense pas que Hope ait quoi que ce soit à voir avec l'église ni avec Archie.

— Est-ce qu'elle a une profession, cette jeune fille, ou passe-t-elle seulement son temps à défrayer la chronique de la presse à scandale ?

Mack repensa à la photo qu'il avait vue lors des essayages de sa sœur. De longues jambes dévoilées par une minijupe, une jolie poitrine mise en valeur par un large décolleté, un beau visage et de longs cheveux blonds. Un régal pour les yeux.

Ce n'était pas déplaisant, mais il préférait un peu plus de profondeur chez les femmes. Même si profondeur et régal des yeux avaient tristement manqué à sa vie au cours des derniers mois, tout occupé qu'il était à boucler les affaires en cours avant de quitter son emploi au service de l'Oncle Sam.

— Elle avait un emploi intéressant au Metropolitan Museum, où elle s'occupait de l'organisation des principaux événements. Elle possède un mastère de l'université de New York. Mais elle a démissionné quand sa mère est tombée malade.

Mack se demanda s'il n'avait pas mal jugé la jeune femme. Après tout, peut-être y avait-il de la profondeur chez elle…

— Et comment va Mme Minnow à présent ?

— Mieux. En tout cas assez bien pour voyager, dit Bing. Patsy Minnow est une femme adorable. J'ai toujours pensé qu'Archie ne la méritait pas.

Il se tut quelques instants avant de reprendre d'un ton pressant :

— Alors, dis-moi, qu'est-ce que tu en penses ?

Mack hésitait. Apparemment, de toutes celles qui lui avaient été confiées, cette mission ne semblait pas être la pire. Et il avait une dette envers Bing. En effet, douze ans auparavant, ce dernier avait risqué sa vie pour le sauver de la torture et de la mort. C'était quelque chose qu'on n'oubliait pas.

— C'est pour combien de temps ? demanda-t-il.

— Juste pour quelques semaines, le temps qu'Archie ait le temps d'évaluer les qualifications des agences de sécurité. Sa femme et lui partent à l'étranger après-demain pour une dizaine de jours, et il n'aura pas le temps de le faire avant. Si je ne participais pas moi aussi à ce voyage organisé, j'aurais assuré personnellement la protection de Hope.

Il fixa Mack intensément, comme s'il voulait le convaincre par la seule force de son regard.

— Archie doit être très prudent sur le choix des gens qu'il introduit dans son cercle familial. Je me suis porté garant pour toi et ça lui suffit. Il sait que je ne le décevrai pas, et je lui ai dit que j'avais entièrement confiance en toi.

Mack regarda autour de lui. Les travaux du bungalow étaient bien avancés. Quelqu'un d'autre que lui pouvait fort bien poser le parquet et finir la salle de bains. Dans dix jours, lorsqu'il aurait fini de jouer les gardes du corps, il aurait encore le temps de s'occuper de la peinture et de mettre le jardin en état. Il n'avait aucune raison de refuser ce service à Bing.

— D'accord, je m'en charge, dit-il brièvement.

2

Hope regardait les secondes s'égrener sur le réveil de sa chambre. Les rideaux étaient ouverts et le soleil brillait dans le ciel bleu. Les nuages viendraient plus tard, s'il fallait en croire le bulletin météo qui prédisait des averses à l'heure du dîner.

Elle patienta encore dix minutes, puis sortit du lit, fit vingt minutes de yoga, se doucha et attacha ses cheveux humides en queue-de-cheval. Elle revêtit ensuite un pantalon noir et un fin chemisier bleu, avant de glisser les pieds dans des souliers à petits talons, parfaits pour marcher en ville.

Ce qu'elle faisait la plupart des après-midi.

Son goût pour les flâneries dans les rues de New York exaspérait son père. Archibald Minnow était gêné que sa fille n'ait pas de but dans la vie et c'est en ces termes qu'il avait parlé d'elle dans un récent article de magazine, sorti peu après l'article de *People*. Elle n'arrivait pas à se souvenir du magazine en question, car son père donnait des interviews par dizaines. L'église par-ci, l'église par-là, il était intarissable sur le sujet. En revanche, il essayait toujours d'éviter les questions sur sa fille.

Pourtant, ce jour-là, le journaliste avait dû insister car il avait tout de même fait un commentaire : *ma fille n'a pas de but dans la vie. Je prie quotidiennement pour elle et je suis convaincu qu'elle trouvera son chemin. A présent, pouvons-nous revenir à la question de l'argent nécessaire pour faire tourner cette boîte ?*

En fait, il n'avait pas dû utiliser le mot *boîte*. Il ne parlait jamais de façon vulgaire, employait toujours des termes choisis avec soin. Et l'argent coulait à flots tandis qu'il faisait ses prêches.

Sa réputation de prédicateur n'avait cessé de grandir au fil du temps. Et s'il n'était pas devenu célèbre du jour au lendemain, Archibald Minnow avait connu une ascension irrésistible, passant en quelques années de l'anonymat à la célébrité.

Tous ceux qui n'embarquaient pas avec lui restaient sur le bord du chemin. Mais la plupart montaient avec joie à bord, espérant bénéficier d'une place dans la bulle magique du révérend Minnow.

Hope ne croyait pas aux bulles magiques, et elle avait cessé depuis longtemps de croire à son père.

A 13 h 15, peu soucieuse de l'heure tardive à laquelle elle venait de se lever, elle descendit l'escalier en arc de cercle qui menait au rez-de-chaussée. En arrivant devant la cuisine, elle passa la tête par la porte. Mavis Jones était debout devant l'évier, lavant quelques assiettes. Sans doute celles de son déjeuner avec la mère de Hope.

— Comment va maman ? demanda celle-ci.

— Nous avons joué cinq trous au golf avant de revenir au club-house. Ce n'est pas mal, sachant c'était sa première sortie ce printemps.

Hope approuva en son for intérieur. C'était une bonne nouvelle, surtout si l'on considérait que sa mère avait été trop faible pour jouer au cours de toute l'année précédente. La radiothérapie et la chimiothérapie l'avaient privée de beaucoup de choses qu'elle aimait. Cela avait été une période terrible. Dieu merci, Mavis, une amie de longue date de sa mère, veuve depuis quelques années, avait été là pour la soutenir. Hope ignorait ce qu'ils auraient fait sans elle.

— Avec un peu de chance, vous ferez bientôt un neuf trous. Et le jour où elle jouera dix-huit trous, je danserai toute nue dans la rue ou quelque chose du genre, dit Hope en clignant de l'œil.

— Moi aussi. Mais qui voudrait voir la peau plissée et les muscles affaissés d'une vieille femme ?

Mavis ne trompait personne. Elle était toujours séduisante.

— Tu es bien moins plissée et affaissée que beaucoup de femmes de trente-cinq ans, dit Hope. Tu le sais très bien.

L'amie de sa mère haussa les épaules, mais il était visible que ces paroles lui avaient fait plaisir.

— Tu veux que je t'apporte un café sous la véranda ? demanda-t-elle.

— Je m'en occupe, répliqua Hope en entrant dans la cuisine. Tu n'as pas besoin de me servir, tu le sais bien.

Elle se versa une tasse de café et plaça deux tranches de pain dans le grille-pain. Quand elles ressortirent, elle étala dessus une épaisse couche de beurre de cacahuète, puis elle les colla l'une contre l'autre et les emballa dans une serviette en papier.

— A plus tard, dit-elle joyeusement.

Un chaud soleil l'accueillit quand elle ouvrit la porte vitrée de la véranda. Cette année, le printemps était en avance sur la côte Est, et les buissons ornementaux étaient en pleine floraison depuis des semaines. Les jardiniers avaient planté des annuelles dans les grandes urnes qui flanquaient la porte d'entrée et les tiges de la vigne commençaient déjà à traîner par terre.

Hope traversa la terrasse en briques rouges et tira une chaise. Posant ses tartines et son café sur la table de verre, elle s'assit au soleil, face à la grande piscine qu'on venait de remettre en service pour la saison. C'était le moment de la journée qu'elle préférait. Elle adorait la solitude. Elle se demanda où étaient ses parents et songea que son père devait être en train de travailler et sa mère, de se reposer.

Soudain, des voix masculines retentirent au loin, brisant le calme ambiant. Elle se releva et chercha d'où elles venaient en plaçant une main devant ses yeux pour les protéger du soleil. Elle aperçut son père dans le parc, au-delà des massifs du jardin. Il portait une tenue décontractée, comme s'il n'était pas encore allé travailler. Près de lui, elle reconnut Bingham Trovell. Elle aimait beaucoup Bing qu'elle considérait un peu comme son oncle. Elle se souvint avec nostalgie des cadeaux qu'il lui rapportait du monde entier et des histoires qu'il lui racontait lorsqu'elle était petite.

Elle ne reconnut pas le troisième homme. Il était vêtu d'un pantalon noir et d'une veste de sport de couleur claire, mais il était trop loin pour qu'elle distingue son visage.

Sans doute s'agissait-il d'un donateur potentiel. Pauvre oncle Bing qui avait été aspiré dans la spirale du succès de son ami… Avec étonnement, Hope se dit que l'inconnu devait être très riche pour que père prenne la peine de lui faire faire le tour de la propriété.

Comme les trois hommes se dirigeaient vers la maison, Hope se leva et prit ses toasts et son café avec l'intention de s'esquiver avant qu'ils ne la voient.

C'est alors qu'elle vit sa mère, debout sur le seuil de la terrasse. Toujours belle à 67 ans, l'ancienne Miss Texas était encore beaucoup trop mince, et sa fille se félicitait des trois kilos qu'elle avait repris le mois précédent.

— Salut, dit Hope. J'ai entendu dire que tu avais joué au golf ce matin ?

— Oui, c'était très agréable. C'est ton déjeuner qui est là sur la table ?

Hope regarda ses toasts, toujours enveloppés dans la serviette en papier.

— C'est mon brunch. Je vais déjeuner dehors aujourd'hui, dit-elle.

Elle s'attendait à ce que sa mère recule pour la laisser passer mais celle-ci ne bougea pas.

Hope jeta un coup d'œil derrière elle. Le trio se rapprochait.

— Pardon, maman.

— Tu aurais une minute ? lui demanda alors sa mère. Ton père et moi voudrions te présenter quelqu'un.

— Mais j'allais sortir, mentit Hope.

— S'il te plaît…

Hope soupira. Elle ne pouvait pas dire non à sa mère.

— Je ne peux pas vous accorder beaucoup de temps, dit-elle d'un ton évasif.

Sa mère hocha la tête et posa son regard derrière Hope.

— Bonjour, Bing, dit-elle. Tu as l'air en pleine forme.

— Et toi, Patsy…

Bing monta les trois dernières marches et se pencha pour embrasser la joue de sa mère.

— … tu es rayonnante.

Puis il se tourna vers Hope et la serra dans ses bras.

— C'est bon de te revoir, petite.

Son père s'avança, en chemise Prada, short kaki et chaussures bateau. Agé de 67 ans également, il avait encore tous ses cheveux qui gardaient leur couleur brune grâce aux soins constants de son coiffeur. Il était svelte et un beau sourire dévoilait des dents saines et bien rangées.

Les caméras l'adoraient. Et les dons de ses adeptes féminines atteignaient le double de ceux de ses fans masculins.

Comme d'habitude, il fit un signe de tête muet à Hope, écarta les chaises de la table et les invita à prendre place. Sa mère s'assit.

Hope jeta un œil inquisiteur à l'inconnu. De près, ses vêtements paraissaient luxueux et il les portait avec une nonchalance étudiée. Quelques fils blancs sur les tempes parsemaient ses cheveux noirs coupés très court, contrastant avec son teint très bronzé.

Elle aurait voulu qu'il enlève ses lunettes de soleil, ou qu'elle-même ait pensé à mettre les siennes.

— Hope, voici mon ami, Mack McCann, annonça Bing.

Elle tendit la main.

— Monsieur McCann, murmura-t-elle.

Elle s'attendait à ce que sa poignée de main soit sans fermeté, mais à sa grande surprise, elle était agréablement énergique et fraîche. Il avait des cals sur les paumes et son index était contusionné, comme s'il s'était blessé avec un outil. Des imperfections qui détonnaient bizarrement avec son look étudié.

— Mademoiselle Minnow, répondit-il d'une voix un peu rauque.

— Allons-y, dit son père.

Hope lança un dernier regard à sa mère, qui l'observait avec dans les yeux une lueur d'espoir. D'espoir de quoi, Hope n'en savait rien. Elle faisait de gros efforts pour dissimuler l'animosité que lui inspirait son père mais n'y parvenait pas toujours. Dans ces cas-là, c'était elle la perdante, car si l'hostilité ouverte qu'elle lui manifestait ne dérangeait absolument pas le révérend, l'air bouleversé de sa mère, en revanche, lui déchirait le cœur. Le stress n'était pas bon pour sa convalescence.

Hope s'assit à côté de sa mère et regarda la piscine. Du coin de l'œil, elle vit son père prendre une chaise. Puis Bing, et enfin McCann.

Son père se pencha en avant, et posa ses avant-bras sur la table.

— Bing a amené Mack parce que je lui ai demandé son aide. Il est spécialisé dans les SPP.

Son père avait la désagréable habitude d'attribuer des acronymes à tout et n'importe quoi et de s'étonner ensuite de l'incompréhension de ses interlocuteurs. Hope ne se laissa pas prendre au piège, elle pensait à la température de la piscine.

Elle entendit sa mère soupirer.

— Services de protection des personnes, Hope. C'est un garde du corps.

Oh ! Bonté divine ! Son père allait ajouter un garde du corps à son entourage. Il n'y aurait plus de place dans la limousine pour son coiffeur ou son comptable.

Elle pariait que c'était le coiffeur qui allait être éjecté. Ou alors, son père s'arrangerait pour que l'Eglise achète une plus grande limousine.

— Nous avons reçu des menaces, reprit le révérend.

— Des menaces…, répéta Hope d'un ton totalement blasé.

Bing regarda son père. Quant à McCann, il restait impassible.

— Des menaces contre *ta* vie, reprit son père.

Hope regarda sa mère en se demandant ce qu'elle en pensait. Mais l'expression de son visage disait qu'elle le prenait au sérieux.

— Nous avons engagé Mack pour te protéger, expliqua sa mère. Il ne te quittera pas pendant les dix jours de notre absence.

Hope repoussa sa chaise et inspira à fond, puis elle se tourna vers l'inconnu.

— Monsieur McCann, j'espère que vous n'êtes pas venu de trop loin pour ce rendez-vous car c'est une vraie perte de temps. Je n'ai pas besoin de vous, et je ne veux pas d'un garde du corps.

Elle se pencha et embrassa la joue de sa mère avant de se redresser.

— Je vais faire des courses.

Une fois Hope partie, on n'entendit plus sous la véranda que le tintement de l'eau se déversant dans la piscine.

— Archie ? lança Bing.

— Elle n'a pas le choix, dit le révérend Minnow, en croisant les bras sur sa large poitrine.

— Elle ne semble pas inquiète, remarqua Mack.

Il s'était dit qu'elle serait bouleversée, qu'elle pleurerait un peu ou qu'elle se mettrait en colère à l'idée qu'on ose ainsi la menacer, mais il n'avait pas prévu d'être congédié de la sorte.

— Elle ne mesure pas toute l'ampleur de la situation, dit Patricia Minnow. Je vais lui parler.

Elle tendit la main vers les papiers que son mari tenait à la main.

Mack se pencha vers elle. Cette femme fragile lui semblait adorable.

— Laissez cela, je m'en charge.

En lisant les lettres de menace, il avait été scandalisé de voir qu'on visait Hope pour atteindre son père. C'était lâche de s'en prendre ainsi à la fille du révérend, même si cette fille avait atteint l'âge adulte. Il s'était félicité d'avoir accepté la mission.

En revanche, il refusait de protéger quelqu'un contre son gré. Hope Minnow allait devoir accepter sa présence à ses côtés ou bien le marché serait nul. Il décida d'aller lui parler seul à seule. Il avait trouvé étrange la conversation qu'ils avaient eue autour de la table, sans avoir même le temps de comprendre ce qui se passait. De toute évidence, personne ne souhaitait dévoiler son jeu.

— Est-ce que je peux aller lui parler ? demanda-t-il en désignant la maison de la tête.

— Bien sûr, répondit Patricia. Mais vous feriez mieux de vous hâter. Hope est rapide quand elle le veut.

Mack repoussa sa chaise. Jusque-là, le dynamisme de Hope ne l'avait pas particulièrement impressionné. A leur arrivée, Bing et lui avaient été surpris d'apprendre que Hope était toujours au lit, car elle ne se levait jamais avant le début de l'après-midi. Il avait eu une réaction de rejet en apprenant cela. Il n'était pas très indulgent envers les jeunes noctambules qui gâchaient leur vie en se levant à des heures indues. Mais cela dit, il était mal placé pour les juger, lui qui se levait chaque matin vers 5 heures pour lire les journaux et préparer son petit déjeuner avant que le soleil ne se lève.

Il pénétra dans la maison juste à temps pour voir Hope, clés en main, franchir une porte qui devait mener au garage. Coupant à travers l'immense salon, il traversa le bureau rapidement avant de ressortir par la porte d'entrée, juste au moment où la porte du garage se levait.

La voiture était en train de reculer. Mais alors que Hope ralentissait légèrement pour refermer la porte du garage, Mack ne laissa pas passer sa chance. Il ouvrit la portière côté passager et s'engouffra dans le véhicule toujours en mouvement.

3

— Hé ! cria Hope.

— Une minute, dit-il. C'est tout ce que je vous demande.

Hope freina à fond, l'envoyant presque buter contre le pare-brise. Malgré son envie de lui dire d'aller au diable, ses bonnes manières reprirent le dessus et elle arrêta le véhicule.

— Vous avez exactement soixante secondes.

A présent qu'ils étaient assis côte à côte dans la voiture, loin de l'odeur chlorée de la piscine, Mack pouvait sentir son parfum, une fragrance élégante et légère qui lui rappela le parfum des précieuses orchidées de son père.

Ses bras nus étaient bronzés et étonnamment musclés. Apparemment, elle ne devait pas les solliciter que pour soulever des verres de martini. Elle avait peut-être un entraîneur personnel à disposition.

Agacée, elle tapota sur le volant. Ses ongles étaient soigneusement vernis. Il jeta un bref regard à ses pieds et, sans surprise, constata que ceux de ses orteils étaient assortis. Non content de s'y connaître en créateurs de robes de mariées, il était maintenant aussi expert en vernis à ongles. Lors de l'essayage, sa sœur et ses demoiselles d'honneur avaient eu une longue discussion à ce sujet à l'heure du déjeuner. Elles étaient finalement tombées d'accord sur un rose champagne, mais Hope, quant à elle, semblait préférer les teintes plus vives et plus sexy.

— Vous perdez votre temps, dit-elle.

— Je vais faire vite, répliqua-t-il en lui adressant son sourire le plus sympathique.

Malgré celui-ci, qui avait pourtant permis à McCann d'amadouer de nombreuses brutes aux quatre coins du monde, Hope conserva son air crispé. Il aurait aimé voir ses yeux, mais elle avait mis des lunettes de soleil.

— Pouvez-vous m'expliquer pourquoi vous semblez si déterminée à négliger votre sécurité personnelle ?

Hope se mordit la lèvre.

Mack sentit qu'il avait touché un point faible et sortit le paquet de lettres.

— Je pense que vous devriez y jeter un coup d'œil, dit-il en lui tendant la moins blessante.

Elle avança la main mais s'arrêta dans son élan.

— Allez-y, vous pouvez la prendre. Ne craignez rien, ce sont des copies. La police a conservé les originaux ainsi que les enveloppes car l'adresse était écrite à la main. Elles arrivent par la poste au bureau de votre père depuis environ une semaine.

Le révérend Minnow avait demandé au chef de la police Anderson de garder cette affaire confidentielle. Bien évidemment, l'homme comptait parmi ses fidèles. Mack avait mémorisé dans son téléphone le numéro de sa ligne personnelle qu'Archibald lui avait donné.

Hope s'empara du courrier et le lut. Malgré le contenu de celui-ci, son visage resta imperturbable et ne refléta aucune inquiétude.

Exaspéré, Mack se pencha en avant et lut à voix haute.

Cher révérend Minnow. J'ai perdu mon fils à cause de vous. C'est pourquoi vous allez maintenant subir les mêmes tourments.

— Celle-ci date d'il y a deux jours.

Il en sortit une autre du paquet et la déplia.

Cher révérend Minnow. Œil pour œil, dent pour dent : mon fils, votre fille.

A ces mots, elle le regarda enfin.

— Mais qu'est-ce que vous voulez que je vous dise ?

— Je ne sais pas, peut-être quelque chose comme : « Ah oui en effet, c'est très alarmant. »

— Ce serait vous mentir, car ça ne m'affole pas du tout.

Elle inspira profondément.

— Saviez-vous que mon père était sur le point de sortir un nouveau livre ?

Mack acquiesça.

— Le cancer de ma mère est en rémission. Ce qui est une très bonne nouvelle, bien sûr, mais peut-être un peu moins pour mon père. Voyez-vous, le diagnostic de la maladie a coïncidé avec la sortie de son dernier livre. Et je peux vous assurer que cela lui a donné un sacré coup de pouce. A peine publié, son livre a immédiatement rejoint la liste des best-sellers du *New York Times*.

Dans l'esprit de Mack, certaines choses commençaient à prendre tout leur sens. Mais il lui fallait pour l'instant se concentrer sur ce qui était le plus urgent.

— Je suis désolé pour cette épreuve que traverse votre mère.

Sa propre mère était morte du cancer quand il n'était encore qu'un adolescent.

— Et je suis ravi d'entendre qu'elle va mieux.

— Merci, dit-elle d'une voix plus douce.

— Vous croyez vraiment votre père capable d'utiliser un tel stratagème uniquement dans le but d'attirer l'attention sur lui ?

— Absolument. Ne le sous-estimez pas. D'autres l'ont déjà fait et ils en ont payé le prix.

— Mais d'après Bing, ces menaces sont bien réelles.

— Oncle Bing est un homme merveilleux. Mais son amitié avec mon père — que je ne m'explique pas, d'ailleurs — obscurcit son jugement.

— Et si vous aviez tort ? répliqua Mack. Tenez-vous si peu à votre vie que vous êtes prête à courir le risque de la perdre ?

Hope enclencha la marche arrière.

— Monsieur McCann, vous avez dépassé vos soixante

secondes. Votre temps est écoulé. Sortez de ma voiture maintenant, s'il vous plaît.

Elle se donnait des airs de reine des glaces mais Mack avait décelé une faille dans son armure. Malgré ses efforts pour paraître imperturbable, elle ne cessait de remuer ses orteils, signe de sa nervosité. Si elle avait porté des chaussures fermées ou s'ils avaient été assis à table, il ne s'en serait pas rendu compte. Il ouvrit la portière.

— Soyez prudente, Hope.

Mack regarda patiemment le véhicule s'éloigner puis, quand celui-ci eut disparu à l'angle de la propriété, il se précipita vers sa propre voiture qui était garée non loin. Il retrouva Hope quelques minutes plus tard au niveau de l'intersection avec la I-280. Elle tourna en direction de l'est. Mack la suivit discrètement, laissant trois véhicules entre eux deux, et appela Bing pour le prévenir de la situation.

Hope conduisait avec habileté, slalomant aisément dans la circulation qui était fluide à cette heure-ci. Après le tunnel Holland, ils traversèrent le bas de Manhattan puis remontèrent vers le centre-ville. Enfin, Hope s'engagea dans un parking souterrain, proche de la Cinquième Avenue. Le stationnement coûtait trente-cinq dollars de l'heure, ce qui n'était pas surprenant vu le quartier. Mack patienta sur un emplacement réservé, le temps que Hope sorte du parking, puis il s'y engouffra également.

Cette portion de la Cinquième Avenue était réservée aux boutiques de créateurs, toutes plus luxueuses les unes que les autres. La foule de promeneurs était éclectique. Des familles en vacances dans la Grosse Pomme, qui pour la plupart se contentaient d'admirer compte tenu des prix exorbitants. Des hommes et des femmes d'affaires préoccupés, la main serrée sur leur attaché-case, le téléphone vissé à l'oreille, se pressant de réunion en réunion.

Et enfin, les véritables clients. Les gens, qui comme Hope, avaient les moyens et l'envie de payer une fortune pour un nom de créateur et un service personnalisé. Mack la rattrapa alors qu'elle entrait dans une petite boutique qui vendait des écharpes, des sacs à main et des chaussures.

Il resta dehors car le magasin était trop petit pour qu'il puisse s'y cacher. S'adossant au mur près de l'entrée, il sortit son portable et fit semblant de passer un coup de téléphone.

Il risquait de la perdre si elle décidait de prendre la tangente par la porte de service, mais c'était peu probable : il était presque certain qu'elle ne s'était pas aperçue qu'elle était suivie.

Des robes de mariées, du vernis à ongles et maintenant du shopping. Ces derniers temps, sa virilité en avait pris un coup. Mack regretta de ne pas pouvoir cracher un bon coup : ça lui aurait fait le plus grand bien.

Il pensa avec joie à l'enterrement de vie de garçon d'Ethan qu'il allait organiser avec Brody. Ils allaient lui préparer un programme d'enfer. Quelque chose à la hauteur de leur amitié et qu'il n'oublierait jamais. Mais avant toute chose, il fallait que Brody rentre au pays. Cela faisait si longtemps qu'il était sur le front, à raccommoder les soldats qui avaient malheureusement perdu un bras ou une jambe sur des engins explosifs improvisés. La dernière fois que Mack lui avait parlé, il était impatient de revenir aux Etats-Unis. Il avait l'intention de s'engager dans l'équipe traumatologique de l'un des plus prestigieux hôpitaux de Californie du Sud.

Les trois amis allaient d'abord prendre du bon temps à Las Vegas. Mack avait vu des films sur des enterrements de vie de garçon qui se déroulaient là-bas et, sans prétention, il était sûr qu'ils pouvaient faire bien mieux.

Mais pour le moment, sa priorité était de suivre une jeune femme qui avait l'air d'avoir envie de dépenser sans compter l'argent de son père.

Quand Hope sortit du magasin un quart d'heure plus tard, elle ne portait qu'un seul sac qui, à en juger par sa forme, contenait une paire de chaussures. Cela lui rappela ses jolis orteils rose vif. Quel dommage de les enfermer !

Elle visita trois autres magasins, et le même schéma se reproduisit chaque fois. Elle entrait, passait une vingtaine de minutes à l'intérieur et ressortait avec un nouveau sac. Les formes des sacs ne lui permettaient pas toujours de deviner ce qu'elle avait acheté mais, au vu des devantures, Mack aurait parié qu'il s'agissait de vêtements, de bijoux et de chocolat.

Elle était sur le point d'entrer dans un immense magasin de jouets, quand elle dévia soudain de sa trajectoire et marcha vers un arrêt de bus, au coin de la rue, où patientaient plusieurs personnes. Elle s'approcha d'une femme qui portait un uniforme de serveuse de fast-food et qui était entourée de deux enfants en bas âge et d'une poussette. Manifestement, elle se rendait sur son lieu de travail ou en sortait.

Quel pouvait bien être le lien entre Hope et cette femme ? se demanda Mack. Il cherchait une explication quand tout à coup, Hope tendit à la femme tous ses paquets. Cette dernière hésita un instant, puis les accepta.

Mack aurait donné cher pour entendre leur conversation, mais il ne pouvait pas s'approcher plus près au risque d'être découvert. Il devait être très vigilant. Aussi, quand elle se retourna, il se cacha rapidement derrière un groupe de gens qui attendait pour traverser au passage piéton.

A quoi jouait-elle ? Elle avait passé des heures à faire du shopping et se débarrassait maintenant de tous ses achats. Il était certain qu'elle ne connaissait pas cette femme en uniforme.

Il la suivit tandis qu'elle reprenait la direction de sa voiture. A mi-chemin, elle sortit son portable de son sac et passa un coup de téléphone en marchant. La conversation semblait animée. Hope traversa le parking et s'assit dans sa voiture. Une dizaine de minutes plus tard, elle raccrocha enfin et posa sa tête entre ses bras, sur le volant.

Même à cette distance, Mack sentit le découragement qui accablait Hope. Sans réellement comprendre sa motivation, il eut envie de se précipiter auprès d'elle pour lui demander ce qui n'allait pas. Il se demanda quelle raison le poussait ainsi à la soutenir alors qu'elle l'avait d'abord méprisé et rejeté, pour ensuite le balader pendant deux heures sur la Cinquième Avenue en pure perte.

Mais avant qu'il ait pu décider s'il devait la rejoindre ou non, elle se redressa, démarra et sortit du parking. Il regagna son propre véhicule et la suivit sur la grand-route, jusqu'à ce qu'elle prenne l'embranchement qui menait chez elle.

Il rappela Bing.

— La princesse est de retour, saine et sauve. Je peux te dire que la seule chose qui était en danger aujourd'hui, c'était son portefeuille.

— Tu tombes bien Mack, j'allais justement t'appeler. Je suis sorti dîner rapidement avec Patsy et Archie avant d'aller à l'aéroport et Patsy a appelé Hope pendant qu'elle faisait les courses. Elles ont eu une longue conversation et Hope a finalement accepté que tu te charges de sa sécurité.

Mack se remémora l'attitude de Hope au téléphone.

— Sais-tu pourquoi elle a changé d'avis ?

— Apparemment, Hope ne voulait toujours pas en entendre parler, mais sa mère a dû la supplier et j'imagine que c'est pour cette raison qu'elle a fini par accepter.

— Quand dois-je commencer ?

— Ce soir. Mais, Mack, je ne pense pas qu'elle va te préparer à dîner !

Mack pensa même qu'il serait bien chanceux si elle ne lui jetait pas son assiette à la figure.

4

Hope venait de finir son dîner composé de saumon et d'asperges fraîches quand McCann apparut dans le jardin. Les prévisions météo s'étaient trompées : la pluie n'était pas tombée.

Mack portait un sac en bandoulière et tenait quelque chose à la main. Tandis qu'il se rapprochait, elle vit qu'il s'agissait d'ampoules électriques. Quelle drôle d'idée…

Il s'était changé et portait maintenant un jean élimé, un T-shirt et des sandales. Sans doute estimait-il qu'une fois le job obtenu, plus rien ne l'obligeait à être élégant. Malgré cela, quelque chose dans sa démarche l'impressionnait, une confiance en soi qui était perceptible dans chacun de ses pas.

Hope lui envia son assurance, elle qui se posait tant de questions sur son avenir et qui hésitait depuis des mois à propos de ce qu'elle allait faire de sa vie.

— Il y a une porte d'entrée, lui lança-t-elle quand il fut assez près pour l'entendre. Vous l'ignorez peut-être, mais d'ordinaire, les gens bien élevés passent par là.

Elle regarda l'étui en cuir qu'il portait à la ceinture. Il n'y avait rien de surprenant à ce qu'il soit armé mais Hope n'aimait pas beaucoup cela. Surtout depuis ce jour où son père avait exigé qu'elle l'accompagne à une partie de chasse alors qu'elle avait seulement treize ans.

Décidée à ignorer ce revolver, elle détourna les yeux et posa son regard sur le paquet d'ampoules.

— Vous n'aviez pas besoin d'apporter les vôtres, dit-elle. Nous les fournissons à nos invités.

Il haussa les épaules.

— Quand votre père nous a fait visiter la propriété ce matin, j'ai remarqué quelques ampoules grillées de l'autre côté du pool-house. La lumière reste le moyen de dissuasion le plus simple contre les activités malveillantes.

Elle aurait sans doute dû apprécier l'attention qu'il portait aux détails. Mais il lui était impossible d'être reconnaissante alors qu'il allait perturber ce qui aurait dû être dix jours de tranquillité. Dix jours où elle aurait pu cesser de faire semblant d'être ce qu'elle n'était pas. Du moins tant qu'elle était chez elle.

— Je continue de penser que votre présence ici est absurde, dit-elle.

Il acquiesça et tira une chaise vers lui. Alors qu'il se plaçait légèrement de biais, elle comprit qu'il voulait pouvoir surveiller à la fois la maison et le jardin. Manifestement, il croyait bel et bien que ces menaces étaient sérieuses.

— Si vous pensez que c'est inutile, pourquoi avez-vous accepté que je vous protège ?

— Parce que ma mère me l'a demandé, répondit-elle avec franchise. Elle m'a dit que sans cela, elle ne pourrait pas profiter pleinement de son voyage.

Du bout des doigts, elle effleura le bord de son assiette.

— Ma mère rêve d'aller en Europe depuis des années. L'année dernière, elle était si malade qu'elle s'est résignée à l'idée qu'elle n'irait jamais. Et ça m'a brisé le cœur. Une chose si simple à réaliser et il était trop tard.

— Mais elle y va quand même, tout compte fait, intervint Mack, et vous n'allez rien faire qui puisse gâcher la magie de son séjour.

— Je l'aime trop pour cela, concéda-t-elle. Et quand mes parents vous appelleront, comme je suis sûre qu'ils vont le faire, je vous serais reconnaissante de ne pas donner à ma mère de raison de s'inquiéter à mon sujet. Je vais jouer mon rôle, monsieur McCann, et j'espère que vous jouerez le vôtre.

— Nous allons vivre ensemble les dix prochains jours. Je crois que vous pouvez m'appeler Mack, lui dit-il.

Vivre ensemble. Dans sa bouche, cela sonnait de façon si intime. Une part d'elle depuis trop longtemps glacée se réchauffa soudain, la brûlant presque.

Peut-être qu'ils vivraient ensemble, oui, mais ils ne seraient pas seuls.

— Mavis sera présente également. C'est l'assistante de ma mère, et elle aide aussi aux tâches ménagères. Ce soir, elle est sortie dîner avec des amis, mais elle sera de retour vers 21 heures. A son retour, soyez gentil, évitez de lui tirer dessus.

Hope s'écarta de la table, faisant grincer les pieds de sa chaise sur le carrelage.

— Je monte dans ma chambre. Avant de partir, Mavis m'a dit qu'elle avait préparé la chambre d'amis au premier étage pour vous. En haut de l'escalier, à droite, troisième porte sur la gauche. Il y a une salle de bains attenante. J'aime dormir tard, alors je vous serais reconnaissante de ne pas faire de bruit demain matin.

Il savait où se trouvait la chambre d'amis. Après avoir accepté cette mission, il avait étudié le plan de la maison et examiné des photos de la façade et de la propriété, qui était immense. Dans ce secteur chic du New Jersey, les domaines faisaient tous au moins quatre hectares et étaient protégés des indiscrétions par de grands arbres plantés un peu partout sur les terrains.

Du point de vue de la sécurité, c'était à la fois une bonne et une mauvaise chose. Bonne parce que personne ne pouvait sortir de l'ombre et approcher de la maison sans qu'on le remarque et, les visites inattendues étant rares, il était facile de distinguer les personnes bien intentionnées des autres. Mauvaise car de nombreuses zones restaient obscures et les maisons étaient toutes très éloignées les unes des autres.

La plupart des voisins des Minnow avaient des haras et élevaient des chevaux qui valaient des milliers de dollars. Quand Mack avait fait le tour de la propriété, guidé par

Archibald Minnow, il l'avait questionné à propos de l'écurie qui se trouvait sur leur domaine.

— Elle est vide depuis que nous avons emménagé, avait répondu le révérend. Nous ne sommes pas amateurs de chevaux. Hope avait un chat quand elle était petite, mais quand il est mort, je n'ai plus voulu d'animaux chez nous.

Mack aurait préféré que l'écurie soit pleine d'animaux. Eux, au moins, l'auraient averti si quelque chose d'inhabituel se passait. En l'état, ce n'était qu'un grand bâtiment vide, qui offrait de multiples possibilités pour se cacher. Cette écurie vacante et ce terrain boisé présentaient de vrais risques au niveau de la sécurité. Sans compter l'isolement de la maison.

Enfin, Mack devait aussi compter avec une multitude de fenêtres et de portes au rez-de-chaussée. Même le premier étage offrait un accès direct par la chambre de Hope, car il y avait un petit balcon sous sa fenêtre. Le seul point positif était qu'on ne pouvait pas l'escalader facilement et que la porte-fenêtre était reliée au système de sécurité. En examinant en détail son fonctionnement, Mack ne l'avait pas trouvé très performant. En effet, il était si simple qu'un enfant de quinze ans aurait pu le débrancher. Et l'alarme était reliée au commissariat de police local qui, dans cette banlieue chic, était rarement sollicité pour de vrais crimes et ne lui serait guère utile en cas de besoin.

Lors de sa visite matinale de la propriété, Mack avait songé à demander à Hope de déménager dans une chambre plus sûre. Mais il avait finalement décidé que ce ne serait pas nécessaire. Si quelqu'un essayait d'escalader le balcon, il l'entendrait et aurait le temps de réagir.

Quelques minutes plus tard, il imita Hope et monta à l'étage. On avait beau lui avoir préparé un lit dans la chambre d'amis, il n'allait certainement pas y dormir. Il se reposerait sur le canapé du salon ou sur une chaise, là où il pourrait réagir rapidement si quelqu'un entrait par effraction dans la maison.

Il ne lui fallut que quelques minutes pour vider son sac et ranger ses affaires. Quittant la chambre, il décida d'inspecter l'étage. Il avait étudié le plan de la maison mais devait maintenant la parcourir de fond en comble et mémoriser la disposition des pièces.

L'étage, auquel on accédait par le grand escalier, était divisé en deux parties comportant chacune deux chambres et deux salles de bains. Mavis et lui étaient logés dans l'une des ailes. En ouvrant la porte, il vit que la chambre de celle-ci était meublée à peu près comme la sienne, à la différence près que Mavis avait visiblement un faible pour les girafes. Il y en avait partout, sur la commode, sur l'armoire… Elles étaient de toutes tailles et de toutes matières. L'une d'elles, de verre, était particulièrement jolie, et une autre, en toile de jute, particulièrement laide. Dans un coin se tenait une grande girafe en métal, presque aussi haute que lui.

Il traversa le hall et jeta un coup d'œil dans la chambre jouxtant celle de Hope. C'était aussi une chambre d'amis et, à en juger par la poussière accumulée sur la commode, elle n'avait pas servi depuis longtemps. Il évita la chambre de Hope, certain qu'elle n'apprécierait sûrement pas qu'il frappe à sa porte.

Il descendit ensuite au rez-de-chaussée et se rendit dans la chambre d'Archibald et Patricia Minnow, située près de la cuisine. La pièce, très spacieuse, était meublée d'un grand lit double, d'un bureau et de deux fauteuils confortables qui composaient un petit salon. Une immense salle de bains et deux dressings remplis de vêtements apportaient la touche finale à cette suite parentale.

Il jeta un coup d'œil dans la cuisine, peinte d'un joli vert pâle, et dont la plupart des équipements étaient en inox brossé. Hope avait rincé son assiette et ses couverts et les avait empilés soigneusement dans l'évier. Quelqu'un avait préparé un gâteau à la banane et l'avait laissé refroidir sur une grille près de la cuisinière.

Les autres pièces du rez-de-chaussée se répartissaient en un salon dont un mur était entièrement couvert par une biblio-thèque et un grand écran de télévision, un salon de réception avec de luxueux fauteuils en cuir et des tableaux de valeur, et enfin un bureau que Mack reconnut immédiatement. La pièce avait de jolies fenêtres, quelques étagères encastrées et une table de travail au milieu de laquelle trônait une grande bible. C'était ici même que Archibald Minnow enregistrait chaque semaine son émission télévisée. Il débutait et terminait chaque retransmission la main posée sur cette bible. Mack en avait regardé quelques épisodes pour se préparer à sa mission.

Le révérend était télégénique, aucun doute là-dessus. Il donnait l'impression d'être autant animé par sa foi que par son engagement envers ses fidèles. Dans les extraits que Mack avait regardés, Minnow parlait avec affection de son épouse mais il ne mentionnait jamais sa fille.

Mack inspecta ensuite le sous-sol. La maison avait presque quatre-vingts ans et cela se voyait. Les murs étaient faits de gros blocs de pierre blanche, et l'espace n'avait pas été réaménagé comme dans d'autres demeures plus modernes. Le sol était en ciment. Il y avait un tapis de course et un banc d'haltères dans la partie la plus spacieuse. Le reste servait au rangement, et au fond, on distinguait la chaudière et le chauffe-eau.

A présent qu'il connaissait bien la maison, Mack remonta au rez-de-chaussée et s'installa sur le canapé. Mavis allait bientôt rentrer. Il l'avait rencontrée un peu plus tôt ce jour-là, quand Bing et lui étaient arrivés. Elle les avait fait entrer dans le salon où ils avaient attendu que le révérend les rejoigne. Bing la connaissait déjà, et tous deux s'étaient mis à bavarder comme de vieux amis. Elle avait donné l'impression à Mack d'être une femme compétente et fiable, très attachée à la famille Minnow et surtout à Patricia.

Peu avant 21 heures, il entendit une voiture approcher. Il alla à la fenêtre et tira le rideau. Mavis gara sa Toyota près de la BMW de Mack et entra par la porte principale. Quand l'alarme se déclencha, elle tapa le code sur le clavier pour l'éteindre puis la réinitialisa.

— Monsieur McCann, dit-elle en se retournant pour le

saluer. Je suis ravie de vous voir. J'espérais que Hope n'avait pas changé d'avis et qu'elle ne vous avait pas renvoyé chez vous.

Mack sourit.

— On ne se débarrasse pas aussi facilement de moi.

Mavis haussa les épaules.

— Hope est plus coriace qu'elle n'en a l'air.

Elle posa le pied sur la première marche de l'escalier.

— Je suis si fatiguée que je crois que je vais aller me coucher tout de suite. A quelle heure aimeriez-vous prendre votre petit déjeuner, Monsieur McCann ?

— Appelez-moi Mack, je vous en prie. Et pour ce qui est du petit déjeuner, ne vous dérangez pas pour moi, je peux me débrouiller.

— Vous parlez comme Hope. Cette semaine va ressembler à des vacances pour moi aussi, on dirait. Bonne nuit.

Mack la regarda monter l'escalier et l'entendit ouvrir puis refermer sa porte. Il alla ensuite vérifier le système de sécurité pour s'assurer qu'il était bien actif. Enfin, il éteignit la télévision et monta lui aussi à l'étage.

Il prit une douche rapide et remit son jean. Il était assez confortable pour qu'il puisse dormir avec. Il n'avait pas envie d'être surpris sans pantalon. Puis, conscient que Mavis et Hope dormaient, il quitta la salle de bains en faisant le moins de bruit possible et descendit s'allonger sur le canapé du salon.

Il se réveilla en entendant le faible bip du système de sécurité, puis le bruit caractéristique de la porte d'entrée qui s'ouvrait et se refermait.

Il se leva d'un bond et s'approcha de la fenêtre. Une femme marchait dans l'allée. Quelques secondes plus tard, elle disparut de son champ de vision, cachée par l'ombre épaisse des arbres.

Qui diable était-ce ? Ce devait être Hope. Elle avait la même taille, le même poids, la même démarche sexy. Mais ses cheveux étaient courts et foncés.

Il enfila sa veste, tapota sa poche pour s'assurer que sa lampe torche était bien là, et la suivit, revolver en main. Hope marchait vite, tête baissée, sans doute pour ne pas trébucher.

Une entorse à la cheville aurait bien sûr ruiné ses plans d'évasion.

Etait-elle en train de faire une fugue ? Cela semblait insensé. Mack savait qu'elle n'était pas heureuse ici, mais les fugues étaient réservées aux adolescentes caractérielles. Et elle avait tout ce qu'il lui fallait dans la demeure de son père. Aucune responsabilité, de l'argent à volonté.

Allait-elle passer la nuit en ville ? Déguisée ? Peut-être. Mais elle était vêtue d'un sweatshirt sombre et d'un large pantalon kaki. Pas vraiment la tenue adéquate pour aller en boîte, même dans le New Jersey. Et pourquoi y aller à pied ? Elle qui avait une voiture en parfait état de marche.

Hope s'arrêta en arrivant au bord de la route et regarda vers la gauche, comme si elle attendait quelqu'un.

Mack envisagea de se rapprocher d'elle, ce qu'il aurait sans doute dû faire.

Pourtant il se doutait également que s'il agissait ainsi, elle lui mentirait sur ce qui l'avait poussée à quitter la chaleur de son lit à minuit passé.

Et il n'en saurait pas plus sur les motifs de cette escapade nocturne.

Il resta donc caché sous les arbres, silencieux. Cinq minutes plus tard, une vieille voiture apparut, ralentissant alors que le conducteur ne pouvait pas encore distinguer la silhouette qui l'attendait sur le bord de la route. Puis le véhicule s'arrêta complètement. Sortant de l'ombre, Hope ouvrit la portière côté passager.

La lumière du plafonnier s'alluma, éclairant le conducteur. Ou plutôt la conductrice. Elle était vêtue d'une robe noire ou bleu marine et semblait avoir environ dix ans de plus que Hope.

Cette dernière se glissa à l'intérieur et claqua la portière. La voiture s'éloigna, et Mack, qu'on surprenait pourtant rarement, resta bouche bée au bord de la route.

5

Hope s'adossa à l'appui-tête et soupira. La journée avait été épuisante, et si d'habitude elle dormait quelques heures avant que Sasha ne vienne la chercher, ce soir-là, elle n'avait pas pu trouver le sommeil. A cause de *lui*.

Mack McCann. Une précaution nécessaire, selon sa mère. Un ami de toute confiance, avait affirmé Bing.

Une brillante stratégie de la part de son père, soupçonnait-elle.

Malgré ce que tout le monde pensait, il n'était pour elle qu'une épine dans le pied.

Elle avait entendu McCann monter à l'étage après le retour de Mavis. Puis les tuyaux de la vieille maison s'étaient mis à grincer quand il avait pris une douche. Elle devait reconnaître qu'elle s'était laissée aller à fantasmer un instant en imaginant son corps nu sous la douche, mais n'était-ce pas naturel, étant donné qu'elle n'avait pas fait l'amour depuis deux ans ?

Il faut dire qu'il était vraiment beau, avec ses cheveux noirs et ses yeux noisette. Et il semblait en pleine forme. Elle savait qu'il avait été diplômé de l'académie navale avec les honneurs, qu'il parlait plusieurs langues couramment et que c'était un tireur d'élite. Sa mère lui avait vanté ses mérites tout l'après-midi.

Elle n'y avait pas accordé plus d'intérêt que cela, mais elle s'était surprise à se demander s'il avait mis un pyjama dans son sac en cuir. Finalement, elle avait donné un énième coup de poing dans son oreiller, avait fermé les yeux et s'était remémoré les expressions de surprise et de ravissement qui s'étaient succédé sur le visage de l'inconnue à qui elle avait remis ses achats de l'après-midi.

C'était une excellente manière de finir la journée.

— Fatiguée ? demanda Sasha gentiment.

— Non, mentit Hope.

Si quelqu'un avait le droit d'être fatiguée, c'était bien Sasha. Elle qui chaque soir venait chercher Hope en quittant la maison de retraite où elle travaillait de 15 heures à 23 heures.

— Comment s'est passée ta journée ?

— Charlie Fenton s'est encore enfui. Et sans ses vêtements cette fois.

Ce n'était pas aussi drôle que ça en avait l'air. Hope se souvint que M. Fenton avait presque quatre-vingt-dix ans.

— Où l'avez-vous retrouvé cette fois ?

— Toujours au même endroit. En train d'acheter des donuts. Il voulait en ramener à Delores. Ils sortent ensemble.

— C'est adorable. Et quel âge a Delores ?

— Quatre-vingt-trois printemps. Ils parlent de se marier.

— Tu plaisantes ? s'exclama Hope.

— J'aimerais bien. Tu imagines un peu ça ?

Sasha lui lança un regard gêné.

— Désolée, ajouta-t-elle.

Sasha était l'une des rares personnes à connaître les vraies raisons de la séparation et du divorce de Hope. Elle avait été à ses côtés durant cette épreuve et l'avait ramassée à la petite cuillère. C'est ainsi que les deux femmes s'étaient rencontrées et étaient devenues amies.

— Pas de problème, dit Hope avec légèreté.

Elle n'avait jamais réussi à penser à son divorce avec humour, mais elle n'était quand même pas assez aigrie pour ne pas se sentir émue par ces deux vieillards qui se comportaient comme des adolescents, à supposer que ce soit possible avec un déambulateur.

— Tu crois qu'il y aura de l'activité ce soir ? demanda Sasha pour changer de sujet.

C'était une simple question de principe. Personne ne

pouvait prédire quel genre de nuit s'annonçait vraiment. Le téléphone étant resté calme ces dernières nuits, peut-être allait-il se déchaîner aujourd'hui. Elles avaient reçu la visite d'une nouvelle femme battue deux nuits auparavant. La pauvre avait deux yeux au beurre noir, une dent ébréchée et un doigt cassé. Ses deux enfants qui l'accompagnaient étaient restés cramponnés à elle toute la nuit, leurs petites mains agrippées à son T-shirt bon marché. Heureusement, eux ne portaient pas de marques de coups, mais ils avaient évidemment été témoins de ce que leur père avait fait subir à leur mère.

Finalement, Hope avait emmené la petite de quatre ans et son frère de cinq ans dans la cuisine. Elle les avait persuadés de l'aider à préparer des cupcakes, afin que Sasha et Jackie puissent discuter avec la mère et l'encourager à reconstruire sa vie, cette fois sans coups ni violence.

Sasha arrêta la voiture dans le parking d'un bâtiment discret qui ne comportait qu'un étage. De l'extérieur, il paraissait tranquille. Comme toujours. Il n'y avait pas de panneau lumineux, juste une petite plaque sur la porte, dont il fallait s'approcher pour pouvoir lire ce qui y était inscrit.

Gloria's Path. Le refuge avait été nommé ainsi en l'honneur de la fondatrice, Gloria Portland. C'est elle qui, huit ans auparavant, avait rassemblé les subventions et les dons privés suffisants pour ouvrir un accueil d'une dizaine de lits. A présent, Gloria travaillait surtout la journée, laissant des bénévoles de confiance et une poignée d'employés se charger du service de nuit.

Hope ouvrit sa portière et sortit de la voiture. Ce faisant, elle vit quelque chose tomber à terre. Elle se pencha et le ramassa, avant de repasser la tête à l'intérieur de la voiture pour voir, à la lumière, ce dont il s'agissait.

Surprise, elle découvrit une photo de Sasha avec un homme.

— Qu'est-ce que c'est ? demanda-t-elle en tenant le cliché de manière à ce que Sasha, qui était déjà sortie, puisse le voir.

Son amie agita la main.

— Oh ! Rien. Je suis allée au mariage de mes cousins la

semaine dernière, et ils avaient un stand photo avec des tas d'accessoires.

Elle ne mentionna pas l'homme et Hope ne voulut pas être indiscrète. Elle savait que Sasha s'était mariée et avait divorcé deux fois. Peut-être était-elle prête à s'aventurer de nouveau dans les eaux agitées des relations amoureuses.

Hope reposa délicatement la photo sur le siège passager.

— Ces lunettes violettes te vont plutôt bien.

— C'était ça ou un chapeau de Père Noël !

Les deux femmes s'avancèrent sur le trottoir plongé dans l'ombre et Sasha se servit de sa clé pour ouvrir la porte de service. L'intérieur du bâtiment était faiblement éclairé, en raison de l'heure tardive. Tout était encore calme mais Hope savait que bientôt le refuge déborderait d'activité. Il arrivait toujours plus de femmes. Des femmes abîmées par les coups qui ne dormaient jamais vraiment. Des femmes qui s'inquiétaient de leur avenir et de celui de leurs enfants. Et qui, surtout au milieu de la nuit, avaient besoin d'une épaule pour s'épancher.

Hope se dirigea vers la petite cuisine pour se servir un café. Une femme était assise à la table. Une tasse de café à moitié vide était posée devant elle, elle jouait avec son smartphone.

Serena leur rendait visite régulièrement. Elle était arrivée pour la première fois six mois auparavant, peu de temps après que Hope avait entamé son bénévolat. Elle avait passé quelques jours à Gloria's Path, puis elle était retournée chez elle, après que son mari l'avait suppliée de revenir et qu'il lui ait juré qu'il ne recommencerait plus. Quand elle était revenue deux semaines plus tard, avec des bleus et des coupures sur le visage, elle avait déclaré qu'elle était enfin décidée à le quitter, car sa promesse ne l'avait pas empêché de lui envoyer un coup de poing dans la mâchoire.

Elle n'avait ni enfants ni famille dans la région. Tout ce qu'elle avait, apparemment, c'était un mari colérique qui ne pouvait se résoudre à l'idée que sa femme veuille le quitter.

— J'espérais que vous auriez une minute à m'accorder,

dit Serena qui de toute évidence attendait avec impatience l'arrivée de Hope. Je crois que j'ai enfin un plan.

Hope sourit. Sa nuit avait commencé.

Mack était assis dans sa voiture, se demandant ce qu'il devait faire. Une seconde après avoir vu Hope disparaître, il s'était précipité vers la maison pour récupérer son propre véhicule.

Heureusement, ses clés étaient dans la poche de sa veste et il avait rapidement rejoint la route. Il ne lui avait fallu que quelques minutes pour rattraper la vieille Ford, à deux kilomètres de Weatherbie, une banlieue prospère d'un peu moins de dix mille habitants dans le Western Essex County.

La circulation était presque inexistante, il avait donc dû ralentir à deux reprises pour qu'elles ne s'aperçoivent pas qu'il les suivait. Certain qu'elles allaient traverser la ville, il perdit leur trace quand elles quittèrent la rue principale. Il avait fait demi-tour immédiatement mais avait perdu du temps à les chercher.

Il avait finalement retrouvé la voiture à trois rues de l'artère principale, garée près d'un petit bâtiment de bois et briques, au coin des rues Marsh et Wooten. Il y avait un autre véhicule dans le parking. Le long des trottoirs étroits, quelques lampadaires éclairaient faiblement ce qui semblait être un quartier tranquille.

Il avait fait le tour du pâté de maisons pour repérer un peu le secteur, puis s'était garé au carrefour suivant, sur un emplacement libre. De là, il avait une bonne vue sur la porte d'entrée de l'immeuble.

Durant la journée, il devait sans doute y avoir du passage, car la rue était bordée d'immeubles d'habitation entre lesquels s'étaient glissés un coiffeur et un petit garage. Toutefois, à cette heure tardive, il n'y avait personne.

Personne de visible, du moins. Mack était sur le qui-vive et s'attendait toujours à ce que quelqu'un surgisse de l'obscurité.

Un état de vigilance permanente qui lui avait permis de rester en vie jusqu'à l'âge de trente-huit ans.

C'était la deuxième fois en moins de douze heures qu'il suivait Hope Minnow à son insu. Cela commençait à être lassant. Mais au moins, cette fois, elle n'était pas allée jusqu'à New York. Elle s'était contentée de rester dans les environs.

Pourquoi ?

Que diable faisait-elle dans ce bâtiment ?

Elle achetait de la drogue ? C'était possible. Pourtant, elle n'avait pas l'air d'une droguée. Elle avait une belle peau, des cheveux brillants et de jolies dents blanches.

Se pouvait-il qu'elle se prostitue ? Cette idée même lui donna la chair de poule. Et il sentit naître en lui un sentiment de jalousie sur lequel il décida de ne pas s'attarder.

Jouait-elle ? Peut-être. Elle avait beaucoup d'argent et le dépensait sans compter.

Des combats de chiens ? Il leva les yeux au ciel.

Ça devenait ridicule.

Il était sur le point de sortir de la voiture et d'aller frapper à cette fichue porte afin de demander des explications, quand une vieille El Camino avec deux pots d'échappement s'engagea en rugissant dans la rue. Le véhicule ralentit juste devant le bâtiment et le passager jeta quelque chose par la fenêtre. Mack entrevit un éclair.

Bon sang ! C'était un cocktail Molotov ! Le projectile brisa la vitre d'une des fenêtres en façade et Mack vit des flammes s'élever en dansant.

Le bâtiment était en feu et Hope était à l'intérieur.

Il composa le 911 tout en courant vers l'immeuble. Quand l'opératrice répondit, il signala l'incendie et indiqua l'adresse. Puis il décrivit la voiture qui avait pris la fuite, avant de raccrocher au nez de la femme qui lui demandait pourtant de rester en ligne.

La porte de devant était verrouillée. Il dut donner deux coups de pied pour qu'elle cède. Le petit hall d'entrée était déjà rempli de fumée. Les flammes étaient partout : grimpant le long des rideaux, dévorant le mobilier. Il entendit une femme hurler.

Ce n'était pas la voix de Hope, mais ce n'était pas moins urgent.

Il essaya d'ouvrir la porte intérieure. Verrouillée, elle aussi. La seule solution était d'escalader le comptoir qui séparait une petite zone d'accueil du hall. Prenant appui sur ses deux mains, il le franchit avec aisance. Un extincteur était posé sur le bureau, comme si on l'avait reposé là en hâte. La goupille avait été retirée. Mack s'en empara et pressa la poignée, en vain.

L'appareil était soit vide, soit défectueux. De toute évidence, il ne lui serait d'aucune utilité.

Il y avait une autre porte, non verrouillée celle-là. Elle ouvrait sur un long couloir faiblement éclairé, avec des portes des deux côtés. Des femmes et des enfants en pyjamas en sortaient, titubants, l'air hagard et choqué.

Les cris avaient cessé. La femme qui était passée prendre Hope se tenait au bout du couloir, le dos appuyé contre une porte de secours qu'elle maintenait entrouverte, pressant les femmes et les enfants de sortir.

Aucune trace de Hope. Où diable se cachait-elle ?

Enfin il la vit. Sortant d'une chambre, elle soutenait une femme enceinte et tenait un enfant endormi dans ses bras. Sous sa perruque auburn, son visage était pâle mais calme.

Elle balaya le couloir des yeux comme pour compter les personnes et l'aperçut. Il vit sur son visage la surprise, mais aussi quelque chose d'autre. Le soulagement, peut-être ?

— Vérifiez les chambres ! hurla-t-elle sans perdre de temps.

Le couloir était rempli de fumée. Mack prit sa lampe torche. Elle était petite mais suffisamment puissante pour lui permettre de se repérer. Les chambres étaient vides. Le temps qu'il parvienne à la porte de service, il comprit que Hope avait pris la place de l'autre femme. L'enfant qu'elle portait avait disparu et c'était elle qui tenait maintenant la porte de service ouverte. Mack entendit hurler la sirène des pompiers.

Leurs yeux se croisèrent.

— Je les ai comptés, dit-elle. Je crois que tout le monde est dehors.

— Les chambres sont vides, confirma-t-il.

— Dieu merci !

Elle jeta un coup d'œil inquiet derrière elle. L'autre femme avait entraîné le groupe le plus loin possible du bâtiment, afin qu'il ne gêne pas le travail des pompiers.

— Il faut que je file d'ici, dit-elle d'un ton pressant. Il est hors de question que je sois là quand les pompiers et les policiers arriveront. Vous pouvez m'aider ?

Mack avait un millier de questions.

— Que… ?

L'expression qu'il décela dans ses jolis yeux l'arrêta. C'était de la peur. Une peur bien réelle. Il ignorait ce qui se passait, mais il allait l'aider. Il voulait qu'elle soit en sécurité.

Il lui prit la main et l'entraîna loin de l'immeuble. Ils coururent en direction de sa voiture.

Une fois à l'intérieur du véhicule, elle se recroquevilla comme pour rester hors de vue. Mack démarra au moment même où le premier camion de pompiers tournait le coin de la rue.

Il conduisit pendant quelques minutes en silence puis, n'y tenant plus, il demanda :

— Que diable se passe-t-il, Hope ?

Elle se redressa.

— Ils nous ont vus ? demanda-t-elle.

Il secoua la tête.

— Je ne crois pas. Mais les femmes à l'intérieur, oui.

— Sasha sait que je suis sortie. Je lui ai dit que je partais. Elle ne dira rien sur ma présence.

— Et les autres ?

— Espérons que la police s'adressera à Sasha uniquement. Elle fera de son mieux pour ne pas parler de moi.

Ils avaient atteint la grand-route. Mack regarda dans le rétroviseur. Personne ne les suivait.

— Pouvez-vous me dire quel est cet endroit et ce que vous

y faisiez ? Et pourquoi portez-vous une perruque et êtes-vous attifée ainsi ?

Elle ne répondit pas.

Il ralentit et mit son clignotant, comme s'il s'apprêtait à faire demi-tour.

— Oh ! D'accord, dit-elle exaspérée. C'est un refuge pour femmes. Pour les victimes de violences domestiques. J'y travaille comme bénévole. On me connaît sous le nom de Paula.

Ayant été témoin de la scène au refuge, il n'était pas aussi surpris qu'il aurait pu l'être. Mais ce que lui disait Hope restait pour le moins très étonnant.

Il aurait apprécié qu'Archibald Minnow lui parle de cela quand il leur avait fait faire le tour de la propriété.

— Personne ne m'a rien dit à ce sujet, déclara-t-il.

— Personne n'est au courant, répliqua-t-elle. Enfin, ce n'est pas tout à fait vrai. Mavis le sait. Mais elle ne dira rien.

Elle laissa passer quelques secondes puis reprit :

— Je suppose que vous vous êtes débrouillé pour me suivre.

— Oui.

Il s'attendait à ce qu'elle explose de colère, mais elle secoua simplement la tête d'un air déçu.

— Je n'arrive même pas à filer discrètement de la maison.

— Ne soyez pas si dure avec vous-même. Je suis un peu plus observateur que vos invités habituels. Qui est la femme qui est venue vous chercher ?

— Sasha. Elle est employée par Gloria's Path. C'est le nom du refuge, ajouta-t-elle.

— Elle connaît donc la vérité à votre sujet ?

— Oui.

Il attendit des explications supplémentaires, mais aucune ne vint. D'accord. Il démêlerait tout cela plus tard.

— Vous vous êtes bien débrouillées toutes les deux, pour faire sortir les femmes.

— Nous avons eu de la chance. Sasha était à l'accueil quand la bombe incendiaire est passée par la fenêtre. Elle a essayé d'utiliser l'extincteur, mais il ne marchait pas. J'ai fait sortir la personne avec qui j'étais, puis je suis revenue chercher les autres.

La dernière chose à faire, pensa Mack.

— Vous n'auriez pas dû rentrer, dit-il. Une fois qu'on est sorti d'un bâtiment en flammes, on reste dehors.

Elle secoua la tête.

— Il n'était pas question que je fasse ça, répondit-elle simplement.

Elle ne disait pas cela pour se vanter, elle le pensait vraiment. Mack comprit soudain que Hope Minnow possédait bien plus de qualités que son apparence ne le laissait supposer.

— C'était un cocktail Molotov. Un type dans une vieille El Camino jaune l'a jeté par la fenêtre. Je l'ai dit à la police quand j'ai appelé le 911. Le véhicule vous dit quelque chose ?

— Non. Mais j'imagine que la police posera la question aux résidentes. Il est possible que ce soit quelqu'un qui tente de s'en prendre à l'une d'elles. Nous prenons toutes les mesures nécessaires pour garder l'adresse du refuge secrète. Les femmes nous sont adressées par les services sociaux et il n'y a pas de panneau dans la rue. Mais il est possible qu'un mari ou un petit ami abandonné l'ait découvert par hasard.

Il se tourna pour la regarder.

— C'était peut-être quelqu'un qui vous en voulait à vous ? Je vous rappelle que vous avez reçu des menaces.

Elle fit signe que non.

— Je sais que vous ne me croyez pas, mais ces menaces sont bidons. De plus, personne ne sait que je travaille là-bas. J'ai tout fait pour garder le secret.

— Un secret n'en est plus un quand plus d'une personne ne le connaît. Vous venez juste de dire que Mavis et Sasha étaient au courant.

Hope haussa les épaules.

— Je fais confiance à Mavis et, quant à Sasha, eh bien, c'est la même chose. Elle aurait pu me trahir auparavant, à un moment où cela aurait été vraiment préjudiciable pour moi.

Elle ne l'a pas fait, il n'y a donc aucune raison pour qu'elle le fasse maintenant.

Mack commençait à avoir un très mauvais pressentiment.

— Comment avez-vous rencontré Sasha ?

Hope resta silencieuse un long moment. Finalement, elle déclara doucement :

— Elle travaille à Gloria's Path depuis des années. Une chance pour moi, c'était elle qui était de garde la nuit où je suis arrivée au refuge.

6

C'était la première fois qu'elle prononçait ces mots à voix haute devant quiconque, à part son père. Mack ne manifesta aucune réaction. Cela lui rendit les choses plus faciles dans un sens. S'il avait eu l'air choqué ou surpris, elle aurait eu envie de le jeter hors de la voiture.

— Votre ex ? demanda-t-il d'une voix tendue.

Elle acquiesça.

— William Baylor III. Je n'ai jamais rencontré le premier, et le deuxième avait l'air sympa. J'imagine toutefois que la pomme peut parfois tomber très loin de l'arbre.

— Vous étiez gravement blessée ?

— Le nez cassé. La mâchoire fracturée. Le larynx écrasé. Il a essayé de m'étrangler, ajouta-t-elle. Deux côtes fêlées. Accompagnées d'autres coups et blessures.

— J'espère que vous avez porté plainte, dit-il d'une voix dure.

Cela allait devenir délicat.

— Non, je ne l'ai pas fait.

Il parut réfléchir à sa prochaine question.

— Pourquoi ?

Ils venaient de s'engager dans le chemin qui menait à la maison. Elle attendit qu'il arrête la voiture et coupe le contact pour lui répondre.

— Je n'ai pas porté plainte car je ne l'ai dit à personne, en dehors de mon père. Ma mère était très malade à l'époque. Nous pensions qu'elle allait mourir. Mon père m'a demandé de ne pas le lui dire et j'ai fini par accepter.

Le clair de lune filtrant par le toit ouvrant était suffisant pour qu'elle distingue l'expression de perplexité qui venait de s'afficher sur son visage. Elle savait ce que serait sa prochaine question.

— Et votre ex travaille toujours pour votre père ? Comment est-ce possible ?

En effet : comment était-ce possible ?

— C'est la décision de mon père, répondit-elle. Vous n'aurez qu'à lui demander.

Elle ouvrit sa portière et la referma doucement, même si elle avait terriblement envie de la claquer. Mais elle ne voulait pas réveiller Mavis malgré ce qu'elle ressentait en pensant à la trahison de son père. C'était pour cela qu'elle n'avait jamais eu envie de parler de ce qui s'était passé. Quand cette souffrance cesserait-elle ? Son père avait eu le choix. Il aurait pu choisir Hope, mais au lieu de cela, il avait choisi Wills.

Et elle ne pourrait jamais l'oublier.

Elle ouvrit la porte d'entrée et pénétra à l'intérieur. Mack lui emboîta le pas. Elle l'entendit réinitialiser l'alarme.

Elle allait monter se coucher et essayer d'oublier ce qui venait de se passer.

— Hope ?

Bon sang. La nuit avait été assez pénible comme ça… Elle continua à avancer. Elle avait déjà gravi les premières marches quand il fit une autre tentative.

— S'il vous plaît…

Elle ne s'attendait pas à cela.

— Oui ? dit-elle, décidée à ne pas se retourner.

— Je suis désolé de ce qui vous est arrivé. Baylor mérite de se faire casser la figure par quelqu'un de plus costaud que lui.

La force tranquille qu'il avait mise dans ces mots faillit la faire céder. Elle prit une profonde inspiration pour lutter contre son envie de le regarder, puis une autre.

— Cela n'a plus d'importance.

Enfin elle leva le pied, continua à monter l'escalier et parcourut le couloir jusqu'à sa chambre.

*
* *

Cela n'a plus d'importance. Tu parles !

L'idée qu'un homme puisse frapper une femme était pour Mack insupportable. Et que le révérend Archibald Minnow ait gardé le coupable au sein de son église, c'était incompréhensible.

Après cela, il n'était guère étonnant que Hope déteste son père. Qu'est-ce qui était passé par la tête de cet homme ? Mack se retenait de l'appeler pour exiger une réponse à cette question. Et il crevait d'envie d'infliger une sérieuse raclée à l'ex-mari.

Quelles qu'aient été ses pensées quand il avait vu Hope monter dans cette voiture, il ne s'attendait pas à ce qu'elle soit bénévole dans un refuge pour femmes battues, qu'elle rentre dans un bâtiment en flammes pour sauver d'autres gens et certainement pas qu'elle fuie les feux de la rampe.

Pour que tout cela reste secret.

A présent, elle était montée dans sa chambre, pour se cacher encore une fois. Et il l'avait laissée partir car, en toute franchise, il ne savait que lui dire. *Je suis désolé* semblait bien dérisoire, mais il n'avait rien trouvé de mieux.

Elle avait tout de suite écarté la possibilité que l'attentat ait pu avoir un quelconque rapport avec elle. Lui-même n'en était pas convaincu. Mais il ne pouvait y faire grand-chose à 1 heure du matin.

Se laissant tomber sur le canapé, Mack appuya la tête sur le dossier et ferma les yeux. Il s'interrogea sur les dégâts infligés au refuge. Les pompiers avaient réagi avec célérité. L'accueil était incontestablement parti en fumée, mais ils avaient sans doute réussi à empêcher le feu de se propager dans la zone d'habitation. Cette partie serait endommagée par la fumée, mais il existait des sociétés qui pouvaient s'en occuper efficacement.

Pourtant, même dans le meilleur des cas, les clientes devraient être relogées ailleurs jusqu'à ce que les réparations soient effectuées. Hope serait-elle toujours partante pour faire du bénévolat dans un autre lieu ? Elle devait comprendre qu'elle ne pourrait plus filer ainsi à l'anglaise. Tout s'était bien terminé, mais ils n'auraient peut-être pas autant de chance la prochaine fois.

Mack se força à respirer plus lentement. Des années passées sur le fil du rasoir lui avaient enseigné à quel point il était important de décompresser et de prendre quelques heures de sommeil. Somnolant à moitié, il se demanda quelle Hope Minnow il allait retrouver au matin.

Quand il se réveilla trois heures plus tard, il était 4 h 30 et la maison était silencieuse. Il vérifia le système de sécurité, bien qu'il soit certain qu'il était encore actif. Hope était toujours dans sa chambre et Mavis n'était pas encore levée.

Il but un verre d'eau, mit ses chaussures de sport et descendit au sous-sol utiliser le tapis de course. Il avait toujours aimé courir, de préférence dehors quand il le pouvait. Il avait fait partie de l'équipe de cross-country à l'académie navale et avait passé d'innombrables heures à courir sur le sentier qui franchissait la Severn. Ce chemin serpentait en partie à travers un terrain de golf où des militaires et des politiciens pratiquaient de terribles swings pas toujours bien dirigés.

C'était sans doute là qu'il avait appris à foncer et à plonger pour éviter les balles de golf.

Vingt-huit minutes et huit kilomètres plus tard, il se sentait beaucoup mieux. Il retira son T-shirt et s'en servit pour éponger la sueur sur son visage. Puis il l'enroula autour de son cou, avec l'intention d'aller se doucher.

Alors qu'il gravissait l'escalier, il entendit un faible grincement de chaise sur le carrelage. Mavis ? Sûrement. Il finit de monter les marches et jeta un regard prudent en direction de la cuisine.

Hope était assise en tailleur sur une chaise, ses jambes nues repliées sous elle, dans un pyjama avec un imprimé de… oui, de dauphins. Elle s'était débarrassée de son horrible perruque et ses longs cheveux blonds étaient négligemment attachés en une queue-de-cheval qui tombait dans sa nuque. Elle ne portait pas de maquillage et lisait le journal.

Elle était vraiment très belle.

Mais que faisait-elle debout à 5 heures du matin ?

— Salut, dit-il.

Elle fit un bond et les pages du journal s'envolèrent. La main sur le cœur, les joues roses, elle le fixa.

— Ne faites plus jamais ça, dit-elle en se penchant pour ramasser le journal sur le sol.

Il entrevit un éclair de peau bronzée entre la veste et le short de son pyjama, et en conclut qu'elle passait sans doute pas mal de temps près de la piscine. Sa peau semblait d'une douceur délicieuse et, quand elle se redressa, il dut faire un effort pour détourner le regard.

Il s'approcha de la cafetière qui contenait à présent du café frais, et s'affaira à trouver une tasse convenable dans les placards. Bon sang, sa récente course lui avait donné chaud, mais ce n'était rien à côté de ce qu'il ressentait à présent.

Maîtrise-toi, s'ordonna-t-il. Après tout, il était là pour jouer les gardes du corps.

— Désolé de vous avoir fait peur, dit-il. Je ne m'attendais pas à vous trouver debout.

Elle tripotait l'anse de sa tasse à café.

— Je ne pouvais pas dormir.

— Vous avez parlé à votre amie Sasha ?

— Oui, dit-elle sans lever les yeux. Je lui ai envoyé un texto hier soir, et elle m'a rappelée deux heures après que nous sommes rentrés.

Ce qui signifiait qu'elle n'avait pratiquement par dormi. S'il y avait une journée où elle méritait de dormir jusqu'à midi, c'était bien ce jour-là.

— Que vous a-t-elle dit ? lui demanda-t-il en se retournant pour se servir une tasse de café qui s'annonçait merveilleuse.

Il ne reposa pas la cafetière mais l'emporta jusqu'à la table pour remplir la tasse à moitié vide de Hope. Puis il prit sa propre tasse et s'assit en face d'elle.

Manifestement, elle n'avait pas envie de partager son espace, car elle se leva, repoussa sa chaise et se dirigea vers l'évier. Lui tournant le dos, elle regarda par la fenêtre.

— Ils ont pu trouver un arrangement avec un des hôtels en ville. Les femmes y ont dormi cette nuit. Elles pourront y rester les prochains jours, mais ce week-end, il y a un tournoi de football en ville, et toutes les chambres sont réservées. Cela signifie malheureusement qu'elles vont devoir déménager ailleurs.

— Retourner à Wooten Street ?

Hope secoua la tête.

— Sasha n'en sait rien. Des entrepreneurs vont venir aujourd'hui évaluer les dégâts et calculer le temps qu'il faudra pour réparer l'accueil et évacuer la fumée du reste du bâtiment.

— La police a une idée de qui a fait ça ?

Il aurait aimé que Hope se retourne. C'était déconcertant de parler à son dos, même s'il appréciait la vue de son joli postérieur. Pas étonnant que les dauphins aient l'air heureux.

— Sasha n'en savait rien. L'officier chargé de l'enquête a demandé à toutes les femmes si elles avaient connaissance d'une El Camino jaune, et elles ont toutes répondu non. Toutefois, l'une d'elles pourrait avoir menti. Les femmes battues protègent parfois les mauvaises personnes.

Pas uniquement les femmes battues. Au fil des ans, il avait enquêté sur d'innombrables situations qui, si la vérité avait éclaté, auraient mal tourné, mais qui s'étaient réglées au moyen de mensonges généralisés.

— Elles ne font pas ça pour causer des problèmes, ajouta Hope en se tournant enfin vers lui.

Elle avait visiblement pris son silence pour de la désapprobation.

Il leva une main.

— Je ne les juge pas. J'ai appris au cours de ma vie que la vérité se situait toujours quelque part au milieu.

Elle sourit, mais il n'y avait aucune trace de joie dans ses yeux.

— Durant l'enfance, on vous apprend à dire la vérité. Ensuite, vous grandissez et vous comprenez que tout le monde ment. C'est une grande claque de maturité.

Pivotant sur elle-même, elle jeta le reste de son café dans l'évier.

— Tout le monde ne ment pas, dit-il en parlant de nouveau à son dos. Et certainement pas tout le temps.

Elle haussa les épaules.

— Peut-être pas. C'est probablement l'endroit où je vis qui est différent.

Elle passa une main dans ses cheveux.

— Je retourne me coucher.

— Vous n'avez pas besoin de vous cacher dans votre chambre, remarqua-t-il.

Elle redressa son dos ravissant.

— Je ne me cache pas.

— Hier soir, vous m'avez dit que la seule personne à qui vous en aviez parlé, c'était votre père. Mais vous avez aussi dit que Mavis était au courant. C'est contradictoire.

Elle lui fit face.

— Mavis sait que je travaille au refuge, mais elle ne sait pas pourquoi. Un jour, alors qu'elle nettoyait ma chambre, elle a découvert les vêtements et la perruque de Paula. Elle m'a interrogée là-dessus et j'ai dû répondre quelque chose. Elle pense que je garde cela secret parce que je crois que mon père s'en servirait à son avantage — qu'il améliorerait encore son image auprès de son public si on savait que je fais du bénévolat dans un refuge de femmes. Elle sait que je n'ai pas envie d'aider mon père à agrandir son empire.

— Vous ne pensez pas qu'elle est curieuse de savoir pourquoi vous avez choisi Gloria's Path ?

Hope secoua la tête.

— Elle ne m'a jamais posé la question.

Mack entendit alors Mavis descendre l'escalier, comme si elle avait deviné que l'on parlait d'elle. Elle était en train de discuter avec quelqu'un et, quand elle apparut sur le seuil de la cuisine, Mack vit qu'elle était au téléphone. Elle n'était pas coiffée et son chemisier était boutonné de travers.

Il attrapa son T-shirt qui était toujours autour de son cou, le secoua et l'enfila.

— Je vais venir, bien sûr, mais je ne sais pas quand… Il va falloir que je te rappelle. Courage, sœurette. Dis à Walt que je prie pour lui.

Mavis raccrocha, l'air bouleversé.

Hope s'approcha d'elle.

— Que se passe-t-il ?

— Le mari de ma sœur qui vit à Mobile, en Alabama, a eu une crise cardiaque. Leur fils unique est mort d'un cancer il y a quelques années, Greta va donc devoir affronter cela toute seule.

— Il faut que tu ailles la voir, dit immédiatement Hope. Je vais te réserver un billet d'avion ce matin.

Mavis secoua la tête et s'avança vers le réfrigérateur pour y prendre le calendrier. C'était un de ceux dont on enlève une page par jour. Elle arracha et froissa le feuillet, ouvrit le placard sous l'évier et jeta la boule de papier dedans.

— J'ai dit à ta mère que je serais là durant son absence, pour veiller sur toi.

Hope prit un air exaspéré.

— C'est lui qui est censé veiller sur moi, dit-elle en désignant Mack.

— Sympa de le reconnaître, dit ce dernier.

Il se tourna vers Mavis.

— Ecoutez, je maîtrise la situation. Faites ce que vous avez à faire, tout ira bien pour nous.

Mavis les regarda tour à tour. Puis elle revint au calendrier et en feuilleta les pages, avant de s'arrêter sur un jour de la semaine suivante et de désigner une note manuscrite.

— Je devais faire du bénévolat à une collecte de fonds pour la bibliothèque. C'est un lavage de voitures. Ils ont besoin de tous ceux qui peuvent participer.

— Aucun problème, répliqua Hope. C'est dans plus d'une

semaine. Si tu n'es pas revenue d'ici là, je te remplacerai. Je sais laver une voiture.

— Tu en es sûre ?

— Sûre que je sais laver une voiture ou sûre que je vais y aller ? la taquina Hope.

Mavis se contenta de secouer la tête.

— Je devais aller faire les courses ce matin.

— Je suis certaine qu'à nous deux, on pourra se débrouiller, répondit Hope.

— Je n'ai pas préparé de gâteau, reprit Mavis.

— Je sais faire un gâteau au chocolat pas trop mauvais, intervint Mack.

Hope haussa un sourcil.

— Attendez et vous verrez. Vous en redemanderez.

Mavis les considéra de nouveau.

— Soyez gentils l'un avec l'autre, leur dit-elle avant de se tourner vers Hope. Et toi, sois prudente. Ne sous-estime pas ces menaces.

Hope hocha la tête.

— Ne t'inquiète pas. Maintenant, va te préparer. Et tu devrais rattacher ces boutons correctement, dit-elle en la prenant affectueusement par le bras. Viens, je vais t'aider à faire ta valise.

Après le départ des deux femmes, la cuisine parut étrangement silencieuse. Mack se rassit et finit son café. Apparemment, Hope et lui allaient devoir cohabiter pendant quelques jours. Il avait remarqué la manière dont Hope surveillait son comportement en présence de Mavis. La veille au soir, elle avait veillé à ne pas faire de bruit en rentrant pour ne pas la réveiller. Mavis partie, tout risquait de changer. Le nombre de coups fourrés qu'elle pourrait faire n'avait sans doute d'autres limites que celles de son imagination.

Super ! Il allait devoir se procurer d'autres serrures pour les portes.

7

Après avoir dit au revoir à Mavis, Hope remonta dans sa chambre pour faire la sieste. Elle n'avait pas vu Mack au rez-de-chaussée, mais elle avait compris qu'il était dehors en l'entendant, par la fenêtre ouverte, saluer l'amie de sa mère.

Peu lui importait ce qu'il faisait, du moment qu'il la laissait tranquille.

Elle devait toutefois reconnaître qu'il s'était montré utile la veille. Elle avait levé les yeux et l'avait vu apparaître dans la fumée, comme une sorte de superhéros. Et il avait vérifié toutes les chambres, ce qui lui avait épargné de parcourir le couloir en sens inverse pour le faire.

Ensuite, en entendant les sirènes des pompiers et de la police, elle avait compris qu'elle devait filer au plus vite. Les journaux s'intéressaient déjà à elle quand elle buvait un verre à une soirée de bienfaisance en ville, alors ce genre d'histoire aurait été pour eux du pain béni.

Et la terrible vérité aurait éclaté.

Byron Ferguson s'en serait délecté. Ce photographe s'intéressait à la famille Minnow depuis plusieurs années. C'était une plaie ambulante, qui mitraillait Hope et ses parents à chacune de leurs apparitions publiques. Il s'était associé avec un journaliste de la presse écrite et, ensemble, ils avaient réalisé toute une série d'articles relatant la transformation d'un petit prédicateur de province en une icône religieuse d'envergure nationale. Leur enquête efficace leur avait permis de gagner plusieurs récompenses, mais tout de même pas le Pulitzer.

Malgré cela, Hope avait espéré que ce coup d'éclat offrirait à Ferguson quelques aventures à New York.

Pourtant, contre toute attente, Byron Ferguson était resté à Weatherbie. Il avait été promu, ce qui de toute évidence devait lui donner un surcroît de travail, mais ne l'empêchait pas d'être présent chaque fois que les Minnow faisaient l'actualité.

Cela dit, elle devait bien reconnaître qu'elle y trouvait aussi son compte. Le photographe s'était en effet révélé utile en plusieurs occasions, et en particulier lorsqu'elle-même avait décidé de donner à la presse l'occasion de la photographier en train de faire la fête. Elle était certaine que c'était lui qui avait pris la photo qui illustrait l'article de *People* et elle se demandait combien il avait touché pour cela.

Et si elle avait voulu informer les gens des violences que lui infligeait son mari, Byron n'aurait été que trop heureux de témoigner des dégâts. Et cela aurait fait la une du journal.

A certains moments — surtout dans les premiers mois —, elle avait été tentée de raconter son histoire et de révéler au monde quel salaud était son ex-mari. Mais elle avait respecté la promesse faite à son père.

La requête de celui-ci n'était pas totalement insensée. En effet, la mère de Hope s'était réjouie de son mariage avec William Baylor III, l'héritier d'une grande famille très fortunée qui possédait un appartement immense près de Central Park, une propriété dans les Hamptons et une autre à Vail, dans le Colorado.

Patricia Minnow aurait été anéantie d'apprendre qu'elle s'était trompée au sujet de William, et qu'elle avait encouragé sa fille à épouser un homme au tempérament violent. Elle était trop malade pour entendre ce genre d'histoire, son père avait raison sur ce point.

Ainsi, à mesure que le temps passait, Hope s'était sentie de moins en moins encline à en parler. Elle s'en était encore rendu compte la veille au soir lorsqu'elle avait eu du mal à prononcer ces simples mots : *Mon mari me battait.*

Si sa mère l'apprenait maintenant, elle en serait bouleversée, et cela compliquerait les choses entre elle et son mari. Patricia était encore loin d'avoir regagné assez de forces pour supporter ce genre de choc.

Bien sûr, cela pourrait causer également des problèmes à l'Eglise de son père, une idée qui ne gênait pas Hope. Mais, une fois encore, c'est sa mère qui en souffrirait le plus. On en arrivait toujours à cette conclusion.

C'est pourquoi Hope avait gardé tout cela pour elle. Mais il fallait reconnaître que Mack avait raison : une fois que quelqu'un était au courant, un secret n'était plus vraiment un secret. Certes, elle avait confiance en Sasha. Cependant, Mack savait maintenant lui aussi. Pouvait-elle également lui faire confiance ?

Elle l'espérait…

Elle repensa au trouble qui l'avait envahie lorsqu'elle l'avait vu surgir de l'escalier à moitié nu et en sueur. A la vue de son torse musclé, elle avait senti son propre corps s'embraser des pieds à la tête.

Pour mieux résister à cette vague de désir, elle était allée se planter devant l'évier, le dos tourné à Mack. L'arrivée de Mavis avait heureusement fait diversion et il avait remis son T-shirt. Quel dommage de cacher cette magnifique virilité ! avait-elle songé alors. Il venait visiblement d'utiliser le tapis de course, mais elle soupçonnait qu'il ne devait pas se contenter de courir pour entretenir une telle forme physique.

Elle s'allongea sur son lit et s'efforça d'oublier que Mack et elle étaient seuls dans cette grande maison. Après tout, il y avait bien assez d'espace pour qu'ils n'aient pas à se trouver ensemble dans la même pièce. Ils allaient coexister et non cohabiter. Satisfaite de s'être trouvé une ligne de conduite, elle ferma les yeux.

Quand elle se réveilla, plusieurs heures plus tard, son estomac l'avertit qu'il était l'heure de déjeuner. Elle prit une douche rapide et se sécha les cheveux. Puis elle enfila un legging sombre et un simple T-shirt noir et soyeux. Enfin, elle prépara soigneusement ses vêtements de « travail » : un large jean gris, une chemise légère à manches longues, des tennis et, bien sûr, sa perruque. Elle détestait ce postiche qui lui donnait chaud et la démangeait, mais elle savait qu'elle était indispensable. Grâce à Byron Ferguson, elle avait été si souvent prise en photo que la plupart des habitants de Weatherbie étaient capables de reconnaître ses cheveux blonds.

Quand l'incendie avait éclaté, Serena et elle se trouvaient dans la cuisine, organisant les détails du déménagement de cette dernière. Celle-ci avait appelé sa mère, qui vivait dans un autre Etat. Divorcée elle-même, cette femme, qui avait pourtant des moyens limités, avait réussi à économiser plusieurs centaines de dollars pour aider sa fille à prendre un nouveau départ. Serena espérait que cet argent, joint à la somme qu'elle avait réussi à obtenir en mettant les bijoux que son ex-mari lui avait offerts au mont-de-piété, lui suffirait pour louer un petit appartement à Weatherbie.

Hope en doutait un peu. Même si les loyers de la petite ville n'étaient pas comparables à ceux de New York, ils étaient tout de même élevés.

Par habitude, elle s'empara de la sacoche en cuir qui servait à transporter sa tenue, mais s'immobilisa, la main en l'air, prenant subitement conscience qu'elle n'avait plus besoin de se cacher. Jusqu'à présent, elle quittait la maison en tant que Hope Minnow, s'arrêtait dans un supermarché à quelques kilomètres de là et se servait des toilettes pour se changer et ressortir en Paula.

Quel soulagement de se dire que, pour la première fois, elle pouvait sortir de sa chambre sans dissimuler son double, cette Paula qu'elle avait inventée pour se cacher et dans la peau de laquelle elle se sentait bien. Parfois même mieux que dans celle de Hope, qui flottait entre deux eaux, animée par le désir de quitter son ancienne vie sans avoir la moindre idée de la voie à suivre.

Son animosité envers son père la poussait à dépenser son argent et à se faire photographier dans des situations qui étaient en contradiction avec l'image publique du révérend et qui le gênaient fortement.

Hope n'avait pas fait d'études de psychologie, mais elle n'avait pas besoin de cela pour comprendre leur relation. Son comportement passif-agressif était plutôt classique. Car elle était en colère contre son père. « Très, très en colère », pour emprunter une réplique de Richard Gere dans *Pretty Woman*. Elle adorait cette scène. Julia Roberts et lui étaient dans la baignoire, et après qu'il lui eut avoué ses sentiments vis-à-vis de son père, elle l'entourait de ses jambes en lui expliquant que celles-ci mesurant chacune 1,10 mètre, elle pouvait lui offrir 2,20 mètres de thérapie.

Hope ne put s'empêcher de se demander combien mesuraient les jambes de Mack.

Bonté divine ! C'était elle qui avait besoin d'une thérapie !

Elle enfila le pantalon et la chemise par-dessus son legging et son T-shirt et mit ses chaussures. Puis elle sortit le portable de Paula du grand sac où elle le rangeait toujours et descendit l'escalier en tenant la perruque et le téléphone à la main. En arrivant au rez-de-chaussée, elle sentit une délicieuse odeur de bacon et s'immobilisa sur le seuil de la cuisine. Mack était derrière le comptoir, découpant des tomates sur une planche. Il avait déjà déposé quelques feuilles de laitue sur une assiette.

— Bonjour, Paula, dit-il. Vous avez bien dormi ?

Elle fut frappée qu'il ait compris qu'elle ne faisait pas seulement semblant d'être une autre personne mais qu'elle était vraiment quelqu'un d'autre dans les vêtements de Paula.

— Très bien, dit-elle.

— Une nouvelle tenue ? questionna-t-il.

— Même Paula ne peut pas porter du kaki tous les jours, répliqua-t-elle en souriant.

— Un nouveau téléphone ? poursuivit-il en désignant l'appareil.

— Hope a un smartphone, dit-elle. J'ai acheté cet appareil dans un supermarché et c'est celui qu'utilise Paula.

— Vous êtes douée pour cette double vie, remarqua-t-il.

— Assez douée, concéda-t-elle.

Elle le faisait depuis huit mois et personne ne l'avait encore démasquée.

— J'ai remarqué que mes autres vêtements sentaient la fumée. Je vais les mettre dans la machine.

Elle hésita.

— Je peux aussi y mettre le jean que vous portiez hier, si vous voulez.

— Inutile. J'ai fait une machine ce matin, pendant que vous dormiez. J'espère que vous aimez les sandwichs au bacon et à la tomate, ajouta-t-il, comme si préparer à manger était pour lui la chose la plus naturelle du monde. J'ai également coupé quelques fruits, dit-il en désignant un saladier sur le comptoir.

Hope était franchement ébahie. Ainsi son garde du corps faisait aussi la lessive et la cuisine…

— Vous pouvez me rappeler combien mon père vous paie ?

Elle regretta immédiatement cette pique agressive.

— Je ne m'attendais pas à cela, dit-elle en essayant d'atténuer la dureté de sa remarque précédente.

— Il faut bien que nous mangions. Je suis très fort pour le petit déjeuner, je me débrouille pour le déjeuner et, si vous aimez le steak, je suis aussi doué pour le dîner. Mais Mavis avait raison. Il faut faire des courses. Nous pourrions peut-être nous en occuper cet après-midi ?

Hope entendit son estomac gargouiller. Bruyamment. Elle prit une assiette dans le placard et entreprit de se confectionner un sandwich. Dix minutes plus tard, elle en avait avalé la moitié et repoussa son assiette.

— C'était vraiment bon. Merci.

— Tout le plaisir était pour moi.

Pointant du doigt la perruque qu'elle avait posée au bout du comptoir, Mack demanda :

— Quels sont vos plans aujourd'hui, Paula ?

Elle prit une gorgée d'eau, puis une seconde.

Il attendit patiemment, comme s'il avait tout son temps.

— Une des femmes a besoin de trouver un appartement.

Elle a atteint le maximum de temps durant lequel elle peut rester au refuge. Je lui ai promis de l'aider à chercher cet après-midi.

Il hocha la tête.

— A Weatherbie ?

— Oui. En fait, elle préférerait s'éloigner, mais elle a un bon emploi en ville en tant qu'assistante de thérapie occupationnelle, et elle ne veut pas le quitter.

— Que lui est-il arrivé ?

— Elle a fréquenté pendant plusieurs années son amoureux qu'elle avait rencontré au lycée. Ils allaient se marier quand il a été tué par un engin explosif en Afghanistan. Quelques mois plus tard, une amie lui a présenté Wayne. Ils sont sortis ensemble pendant six mois avant de se marier. Il l'a frappée pour la première fois à leur deuxième anniversaire de mariage. Il était en colère parce qu'ils n'avaient pas encore réussi à avoir d'enfant. Manifestement, il y tenait beaucoup.

— Alors elle l'a quitté ?

— Pas tout de suite. Elle a d'abord sollicité l'aide de Gloria's Path. Wayne lui avait promis d'arrêter, et elle avait désespérément envie de le croire.

— Elle l'aimait toujours après ça ? questionna Mack d'un ton incrédule.

— Peut-être. A moins qu'elle n'ait seulement eu du mal à admettre publiquement qu'elle avait fait une grosse erreur en l'épousant. En tout cas, après quelques visites aux urgences, elle a décidé qu'elle en avait assez. C'est alors qu'elle est venue à Gloria's Path pour la deuxième fois.

— Elle a porté plainte ?

— Cette fois-ci, oui. Et il a été arrêté. Il a passé la nuit en prison avant d'être libéré. Il était plutôt remonté contre elle.

— Quel est le nom de famille de Wayne ?

— Smother. Wayne Smother.

Mack haussa un sourcil.

— Smother[1] ? Vraiment ? Il ne se balade pas avec un oreiller, j'espère ?

Elle sourit.

— Je sais. C'est un nom ridicule. Mais qui suis-je pour parler ? Minnow[2] ?

— J'imagine que vous avez dû en voir de toutes les couleurs au collège ?

Elle acquiesça.

— Minnow est devenu Catfish, Guppy, puis Goldfish[3] à cause de mes cheveux, et ensuite il y a eu le sempiternel Hopeless Fish Bait[4] quand ils se sont mis à jouer à la fois sur mon prénom et mon nom de famille.

— Hopeless Fish Bait, répéta-t-il. J'aime bien. On dirait le nom d'un groupe de rock des années 90.

— Adorable.

Avec un sourire, elle repoussa son assiette et se leva.

— Je n'en ai que pour quelques heures. Je peux m'arrêter au supermarché au retour.

— Je vais où vous allez, dit-il avant de prendre une grosse bouchée de son sandwich et de la mastiquer.

— C'est impossible, protesta-t-elle. Ecoutez, c'est le milieu de la journée, il fait grand jour. Rien ne va m'arriver.

— Vous avez raison. Rien ne va vous arriver.

Il s'essuya la bouche avec une serviette en papier.

— Comment faut-il vous l'expliquer ? dit-elle en haussant le ton. Paula n'a pas de garde du corps.

Il haussa les épaules, l'air imperturbable.

— Choisissez-moi un autre rôle.

— Quoi ?

— Frère, petit ami, baby-sitter, maître d'hôtel, banquier…

— Arrêtez, vous êtes ridicule.

---

1. Smother signifie « étouffeur ».

2. Minnow veut dire « menu fretin ».

3. Respectivement « poisson-chat », « petit poisson tropical », « poisson rouge ».

4. « Appât désespérant ».

— Non, ce qui est ridicule, c'est de négliger votre sécurité personnelle. Votre père, votre mère, Bing et Mavis pensent tous que ces menaces sont réelles. Cela me suffit. Je ne vous quitterai pas d'une semelle. Maintenant que vous avez mangé, êtes-vous disposée à écouter les règles ?

— Les règles ? répéta-t-elle en levant un sourcil.

— Oui, les règles. Règle numéro 1 : vous n'allez nulle part sans me le dire. Règle numéro 2 : quand je vous dis de faire quelque chose, vous le faites immédiatement sans poser de questions. Par exemple, si je vous dis de vous baisser, vous vous jetez à terre aussitôt. Et sans discuter.

— Bing m'a dit que vous étiez dans la marine. Je suppose que vous aviez un poste de commandement, déclara-t-elle en veillant à ce qu'il comprenne qu'il ne s'agissait pas d'un compliment.

Il leva le menton.

— Vous pensez que je suis autoritaire, hein ? Ça me vient tout naturellement. J'ai une petite sœur.

Elle n'avait pas imaginé qu'il avait de la famille. Il ne portait pas d'alliance, donc il était clair qu'il n'était pas marié. En outre, quelle femme aurait laissé son mari jouer les gardes du corps pour une autre femme ?

— Quel âge a votre sœur ?

— Presque trente ans. Huit ans de moins que moi. Elle va se marier cet été. J'imagine que c'est le bon moment.

— Certainement. J'avais trente ans moi aussi quand je me suis mariée. J'ai divorcé deux ans plus tard. J'espère qu'elle aura plus de chance que moi.

— Elle épouse un type super. Un des meilleurs.

— Tant mieux pour elle.

Elle se dit qu'elle pouvait aussi bien lui poser la question.

— Et vous, Mack ? Vous êtes marié ?

— Non. Je ne suis pas resté assez longtemps au même endroit ces quinze dernières années pour pouvoir me marier.

— Mais maintenant, vous avez quitté l'armée ?

— Oui. Je vais m'installer dans le Colorado. C'est là que ma sœur et mon père vivent.

— Vos parents sont divorcés ?

— Ma mère est morte quand j'étais au lycée. Cancer.

Ce mot en C était le plus terrible de tous.

— Je suis désolée, dit-elle en déglutissant avec difficulté. J'étais plus âgée quand ma mère est tombée malade, et ça a pourtant été très dur. Je peux imaginer ce que cela a dû être pour vous. Et pour votre sœur. Elle n'était qu'une petite fille quand elle a perdu sa mère. Quant à votre père, quelle tristesse !

Il détourna les yeux et, pour la première fois, elle surprit un soupçon de fragilité sur son beau visage.

— Cela a été dur pour toute la famille. Ma mère était une personne merveilleuse. Mon père ne s'est pas remarié pendant vingt ans, et quand il l'a fait, sa nouvelle femme s'est révélée être folle. Elle a été arrêtée il y a six mois, pour tentative de meurtre, après avoir essayé d'assassiner ma sœur. Elle va rester longtemps en prison.

Hope retint une exclamation de surprise. Et dire qu'elle trouvait sa propre vie dramatique ! Elle repoussa ses cheveux derrière ses oreilles. Le silence dans la pièce était devenu pesant.

— Vous n'avez jamais songé à passer dans une émission de télé réalité ?

C'était un peu irrévérencieux comme remarque, mais cela fonctionna et la tension s'évanouit aussitôt. Il lui fit un clin d'œil.

— Vous voulez qu'on vous invite en tant que guest star ?

— Peut-être une autre fois, dit-elle. Paula n'a ni garde du corps, ni maître d'hôtel, ni banquier. Mais elle pourrait avoir un frère. Et vous n'aurez pas de mal à être convaincant dans ce rôle. Allons-y. Serena va m'attendre.

8

Ils étaient à mi-chemin de la ville quand Hope reprit la discussion.

— Serena n'aime pas beaucoup les hommes en ce moment.

Mack lui lança un regard de biais. Dieu merci, elle n'avait pas encore mis sa perruque, et celle-ci reposait sur ses genoux, semblable à une fourrure de renard.

— J'imagine, répondit-il.

Il attendit une minute puis lui demanda :

— Alors vous êtes ma petite sœur ou ma grande sœur ?

Hope lui lança un regard noir.

— Petite. Bien plus petite. Et nous avons très peu en commun.

— Quelle est votre couleur préférée ?

— Pourquoi ?

— Il me semble que je devrais savoir au moins ça sur vous. C'était à coup sûr le crayon de couleur le plus usé dans votre trousse.

— Le jaune. Et vous ? dit-elle après une pause.

— Les hommes n'ont pas de couleur préférée. Et si je suis bien plus vieux que vous, mes crayons ont disparu longtemps avant votre arrivée.

Elle médita cela.

— Et votre plat préféré ?

— Les enchiladas au poulet. Avec beaucoup de piment.

— Je croyais vous avoir entendu dire que le seul plat que vous saviez préparer, c'étaient les steaks ?

— Je n'ai pas besoin de savoir les préparer pour les adorer.

Les meilleures enchiladas que j'ai mangées, c'était à bord de l'USS Higgins. J'y suis resté plusieurs mois, et je ne me suis jamais lassé de ce plat.

— Je croyais que vous étiez un officier de renseignement. Vous avez vraiment passé autant de temps à bord d'un navire ?

— Tout à fait. A différentes époques, dans différents endroits. Parfois, je n'y restais que quelques heures, d'autres fois plusieurs mois. Tantôt le navire était à quai, tantôt en mer.

— Je suppose qu'un officier du renseignement collecte des renseignements, non ?

— Il les collecte, les analyse, essaie de distinguer ce qui est réel de ce qui a été semé pour tromper l'ennemi. Après le 11-Septembre, il y avait pléthore de données. Quelqu'un devait décider de ce qui était à prendre au sérieux et devait relier les bribes d'informations glanées dans le monde entier.

— Et ce quelqu'un, c'était vous ?

— J'ai toujours été doué pour les puzzles.

Ils étaient arrivés à l'entrée de la ville. Hope mit sa perruque et, bien qu'il s'y soit attendu, Mack fut de nouveau stupéfait par son changement d'apparence. Il n'était pas étonnant qu'elle ait réussi à dissimuler son identité. A moins de faire abstraction de ces vêtements affreux et de ces cheveux ternes, il était impossible de deviner qu'il s'agissait de Hope Minnow.

Mais qu'elle puisse être démasquée n'était pas forcément la chose la plus inquiétante. Deux personnes connaissaient son secret : son amie Sasha et Mavis. Si chacune d'elles le racontait à deux personnes, qui le confiaient à leur tour à deux autres personnes, le risque qu'elle soit identifiée croîtrait de manière exponentielle.

Après s'être garés, ils pénétrèrent dans le hall du motel et dépassèrent le comptoir de réception. Hope pressa le bouton de l'ascenseur. Sasha lui avait donné le numéro de la chambre. Ils sortirent au troisième étage et frappèrent au numéro 310.

— Souvenez-vous, lui glissa Hope. Je suis Paula.

— Ce n'est pas la première fois que je fais cela, riposta-t-il, un peu agacé qu'elle sous-estime ses capacités à jouer les agents infiltrés.

Il avait passé six mois en Afghanistan sous une identité très différente de la sienne, et il avait recueilli des informations très précieuses.

Une femme d'une vingtaine d'années, avec une sorte d'échelle tatouée sur le cou, ouvrit la porte. Elle sourit à Paula puis posa le regard sur lui. Une expression de méfiance s'afficha sur son visage.

Mack sourit en s'efforçant de paraître le plus inoffensif possible.

— Serena, voici mon frère Mack. Il est en visite chez nous. Je lui ai dit qu'il pouvait nous accompagner.

Mack envisagea de lui tendre la main, mais décida finalement de la laisser faire le premier pas. Tout ce qu'il récolta fut un signe de tête.

— Vous êtes prête ? demanda Hope.

— J'ai reçu un texto de Wayne, déclara Serena.

— Et ? réagit Hope.

— Il dit qu'il va faire une thérapie.

— Vous le croyez ? questionna Hope d'un ton neutre.

— Je crois qu'il croit qu'il va le faire. Mais quand il s'agira de passer à l'acte, il ne le fera pas. Tout comme les fois précédentes.

— Vous avez répondu au texto ?

— Je lui ai dit que j'allais prendre un appartement. Mais je ne lui ai pas dit où, bien sûr.

Mack doutait qu'il y ait beaucoup d'appartements à louer dans cette banlieue coûteuse. Il y avait une multitude de propriétés comme celle des Minnow, et peut-être quelques jolis immeubles en copropriété. Mais le marché locatif n'était guère florissant. La plupart du temps, les simples locataires s'installaient dans des banlieues plus abordables.

— D'accord, dit Hope.

Il eut l'impression qu'elle n'était pas ravie que Serena ait communiqué avec son mari, mais peut-être s'y attendait-elle.

— Nous ferions mieux d'y aller.

Ils étaient à peine montés dans la voiture que Serena se pencha en avant, comme une gamine excitée par une sortie.

— Merci Paula, dit-elle. Je sais que je devrais pouvoir faire ça toute seule, mais ça me fait vraiment du bien de vous avoir avec moi.

— Je suis heureuse de vous aider, répondit Hope.

Et elle l'était, songea Mack. Il entra l'adresse donnée par Serena dans son GPS. L'appartement était à moins de cinq kilomètres du motel.

— Je ne savais pas que vous aviez un frère, reprit Serena. Vous n'en avez jamais parlé.

— Mack et moi, nous ne nous voyons pas beaucoup, répliqua Hope avec naturel.

— Qu'est-ce que vous faites dans la vie, Mack ? demanda Serena.

— Je viens de quitter la marine.

Il valait toujours mieux coller à la vérité, même quand on mentait.

— Wayne aussi était dans la marine, dit Serena. Avant notre mariage. Mais il n'en parlait pas beaucoup. Je ne pense pas qu'il ait aimé ça.

— L'armée ne convient pas à tout le monde, commenta Mack.

C'était vrai. Et Wayne, qui avait apparemment du mal à contenir sa violence, n'avait peut-être pas été capable de se soumettre aux règles de la vie militaire.

L'immeuble était une construction qui devait dater des années 70, de bois et brique, avec de jolies fenêtres carrées et un toit qui semblait avoir été refait récemment. Au deuxième et au troisième étages, des portes-fenêtres donnaient sur de petits balcons. Le parking de l'immeuble était presque vide, deux véhicules seulement y étaient stationnés. Les locataires étaient sans doute au travail à cette heure. Une pelouse qui avait besoin d'être tondue et de grands arbres entouraient le bâtiment. L'immeuble était situé assez près de la gare pour que les locataires puissent facilement prendre le train pour aller au travail.

L'un dans l'autre, cela semblait convenir pour une jeune femme qui voulait prendre un nouveau départ.

— J'espère que ce sera dans mes moyens, dit Serena.

— Voyons d'abord l'intérieur avant de vous inquiéter de l'argent, lui dit Hope.

Tous trois sortirent de la voiture et pénétrèrent dans l'immeuble. Le propriétaire, un homme d'une soixantaine d'années qui boitait légèrement, les accueillit dans le hall et les accompagna dans l'escalier. Quand il ouvrit la porte d'un appartement du deuxième, Serena entra la première. Il ne lui fallut que quelques minutes pour examiner les deux chambres, la salle de bains, puis elle revint dans la pièce principale qui servait aussi de cuisine. Elle resta immobile quelques secondes, puis remonta les stores intérieurs et ouvrit la porte-fenêtre. Le balcon ne mesurait pas plus d'un mètre sur cinquante centimètres, à peine assez grand pour deux chaises longues. Elle sortit et se pencha par-dessus la rambarde.

Une princesse inspectant son nouveau royaume.

Une survivante, reconnaissante d'être encore en vie.

Elle revint à l'intérieur, en refermant soigneusement derrière elle. Elle semblait moins agitée que précédemment, comme si elle avait pris une décision.

— Qu'en pensez-vous ? demanda le propriétaire.

C'était bien, songea Mack. Des murs blancs et une moquette beige. C'était bien mieux que de vivre dans la rue ou dans un refuge. Bien mieux que de vivre avec quelqu'un qui se servait de vous comme d'un punching-ball. Serena pensait visiblement la même chose, car elle hocha la tête.

— Je pense que ça pourrait me convenir, dit-elle. Combien demandez-vous pour le loyer ?

— Le premier et le dernier mois d'avance, plus une caution de 800 dollars. Ça fait un total de 2 400 dollars.

Le visage de la jeune femme s'assombrit.

— Je n'avais pas pensé à la caution. J'aurais dû. Je n'ai pas assez.

Mack était sur le point d'offrir de payer la caution, quand Hope le devança.

— Vous nous donnez une minute ? dit-elle en s'adressant au propriétaire.

— Bien sûr.

Il sortit dans le couloir, en laissant la porte entrouverte.

— Est-ce que l'endroit vous plaît ? demanda Hope à Serena.

— Oui. Et la gare est toute proche. Je n'aurai pas besoin d'acheter une voiture pour aller travailler. Mais je n'ai pas assez d'argent. Je pourrai sans doute payer le premier et le dernier mois de loyer, si je ne dépense pas trop les premières semaines, mais ça fait trop avec la caution.

— Le refuge a quelques fonds disponibles. Nous pourrions payer la caution et vous avancer quelques centaines de dollars pour la nourriture et les autres dépenses jusqu'à ce que vous touchiez votre prochain salaire, qu'en pensez-vous ?

Les yeux de Serena se remplirent de larmes.

— Vraiment ? Gloria's Path ferait ça ?

Gloria's Path ne faisait pas de chèques, Mack en était certain. C'était Hope qui allait financer le sauvetage de la jeune femme de sa propre poche. Il se dit que ce n'était sans doute pas la première fois.

— Tout à fait, dit Hope.

Elle ouvrit la porte et fit signe au propriétaire de revenir. Il leur tendit un contrat. Hope et Serena le lurent, puis Serena apposa sa signature.

— Il me faudra l'argent avant de vous remettre les clés, dit le propriétaire.

— Elle passera demain, dit Hope. A midi.

Serena sautilla presque jusqu'à la voiture, et Mack comprit qu'on venait de lui enlever un terrible poids des épaules.

Ils roulèrent jusqu'au motel où ils déposèrent la jeune femme.

Une fois qu'ils furent seuls dans la voiture, il se tourna vers Hope.

— Vous faites ça souvent ? Donner de l'argent à vos clientes ?

— Qui a dit que je leur donnais de l'argent ? répliqua-t-elle d'un air innocent.

— Moi.

Elle haussa les épaules.

— Ce n'est pas grand-chose. Elle en a besoin et j'en ai trop. Le plus important pour moi est de veiller à ce qu'aucune femme ne retourne chez un mari violent parce qu'elle n'a pas les moyens de vivre seule.

Elle retira sa perruque auburn et secoua ses longs cheveux blonds.

Saisi d'une brusque envie de les caresser, Mack resserra les doigts sur le volant.

Puis elle retira sa chemise et son pantalon.

Elle portait un legging et un T-shirt noirs en dessous. Il ne l'avait pas compris du premier coup.

— Il faut faire des courses, dit-il, en se félicitant de se comporter avec naturel, alors que son cœur manquait un battement sur deux.

— Tournez au prochain carrefour, lui dit Hope. Il y a une superette sur la droite. Je peux m'en occuper.

— Je vais partout où vous allez, lui rappela-t-il, fier de ne pas entendre sa voix trembler.

Elle n'avait pas conscience de sa beauté.

Hope leva les yeux au ciel. Même exaspérée, elle restait adorable.

— A Weatherbie, les gens savent que je n'ai pas de frère, dit-elle.

— Il reste d'autres rôles, remarqua-t-il en lui rappelant leur conversation à ce sujet. Et si aucun de ceux-là ne vous convient, on peut en inventer de nouveaux.

— Je crois que vous êtes cinglé.

— Parfait. Je serai votre cousin Denis le Cinglé.

Elle leva la main.

— Arrêtez. Je vais devoir continuer à vivre ici longtemps

après que vous aurez oublié mon nom. Entrons et faisons les courses comme des gens normaux, et si quelqu'un demande, je dirai que vous êtes un ami qui vit dans un autre Etat. Mais n'entamez pas la conversation.

9

— Vous faites souvent les courses ici ? demanda-t-il tandis qu'ils marchaient vers le magasin.

Elle secoua la tête.

— Non. Mais Weatherbie est une petite ville. Je vais forcément rencontrer quelqu'un que je connais.

Il ne fallut pas longtemps à Mack pour comprendre que croiser des connaissances serait inévitable, puisque de toute façon, Hope Minnow était *connue*.

A la caisse, une femme réglait des achats, tandis qu'un homme les rangeait dans des sacs. Ils levèrent tous deux les yeux, dévisagèrent Mack puis Hope avant d'échanger un regard complice.

Hope les ignora. S'emparant d'un caddie, elle le remplit de fruits et légumes frais, de poulet, de poisson, de pâtes complètes et de sauce marinara au rayon traiteur. Mack, quant à lui, ajouta deux beaux steaks et un sac de grosses pommes de terre. Voyant que Hope passait sans s'arrêter devant le rayon chips, il en prit plusieurs sachets, ainsi qu'un pot de salsa. Elle fronça les sourcils devant ce choix. Sans se démonter, il ajouta aussi un grand pot de crème glacée.

— Je n'aurais jamais cru que vous vous nourrissiez de ce genre de cochonneries, dit-elle.

— Je mange de tout, riposta-t-il en jetant un sachet de salade dans le caddie. C'est seulement que j'ai passé beaucoup de temps dans des endroits où il n'y avait ni glaces, ni bonbons, ni toutes ces choses qui rendent la vie plus douce. Quand je peux mettre la main dessus, je ne m'en prive pas.

Hope tourna dans le rayon des produits de nettoyage, et commença à choisir des articles à droite et à gauche. Il n'y avait pratiquement plus d'espace dans le chariot quand elle termina ses achats.

— Votre maison n'a pas l'air si sale que ça, dit Mack.

— C'est pour Serena. Les produits de nettoyage sont chers. Elle n'aura pas les moyens d'en acheter.

Cesserait-elle un jour de le surprendre ?

Ils s'engagèrent dans le dernier rayon, où elle s'immobilisa si brusquement qu'il faillit la heurter.

— Seigneur ! grommela Hope. C'est bien ma veine.

Mack jeta un regard par-dessus son épaule. Un homme s'avançait vers eux. Il le reconnut grâce aux photos qu'il avait examinées : William Baylor, l'ex-mari violent de Hope.

Faisant un pas, il se plaça devant Hope. *Donne-moi une seule bonne raison, Baylor, et je te mets mon poing dans la figure.*

— Ne faites pas de scène, siffla Hope en le prenant par le bras.

— Bonjour Hope, lança Baylor d'un ton exprimant sa propre surprise. Je ne savais pas que tu faisais tes courses ici.

Hope jeta un coup d'œil en direction des caisses. Les deux caissières les fixaient avec intérêt.

— J'étais dans le coin, dit-elle rapidement, sans doute pour suivre son propre conseil et ne pas attirer l'attention sur eux. Excuse-nous, nous sommes pressés.

Baylor savait-il qui il était ? Archibald Minnow avait juré qu'il n'y avait que sept personnes qui avaient connaissance des menaces : lui-même, sa femme, Hope, Mavis, Bing, le chef Anderson et Mack.

Avait-il volontairement oublié de mentionner qu'il en avait parlé à Baylor ? Mack se dit que non en voyant de quelle manière ce dernier le dévisageait.

— Je ne pense pas que nous nous connaissions, dit l'homme. Je suis William Baylor, l'ex-mari de Hope.

Il tendit la main.

Avant que Mack puisse parler, Hope s'interposa.

— Mack McCann, mon petit ami.

Petit ami. Elle avait choisi un rôle dans sa liste après tout.

Et bon sang, était-ce son bras qui venait de se poser sur sa taille ? Il resta de marbre.

Le visage de Baylor, par contre, était tout rouge.

— J'ignorais que tu sortais avec quelqu'un, dit-il comme s'il avait le droit d'en être informé.

Mack entoura les épaules de Hope de son bras et la serra contre lui.

— Je crois que nous faisons un peu plus que sortir ensemble, dit-il en déposant un baiser sur son front.

Heureusement, celle-ci n'eut pas de mouvement de recul.

— Chérie, je meurs de faim, continua-t-il. Rentrons mettre ces steaks sur le gril.

Un bras passé autour de sa taille, il poussa le chariot pour contourner Baylor et, ce faisant, vit que les deux caissières les regardaient toujours. Il connaissait un peu les petites villes pour y avoir séjourné parfois, et savait que la rumeur selon laquelle Hope Minnow s'était trouvé un petit ami allait se répandre rapidement.

Ils passèrent à la caisse, puis sortirent avec le chariot. Hope l'aida à charger les courses dans la voiture sans dire un mot. Puis elle monta et parut s'effondrer sur son siège.

— Je suis désolée, dit-elle après un long moment de silence.

— Pourquoi ?

Elle le regarda comme s'il avait perdu l'esprit.

— Pour m'être servie de vous. Je ne m'attendais pas à le voir. Je n'étais pas préparée. Il est tellement arrogant, ce salopard.

— Oubliez-le, dit Mack.

Il démarra et sortit du parking.

— Il prétend que notre mariage n'a pas fonctionné parce que j'étais trop jeune et trop frivole. Que si j'avais fait plus d'efforts, nous y serions arrivés. C'est l'histoire qu'il se raconte et qu'il raconte à tous ceux qui veulent bien l'écouter.

Mack garda le silence. Elle était lancée.

— J'ai eu envie de lui clouer le bec en lui montrant que j'avais dépassé tout ça. Comme vous étiez là, c'était… pratique.

Il en fut un peu blessé.

— Ne vous faites pas de reproches.

Il continua à rouler.

— Vous savez, j'ai l'impression que William Baylor III ne vous pas oubliée.

— Eh bien moi, j'en ai fini avec lui, répliqua-t-elle d'un ton catégorique.

— Et vous êtes sûre qu'il ne sait pas que vous faites du bénévolat à Gloria's Path ?

Elle secoua la tête.

— S'il le savait, mon père serait aussi au courant. Et j'en aurais entendu parler, faites-moi confiance.

Faites-moi confiance. Curieusement, il lui faisait confiance. La veille, il aurait parié son dernier centime qu'il était aussi impossible de lui faire confiance que de la déstabiliser. Mais la Hope Minnow que le monde connaissait n'était que la partie visible de l'iceberg. Sous cette apparence lisse se cachait quelqu'un de très différent. Quelqu'un d'intéressant, quelqu'un qu'il commençait à vraiment apprécier et respecter.

— Comment aimez-vous votre steak ? demanda-t-il.

Hope sauta sur le changement de sujet comme sur une bouée de sauvetage.

— A point. Et je n'aime les pommes de terre au four qu'avec de la crème.

— D'accord. Je ferai la cuisine ce soir. Vous pourrez vous y mettre demain.

— Marché conclu.

S'engageant dans le long chemin d'accès, Mack parcourut les quelques centaines de mètres qui les séparaient de la maison et gara la voiture. Voyant Hope ouvrir la portière, il lui dit :

— Je vais entrer le premier. Je reviendrai chercher les courses quand j'aurai inspecté la maison.

Hope prit son sac, en sortit une lime à ongles et se plongea dans sa tâche. Mack saisit le message : il pouvait bien se comporter comme si les menaces étaient réelles, elle, de son côté, tenait à lui démontrer qu'il n'avait pas plus de bon sens qu'un écureuil, car il ne s'agissait que d'un coup de pub manigancé par son père.

Il sortit de la voiture et verrouilla les portières derrière lui. Puis il monta les marches du perron, ouvrit la porte d'entrée et fut soulagé d'entendre le système de sécurité se mettre en route. Il entra le code et regarda autour de lui. Le tapis placé près de la porte était un peu décentré, le tiroir du milieu du bureau entrouvert, exactement comme il les avait laissés. Il manœuvra la poignée de la porte du sous-sol. Verrouillée, comme elle devait l'être.

Il monta à l'étage, inspecta rapidement les chambres et, une fois rassuré, redescendit avant de sortir de la maison.

C'est alors qu'il s'aperçut que la voiture était vide.

Se plaquant contre la façade de la maison, il sortit son arme, la leva à hauteur d'épaule et pivota en demi-cercle. Il n'y avait aucune trace de Hope.

L'allée était déserte.

Quittant la relative sécurité de la véranda, il se précipita vers la voiture, et regarda à l'intérieur, du côté passager. Aucun signe de lutte. Le sac de Hope était sur le sol. Elle avait jeté la lime à ongles entre les sièges, sur le levier de vitesse.

Dos à la voiture, il regarda autour de lui. Il s'était absenté moins d'une minute. Même si quelqu'un les avait attendus, il ne pouvait pas avoir eu le temps d'emmener Hope.

Immobile, il tendit l'oreille. Aucun bruit de voiture arrivant ou repartant. Aucun aboiement de chien. Rien d'inhabituel.

Sauf un groupe de moineaux près de la porte de l'écurie désaffectée, sautillant et voletant comme si on les avait dérangés.

Il courut vers le bâtiment et ouvrit la porte. Il faisait noir à l'intérieur et cela sentait le moisi. Il attendit que ses yeux s'adaptent à l'obscurité puis s'avança.

Hope était là.

10

Assise à même le sol de ciment, elle tenait dans ses bras un chat blanc aussi gros qu'un chien de taille moyenne.

Enfin peut-être pas autant, mais les perceptions de Mack étaient un peu exagérées, tant étaient grands son soulagement et sa colère qu'elle ne soit pas restée dans la voiture.

— Que diable faites-vous ici ? lui lança-t-il.

Elle leva brusquement la tête. Le mouvement dut gêner le chat car il se contorsionna et s'échappa de ses bras. L'animal courut se glisser sous les barreaux d'une porte de bois qui menait plus loin dans l'écurie.

— Fred ! appela Hope.

Ledit Fred n'avait manifestement pas envie de s'embarrasser avec des présentations, Hope se releva donc en époussetant ses fesses.

Se maudissant lui-même, Mack eut du mal à ignorer ce geste.

— Je vous avais dit de rester dans la voiture, dit-il d'un ton rogue.

— Désolée, j'ai aperçu Fred se faufiler sous la porte de l'écurie, expliqua-t-elle. Ça fait des semaines que je ne l'avais pas vu.

Mack se souvint que le révérend avait dit que Hope avait un chat autrefois.

— Je croyais qu'il n'y avait pas d'animaux ici ?

— Fred est le chat des Webster, nos voisins. Mais il passe beaucoup de temps ici. Sans doute parce que je lui donne à manger, avoua-t-elle. Et maintenant, soyez gentil, ne faites plus autant de bruit.

Elle lui désigna un endroit situé derrière un portail de bois. Jadis, il devait servir à enfermer des chevaux ou des vaches. A présent, une chatte rousse y avait élu domicile avec ses trois petits chatons, âgés d'une ou deux semaines, pas davantage. Deux d'entre eux jouaient à se grimper dessus, et le troisième était en train de téter sa mère.

— Fred a installé sa famille chez nous, chuchota-t-elle avec une certaine fierté. Je ne crois pas que les bébés soient nés ici, mais le couple s'est débrouillé pour les amener jusqu'à l'écurie. Il faudra que j'achète de la nourriture pour chats demain. Laissons-les tranquilles, maintenant. Je ne veux pas les effrayer.

Elle recula et sortit du bâtiment sur la pointe des pieds.

Mack aurait voulu lui exprimer la colère qu'il ressentait quelques minutes plus tôt, mais celle-ci semblait avoir totalement disparu.

— Ne faites plus ça, s'il vous plaît, dit-il enfin. Ne vous enfuyez plus.

— Je ne me suis pas exactement enfuie, remarqua-t-elle.

— Ecoutez, je sais que vous ne croyez pas à ces menaces, mais si elles sont réelles, il est important que vous et moi soyons d'accord. Et dans n'importe quelle situation.

— Je comprends, déclara-t-elle. Vraiment. Vous avez un travail à faire et je vous mets des bâtons dans les roues. J'en suis désolée.

Comment lui en vouloir après cela ?

— Allons décharger les courses.

Il leur fallut deux voyages. Ensuite, ils rangèrent ensemble les aliments. Il s'occupa de tout ce qui allait au réfrigérateur, tandis qu'elle remplissait les placards. Quand ils eurent terminé, elle se tourna vers lui.

— Mavis serait fière de nous.

Elle bâilla et se couvrit la bouche de la main.

— Je pense que je vais m'allonger avant le dîner. Je n'ai pas beaucoup dormi la nuit dernière.

— Pas de problème. Je vais m'asseoir dehors sur la terrasse.

— La véranda, corrigea-t-elle avec un sourire. C'est ainsi que ma mère l'appelle toujours.

— La véranda, répéta-t-il en hochant la tête. Ça vous convient si je lance la cuisson des steaks vers 19 heures ?

— Parfait.

Elle quitta la cuisine.

Mack attendit d'entendre la porte de sa chambre s'ouvrir et se refermer, avant de s'emparer des pommes de terre. Il les éplucha, les piqua à l'aide d'une fourchette et les mit au four à 180°C. Puis il prit une bouteille d'eau dans le réfrigérateur et ouvrit la porte pour sortir.

Il fallait qu'il appelle sa sœur et son père. Ensuite, il lui faudrait également joindre Brody Donovan. Ils avaient tout de même un enterrement de vie de garçon à organiser.

Il appela d'abord sa sœur. Après l'arrestation de leur belle-mère, certains pensaient que Linder Automation allait s'effondrer. Mais la seule chose que Margaret Linder McCann avait faite de bien avait été de bâtir une solide équipe de management. La société avait réussi à survivre et les emplois avaient été sauvés.

Pas celui de Chandler, cependant. Celle-ci avait donc choisi d'aller travailler ailleurs. Elle occupait le même poste d'analyste informatique, mais elle avait de meilleurs horaires, un meilleur salaire, et par-dessus tout, comme elle aimait à le dire, personne là-bas ne vendait de secrets aux concurrents.

Le téléphone sonna plusieurs fois dans le vide avant que la messagerie vocale ne se déclenche. Mack regarda sa montre. Même s'il était déjà 18 heures sur la côte Est, il n'était que 16 heures à Denver. Chandler était sans doute en train de travailler et elle avait mis son portable sur vibreur. Il attendit le bip et laissa un message.

— Hé, Cat Eyes. Comment ça va ? Je venais juste aux nouvelles. Je vais passer encore neuf jours sur cette mission, mais je serai de retour à temps pour finir la maison pour cette fiesta qu'Ethan et toi tenez absolument à organiser. Appelle-moi quand tu pourras.

Il composa ensuite le numéro d'Ethan. Dans six semaines, son meilleur ami serait son beau-frère. Ethan, qui pilotait des hélicoptères de secours médical, répondit à la deuxième sonnerie.

— Salut, Mack !

— Hé, Ethan ! Alors, t'as pas changé d'avis ?

— Pas encore.

C'était une question stupide et ils le savaient tous les deux. Ethan ne changerait *jamais* d'avis quant au fait d'épouser Chandler. S'il était tombé aussi follement amoureux de quelqu'un d'autre, Mack l'aurait sans doute trouvé ridicule. Mais il était ravi puisqu'il s'agissait de sa sœur et qu'elle méritait ce qu'il y avait de mieux au monde.

— Et comment ça se passe, le business de garde du corps ? questionna Ethan.

Mack faillit lui répondre avec une pirouette, mais il se dit soudain qu'il serait utile d'avoir un avis extérieur, surtout venant de quelqu'un d'aussi résistant qu'Ethan Moore.

— C'est surprenant, avoua-t-il.

Ethan resta silencieux.

— C'est toi qui dis ça ! Toi qui ne te laisses jamais surprendre et qui anticipes toujours tout.

— Ce n'est pas un problème, protesta Mack.

— Je sais. Mais qu'y a-t-il de si surprenant ?

— Hope Minnow. Je m'attendais… Je ne sais pas, je crois que je m'attendais à quelque chose comme un vin léger, sans complications et assez inintéressant. Mais elle ressemble davantage à un grand cru aux notes complexes.

— Tu la compares à un vin ?

— Seulement dans un sens général, dit Mack.

Il ne pouvait dire à Ethan ce qu'il ressentait vraiment. Il connaissait Hope Minnow depuis moins de quarante-huit heures, et il craignait de l'aimer déjà plus qu'aucune des femmes qu'il avait rencontrées au cours des trente-huit dernières années.

Ethan ne répondit pas. Cela rendit Mack nerveux.

— Eh bien ? demanda-t-il d'un ton pressant.

— Eh bien, tu ne bois pas au travail en général, observa Ethan d'une voix neutre.

— Je n'ai pas dit que je buvais, protesta faiblement Mack.

Bon sang, il crevait d'envie de déguster Hope Minnow et même de s'enivrer d'elle toute la nuit.

Quelque chose lui disait qu'elle serait une boisson merveilleuse.

— Tu as eu des nouvelles de Brody ? demanda-t-il pour changer de sujet.

— Ouais. Il revient la semaine prochaine. On va l'inviter à la Maison-Blanche. Je parie que notre pote s'est débrouillé pour sauver tout un tas de vies au milieu de l'explosion des bombes.

— Des nerfs en acier. Il a toujours été comme ça. J'ai reçu un texto de lui me demandant de l'appeler. Je vais le faire tout de suite. Je voulais seulement m'assurer que tu t'occupais bien de ma sœur.

— Pas de souci. Rien de plus facile.

Mack sourit.

— A plus tard.

Laissant son téléphone sur la table, Mack rentra dans la maison pour surveiller la cuisson des pommes de terre. Il décida d'attendre le réveil de Hope pour mettre les steaks à cuire. Cela ne prendrait pas longtemps. Il sortit un sachet de laitue du réfrigérateur. L'emballage comprenait aussi une sauce César et des copeaux de parmesan. Il l'ouvrit, versa le contenu dans un saladier et répandit la sauce par-dessus. Puis il sortit une des baguettes que Hope avait mises dans le caddie. Il la coupa en tranches, puis beurra celles-ci et les enveloppa dans de l'aluminium. Il mettrait le pain à griller pendant que les steaks cuiraient.

Ensuite il ressortit et, reprenant son téléphone, appela Brody.

— Donovan, répondit son ami.

— Dr Donovan, je présume, dit Mack. *Le* Dr Donovan qu'on a invité à la Maison-Blanche pour lui rendre les honneurs.

— Je sais. Pas mal pour un gamin qui a failli rater son examen d'anglais au lycée.

Brody avait failli le rater car il était tombé amoureux de leur professeur. Tout juste sortie de l'université, Mlle Taper n'avait que quatre ans de plus que ses élèves. Le jour où elle était entrée pour la première fois dans la salle de classe et avait souri aux élèves, Brody était tombé à la renverse. Certains élèves s'étaient surpassés pour essayer d'impressionner leur professeur, mais pas Brody. Il était si mordu qu'il avait omis de rendre la moitié de ses devoirs ce semestre-là.

Ce ne fut pas la seule fois que Brody tomba amoureux. Cela lui arriva de nouveau durant sa première année de médecine.

Helen et lui se fréquentèrent pendant des années, et il réussit manifestement à concilier les sentiments et les études, car il fut le premier de sa promotion. Ils devaient se marier l'été précédent son internat.

Mais il n'y avait pas eu de mariage et Brody s'était retrouvé seul au pied de l'autel. Helen avait quitté la ville neuf jours avant la date prévue et, quatre mois plus tard, la mère de Brody avait renvoyé les cadeaux de mariage qui étaient arrivés entre-temps.

A la connaissance de Mack, c'était la dernière fois que Brody avait été sérieusement amoureux. Et il ne parlait jamais de ce qui s'était passé. A ses amis, il avait prétendu qu'Helen et lui n'avaient pas assez de points communs et que leurs priorités avaient changé.

A l'époque, ni Ethan ni Mack n'avaient insisté pour connaître la vérité. Ils respectaient le fait que leur ami garde ses secrets. Mais ils se faisaient du souci pour lui. Et quand il s'était enrôlé dans l'Air Force après la fin de son internat, ils s'étaient demandé ce qu'il fuyait. Chacun d'eux avait essayé de lui poser la question à sa manière, mais Brody les avait rembarrés. Gentiment, mais fermement.

Certains secrets n'étaient manifestement pas destinés à être partagés.

— Et alors, tu as sauvé quelques vies, la belle affaire, le taquina Mack.

— En un seul jour, quand même, répliqua Brody. Mais voilà le plan : demain je quitte l'Afghanistan pour l'Allemagne. Je dois régler quelques trucs, et ensuite j'arriverai aux Etats-Unis à temps pour la soirée à la Maison-Blanche. Ils ont aussi invité mes parents, ce qui est sympa. Malheureusement, ils sont à l'étranger. Papa cherche un livre en Russie. Alors j'ai deux invitations. J'ai pensé à Ethan et toi. Ethan est trop occupé à rendre ta sœur heureuse mais toi, ça te dit ?

Un dîner à la Maison-Blanche. Encore un. La première fois, c'était quatre ans auparavant, mais pas pour un dîner mondain. Dans un petit pays hostile, Mack avait découvert des informations si importantes et si sensibles que cela lui avait valu une réunion avec certains des hauts responsables du gouvernement.

Il avait mangé une pizza et bu une bière dans le Bureau ovale, et en avait gardé l'impression que la pièce paraissait bien plus grande à la télévision.

— J'ai une mission de garde du corps dans le New Jersey, dit-il. Hope Minnow.

Il y eut une pause.

— Un boulot plutôt sympa si je peux me permettre, dit Brody d'un ton taquin mais respectueux. On reçoit *People* ici aussi, tu sais.

— Elle est différente de ce que tu crois, glissa immédiatement Mack.

— J'espère bien que non. Elle semble parfaite sur les photos. Eh bien, amène-la. Elle détournera l'attention des invités sur elle et on me fichera la paix.

La plupart des gens auraient tout donné pour une invitation à dîner à la Maison-Blanche. Mais Mack ignorait comment réagirait Hope. La fêtarde de New York s'y sentirait dans son élément. Quant à Paula, elle trouverait ça ridicule, pour employer un des termes préférés de Hope.

Il ne voulait pas décevoir Brody, mais son premier devoir

était de veiller sur Hope. Si elle insistait pour rester dans le New Jersey, il ne pourrait certainement pas la protéger depuis la salle à manger de la Maison-Blanche.

— Je vais lui poser la question et je te dirai.

— Parfait. On en reparle plus tard.

Brody raccrocha.

Mack reposa son portable et resta immobile.

Il ne sut pas combien de temps s'était écoulé quand Hope ouvrit la porte vitrée et sortit, pieds nus. Elle portait une robe rose qui s'attachait autour du cou.

— Eh, fit-il, en se levant et en tirant une chaise pour elle.

Elle s'assit et déclara :

— Merci de m'avoir laissée dormir. Je me sens beaucoup mieux.

— Aucun problème. Les pommes de terre sont sans doute cuites. Je vais cuire les steaks.

— Je suis affamée, avoua-t-elle.

Il repoussa sa chaise.

— Aimeriez-vous boire un peu de vin ?

Elle eut l'air surprise et même si leur relation paraissait décontractée, il craignit d'avoir dépassé les limites. Il restait malgré tout un employé.

— Désolé, dit-il. Je ne voulais pas…

— Non, non, ne vous excusez pas. Oui, je veux bien un peu de vin.

Elle eut un petit rire nerveux avant de poursuivre.

— Je ne pensais pas être aussi mal à l'aise dans cette situation. Cela prouve bien à quel point Sasha était ridicule hier soir. Je ne suis même pas capable d'accepter gracieusement une boisson. Dans ma propre maison, qui plus est.

Mack était un peu perdu.

— Qu'est-ce qu'a fait Sasha de si ridicule ?

— Ce n'est pas ce qu'elle a fait, mais ce qu'elle a dit. Elle a fait une remarque en passant sur le fait que j'allais me remarier.

Remarier ?

— Et qui est l'heureux élu ? demanda-t-il en faisant un effort pour garder un ton léger.

Elle lui lança un regard vide.

— Hein ?

— Celui que vous allez épouser. Qui est-ce ?

Elle renversa la tête en arrière et éclata de rire.

— Il n'y a personne. Croyez-moi, je ne me remarierai jamais !

Mack sentit son estomac se détendre instantanément.

— Vous êtes jeune, dit-il. Vous changerez d'avis.

Elle haussa les épaules.

— Je ne pense pas. Entre ce que j'ai vécu et ce que j'ai vu à Gloria's Path, le mariage ne me paraît plus du tout attirant.

Il comprenait sans difficulté son point de vue. Il fit deux pas en direction de la maison.

— J'espère que vous apprécierez assez le steak pour avoir envie de faire la vaisselle, lança-t-il avant de rejoindre la cuisine.

— C'est comme si c'était fait, dit-elle.

Elle orienta sa chaise de façon à pouvoir contempler la piscine. Même si l'on était en début de soirée, il faisait encore presque vingt degrés. Elle renversa la tête pour laisser le tout dernier rayon de soleil baigner son visage.

— Vous avez l'intention de retourner à l'hôtel ce soir ? demanda Mack.

— Non, pas ce soir. Je ne travaille que trois ou quatre nuits par semaine.

— C'est sans doute préférable. J'ai regardé la météo et il semble que nous allons avoir un orage épouvantable.

Elle attendit qu'il revienne avec les steaks pour lui répondre.

— J'espère que vous avez raison. En fait, j'adore les orages depuis que je suis toute petite. A neuf ans, pour mon anniversaire, j'avais invité des copines à dormir chez moi et nous avons eu droit à une tempête mémorable. Elles se cachaient sous les couvertures et hurlaient à chaque coup de tonnerre. Nous vivions alors dans notre vieille maison, qui était beaucoup plus petite que celle-ci. J'ai ouvert la fenêtre et je me suis penchée pour regarder le vent fouetter les arbres. Mon pyjama était trempé. Mes amies ont pensé que j'étais folle.

Mack songea qu'elle devait être vraiment mignonne à cet âge.

— Je parie que vos parents étaient ravis.

— Je ne pense pas qu'ils l'aient su.

Les steaks se mirent à grésiller sur le gril où il venait de les poser.

— Eh bien, promettez-moi que vous ne vous pencherez pas à la fenêtre ce soir.

Elle secoua la tête en souriant.

— Je ne peux jamais promettre cela.

Il posa une bouteille de vin sur la table.

— La dernière fois que j'ai bu du vin, j'étais dans le nord-est de l'Espagne, à environ cinquante kilomètres de la côte. Il y avait un vignoble un peu plus bas. Dans cette région, il y a plus de cailloux que de terre et les ceps de vigne étaient tout tordus. En les voyant, je me suis dit qu'ils ne pourraient jamais produire de raisins. Mais si. Je suis resté assez longtemps pour assister aux vendanges.

— Vous êtes allé dans un grand nombre de pays, j'imagine, dit-elle en le regardant ouvrir le vin.

— Oui. J'ai voyagé aux frais de l'Oncle Sam. C'était sympa, mais au bout d'un moment, je m'en suis lassé.

— C'est pour ça que vous avez pris votre retraite ?

— Je n'ai pas vraiment pris ma retraite : je n'avais pas encore fait vingt ans. Des tas de gens ont d'ailleurs pensé que j'étais fou. « Pourquoi t'en aller maintenant, me disaient-ils, alors que tout ce que tu as à faire, c'est rester quatre ans de plus et prendre ta retraite à taux plein ? »

— Pourquoi en effet ?

— Je crois que j'étais trop impatient. Mon ami Ethan l'a fait, il s'est enrôlé juste après l'université et a accompli ses vingt ans. Moi, j'ai choisi une autre voie. Je suis allé à l'académie navale pendant quatre ans, mais cela ne compte pas dans l'expérience militaire.

— Mais vous ne regrettez pas d'avoir fréquenté l'académie navale ?

— Pas du tout. Bien sûr, quand j'y étais, mes amis me manquaient, Ethan et Brody. Mais nous étions en contact de temps en temps. Nous le sommes toujours, d'ailleurs.

— Et qu'allez-vous faire quand cette mission sera terminée ?

— J'ai été engagé comme directeur de la sécurité à Matrice Biomedics.

— Dans le Colorado ?

— Oui. Au nord-ouest de Denver. J'ai loué une maison dans les contreforts des Rocheuses.

— Ça paraît sympa, dit-elle en prenant une gorgée du vin qu'il venait de lui verser. Oh ! Il est délicieux !

— Qui achète le vin dans cette maison ?

— Ma mère.

Mack se servit et leva son verre pour porter un toast.

— Alors, au bon goût de votre mère !

Elle rit.

— Ça lui plairait. Elle sous-estime toujours ses talents. A l'entendre, elle n'est qu'une Texane qui a cru jusqu'à trente-deux ans qu'avoir des cheveux longs suffisait à résoudre tous les problèmes.

— Je suis allé dans un grand nombre d'endroits dans le monde. Et je peux vous garantir que beaucoup de gens croient en des choses encore plus bizarres.

Il retourna les steaks.

— C'était une Miss Texas, non ?

Hope but une autre gorgée de vin.

— Je suis sûre que ce n'est pas elle qui vous l'a dit, et mon père, qui l'a épousée pour cette raison, n'aime pas s'en souvenir. Il ne voudrait pas qu'on découvre qu'il a eu la faiblesse de succomber à la beauté physique.

— Comment savez-vous que c'est pour ça qu'il l'a épousée ?

— Elle me l'a dit. Quand on est très malade, quand on pense qu'on va mourir, on réfléchit à sa vie. Je ne pouvais pas faire grand-chose pour la soulager mais je pouvais l'écouter.

Elle ne lui en a jamais voulu, au contraire. Cela l'amusait de penser que leur mariage avait été fondé au départ sur un motif aussi superficiel mais que malgré cela, il avait survécu à l'épreuve du temps.

— Quarante ans, c'est cela ?

— Oui, c'est ça.

Elle prit un air pensif.

— Vous savez, la notoriété de mon père est relativement récente. Les choses étaient différentes autrefois. Mais cela a sûrement facilité les choses.

Elle fixa son regard dans le vide quelques minutes puis détourna les yeux et, sans croiser son regard, observa le gril.

— Ainsi peut-être que ses capacités à cuisiner de bons steaks.

— Certaines unions reposent sur moins que ça, j'imagine, dit-il pour la réconforter.

Chaque fois qu'elle parlait de son père, Hope avait une lueur de tristesse dans les yeux.

Et il ne voulait pas qu'elle soit triste.

11

Ils mangèrent en silence, perdus dans leurs pensées.

— C'est délicieux, dit-elle enfin en levant les yeux de son assiette.

Tendant la main vers la saucière, elle ajouta une troisième cuillerée de crème sur sa pomme de terre. Puis, prenant son verre, elle s'aperçut qu'il était vide.

Mack la resservit mais elle l'arrêta à la moitié du verre. Apparemment, elle buvait modérément.

— Merci, dit-elle. Vous avez placé la barre très haut.

— Vous n'avez pas encore goûté à mon gâteau au chocolat.

— Vous avez fait un gâteau ?

Il secoua la tête.

— Il fallait bien que j'en garde pour plus tard.

Elle rit et s'aperçut soudain qu'il y avait une éternité qu'elle n'avait pas partagé un moment aussi agréable avec un homme. Cela faisait du bien. Après quelques autres bouchées, elle repoussa son assiette.

— J'ai le ventre plein. Plein à mettre les pieds en l'air.

— A mettre les pieds en l'air ?

— C'est ce que nous disions à l'université, quand nous avions trop mangé. Vous savez, le ventre tellement plein que la seule chose que vous pouvez faire, c'est vous laisser tomber dans le vieux fauteuil emprunté à vos parents et poser vos pieds en l'air sur une chaise, le jean déboutonné.

— Je n'avais pas besoin de cette image, dit-il en souriant.

Il repoussa lui aussi son assiette.

*
* *

Hope sentait que l'orage approchait. La nuit tombait. Il n'y aurait pas de jolies nuances rouge et lavande ce soir-là. La couverture nuageuse était épaisse et le crépuscule offrait plutôt une vaste palette de gris tourbillonnants.

Mack prit son verre. Il avait bu moins qu'elle et n'en était encore qu'à son premier. Il ne voulait sans doute pas altérer ses facultés.

C'était un bon cuisinier et un homme gentil. Dévoué. Et qui connaissait le délicieux pouvoir de la crème sur les pommes de terre.

— Parlez-moi de vos études, dit-il.

— Je suis partie étudier à New York et je suis tombée amoureuse de la ville. Vers la fin de ma première année, j'ai trouvé un boulot de serveuse dans un petit restaurant de SoHo et j'y ai rencontré des gens formidables. J'étais une bonne étudiante, pas la plus brillante certes, mais j'ai tout de même obtenu une licence en histoire de l'art et un mastère en administration des arts visuels.

— Bing a mentionné que vous aviez travaillé au Metropolitan Museum of Art ?

— Oui. Je voulais rester à Manhattan, alors travailler au Met était le boulot idéal. J'ai loué un appartement avec une fille qui avait travaillé dans le même restaurant que moi. Elle avait fait une école de cuisine et elle était dingue de gastronomie. Le loyer était très cher, mais à deux, nous arrivions à le payer. Bien sûr, il ne nous restait pas grand-chose après ça.

— De bonnes études puis des boulots exigeants, commenta Mack.

— Exactement. Les parents de Meridith auraient sans doute pu l'aider, car son père était avocat et sa mère médecin, mais elle voulait s'en sortir seule. Pour ma part, c'était avant que mon père ne devienne célèbre et mes parents avaient déjà payé mes études. Je n'allais certainement pas leur demander de continuer à subvenir à mes besoins. Et cela n'avait pas tellement d'importance de ne pas avoir beaucoup d'argent. Nous nous amusions énormément.

— Il y a beaucoup à faire à New York.

— Nous restions souvent à la maison. Tout l'argent qui nous restait, nous le dépensions dans la nourriture. Meridith était une excellente cuisinière, et c'est grâce à elle si je sais faire autre chose que mettre l'eau à bouillir. Elle m'a appris à préparer la sauce tomate, la béchamel, les rôtis de porc, les escalopes, la tourte aux pêches. Entre autres…

Mack leva son verre.

— Alors, à Meridith !

Hope sourit. C'était agréable de parler de son amie.

— Le restaurant où elle travaillait fermait le jeudi, alors tous les jeudis ou presque, nous invitions des amis de l'université et des collègues à dîner. Parfois, c'était tranquille et intime, et d'autres fois, c'étaient des soirées animées avec trop de tequila, où les voisins venaient tambouriner à la porte, agacés par notre tapage. Et c'est comme ça que nous avons commencé à les inviter, eux aussi.

— Bonne idée, dit Mack.

— Oui.

Elle but une gorgée de vin.

— C'est à une de ces fêtes que j'ai rencontré Wills.

— Vous n'avez pas besoin de parler de lui, si cela vous met mal à l'aise, dit rapidement Mack.

— C'est bizarre, je ne parle jamais de lui. A personne.

Elle contempla son assiette sale.

— C'est sans doute la crème qui me rend bavarde.

— Oh oui, bien sûr. Dans la marine, nous nous servions tout le temps de cette ruse pour faire parler l'ennemi.

Elle éclata de rire.

— Quoi qu'il en soit, Wills est venu à la fête avec un ami. Quand il s'est présenté, je me suis rappelé l'avoir déjà rencontré, plusieurs fois en fait. Ma mère, sa mère et Mavis faisaient partie de la même Eglise au Texas. Je savais qu'il vivait à New York, parce que ma mère n'arrêtait pas de me dire d'appeler *ce gentil garçon, William Baylor*. Je ne m'étais jamais résolue à le faire, alors c'était vraiment étrange qu'il apparaisse ce soir-là.

— Et vous avez commencé à vous fréquenter ? questionna Mack d'un ton neutre.

— Oui. Et nous nous amusions bien. Nous sortions ensemble depuis quatre mois quand je l'ai présenté à mes parents pour Noël. Mon père et Wills se sont tout de suite bien entendus, mieux que je n'aurais pu l'imaginer. Pour résumer, au bout d'un an, Wills a quitté son poste à la banque et s'est mis à travailler avec mon père pour l'Eglise, qui commençait à se développer. Il a fait les trajets depuis New York pendant un moment, mais ensuite il a emménagé à Weatherbie.

— Et vous, vous êtes restée en ville ?

— Oui. J'ai continué à vivre avec Meridith. Mon travail se passait très bien et j'avais été promue plusieurs fois. Quelques années se sont passées ainsi, et ma mère ne cessait de suggérer qu'il était *temps*.

Mack ne dit rien.

— Alors, quand Wills m'a demandé de l'épouser le jour de mon vingt-neuvième anniversaire, j'ai dit oui. Nous nous sommes mariés quatorze mois plus tard, j'ai emménagé dans la maison de Weatherbie et j'ai commencé à faire les trajets jusqu'à New York pour mon travail. La première fois qu'il m'a frappée, c'était un soir où j'étais rentrée tard.

— La première fois ? releva Mack d'une voix dure. Il y a eu plus d'une fois ?

— Oui. Je n'en suis pas très fière. Ça me donne un peu l'air d'un paillasson, non ?

Mack lui prit la main, et cela parut à Hope la chose la plus naturelle du monde de le laisser faire.

— Ce n'était pas *vous,* le problème, déclara-t-il.

— Je sais. Quoi qu'il en soit, j'étais allée rendre visite à Meridith et à son nouveau mari. Ils perpétuaient la tradition des fêtes du jeudi soir. Wills savait où j'allais. Je l'avais invité à venir, mais il était trop occupé par l'église. Les apparitions occasionnelles de mon père à la télévision étaient devenues une émission hebdomadaire, et l'argent rentrait à flots.

Mack caressa de son pouce la paume de sa main et cela lui donna le courage de finir son récit.

— J'avais passé une soirée formidable, mais quand je suis rentrée, j'ai compris que Wills était d'une humeur massacrante. Je ne l'avais encore jamais vu comme ça. Il m'a dit qu'un important donateur était revenu sur sa promesse de dons. Un qu'il avait personnellement courtisé.

Elle fit une pause, se remémorant les détails de la soirée comme si c'était la veille.

— Je voulais le distraire de ces soucis, alors je lui ai montré les photos que j'avais prises du nouvel appartement de Meridith. Son mari et elle l'avaient bien décoré. J'avais oublié que Meridith avait aussi pris quelques photos de moi en train de danser avec son beau-frère. Celui-ci prenait des leçons de danse pour faire une surprise à sa femme et il m'avait montré quelques pas.

— Et Baylor n'a pas aimé les photos ?

— J'ai essayé de lui expliquer que c'était le beau-frère de Meridith, qu'il était heureux en ménage et qu'il avait deux enfants. Il a refusé de m'écouter et nous nous sommes disputés. Mais je ne m'attendais pas à ce qu'il me gifle du revers de la main.

Mack serra les doigts, mais son visage resta impassible.

— C'est arrivé très vite et, après il s'est confondu en excuses. Comme une idiote, j'ai laissé passer. Il m'a dit qu'il m'aimait. Il sanglotait presque et il m'a suppliée de lui pardonner. Et je l'ai fait. Du moins, c'est ce que je lui ai dit. Je ne sais pas si on peut vraiment pardonner ce genre de choses à quelqu'un. Ça continue à vous hanter, ça refait surface aux moments où vous vous y attendez le moins.

— Et vous n'en avez parlé à personne ?

— Non. Ni à ma mère, ni à mon père, ni même à Meridith. J'avais honte et, aussi fou que cela puisse paraître mainte-nant, je pensais même que j'y étais pour quelque chose. Je n'aurais pas dû aller en ville et je n'aurais pas dû danser avec le beau-frère de Meridith. En tout cas, nous n'en avons plus jamais parlé.

Elle resta silencieuse quelques minutes, regardant leurs mains entremêlées. Celle de Mack était grande et sa peau était plus sombre. Le bleu qu'il avait à l'index était en train de guérir.

— Quelques mois plus tard, ma mère est tombée malade. Pendant un moment, j'ai essayé de tout concilier. Je travaillais dans la journée, puis je rentrais à Weatherbie et j'allais chez ma mère. J'y passais tous les week-ends. C'était très fatigant pour moi, et ma mère continuait à s'affaiblir. Quatre mois après le diagnostic, j'ai démissionné de mon travail pour m'occuper d'elle à plein temps.

Elle leva les yeux.

— Wills disait qu'il soutenait ma décision, mais nous avions pris l'habitude de vivre avec deux salaires. J'aurais pu demander de l'argent à mes parents, car à ce moment-là, leur situation financière s'était beaucoup améliorée, mais je ne voulais pas le faire. Wills et moi avons commencé à nous disputer beaucoup à propos de notre situation financière. Mais il ne me frappait pas.

— Il a cependant recommencé, dit doucement Mack.

— Oui. Il faisait dorénavant des apparitions régulières dans l'émission de mon père. Un jour où il m'avait demandé d'aller chercher des vêtements au nettoyage à sec, j'ai dû emmener ma mère à sa chimiothérapie et, au retour, nous avons été prises dans un embouteillage. Le temps que j'arrive au pressing, c'était fermé. Je n'y ai pas accordé une grande importance, sachant qu'il avait une douzaine de chemises de rechange dans son placard. Ma mère était si malade à l'époque que c'était difficile de s'inquiéter pour autre chose. Ce jour-là, je suis restée avec elle toute la soirée, et je ne suis rentrée que vers 2 heures du matin. Quelques heures plus tard, alors que j'étais encore en train de dormir, Wills a découvert que sa chemise préférée n'était pas là.

Elle retira sa main et Mack la laissa s'éloigner. Elle ne pouvait pas le toucher, pas à cet instant.

— Il m'a sortie du lit en me tirant par les cheveux et il est devenu fou. Je me suis débattue, mais il était plus fort que moi, et il... Il s'est déchaîné sur moi.

— Hope, dit Mack d'une voix rauque. Ne...

— Après qu'il m'a laissée par terre, j'ai réussi à me relever et à appeler mon père. Je savais que j'avais besoin de soins. Il est venu chez nous et je lui ai raconté ce qui s'était passé. Il ne m'a pas emmenée aux urgences de Weatherbie, mais à celles de Hazelton, une autre banlieue. J'avais tellement mal et j'étais tellement sous le choc que je me rendais à peine compte de ce qu'il faisait. Il m'a dit que ce serait mieux de me faire soigner là. Il n'est pas entré avec moi, il m'a juste déposée. Je n'ai compris que le lendemain qu'il ne voulait surtout pas qu'on reconnaisse la fille du révérend Archibald Minnow.

— Je suis désolé, dit Mack.

— Eh bien, vous connaissez le reste de l'histoire. A sa demande, j'ai dit aux infirmières que j'étais tombée dans l'escalier du sous-sol et j'ai fait semblant de ne pas remarquer leurs regards entendus. L'une d'elles m'a donné les coordonnées de Gloria's Path. Après que je suis sortie de l'hôpital, mon père m'a réservé une chambre à l'hôtel pour ma convalescence.

— C'est à ce moment-là que vous êtes allée au refuge.

— Oui. Oui, toutefois, je n'ai pas annulé la réservation à l'hôtel. J'ai laissé mon père payer. C'est à ce moment-là qu'a débuté mon habitude un peu obsessionnelle de dépenser son argent à tout va.

— Votre mère ne s'est pas demandé où vous étiez ?

— Mon père lui avait dit que j'étais partie en mission pour mon ancien employeur.

— Et Baylor ?

— Il essayait sans relâche de me joindre. Je recevais parfois vingt-cinq appels par jour. Mais je ne voulais pas le voir. J'ai immédiatement entamé la procédure de divorce, et je communiquais avec lui par l'intermédiaire de mon avocat.

Je ne suis jamais revenue chez nous. J'ai simplement acheté de nouveaux vêtements et j'ai emménagé dans mon ancienne chambre. J'ai dit à ma mère et à Mavis que Wills et moi nous étions éloignés l'un de l'autre. Ma mère était triste, bien sûr, mais étant donné qu'elle se battait pour survivre, elle avait d'autres priorités. La plupart des gens ont pensé que c'était une séparation amicale, car Wills a continué à travailler comme assistant de mon père à l'église.

Elle garda le silence quelques secondes avant de conclure :

— Je suis restée très affable pendant tout ce temps. C'est une capacité formidable que de pouvoir rester calme extérieurement alors qu'on bout à l'intérieur.

— Je ne sais pas à quoi pensait votre père, commenta Mack. Mais en ce qui me concerne, si j'avais été témoin de cela, j'aurais tué Baylor.

12

Mack avait mis tant de conviction dans cette dernière affirmation que Hope le crut. Il ne laisserait jamais quelqu'un faire du mal à l'un de ses proches. Quant à son père, il avait manifestement une autre manière de voir les choses. Mais quelle importance ? L'eau avait coulé sous les ponts.

Elle repoussa sa chaise et rassembla leurs assiettes. Mack fit mine de se lever.

— Je m'en occupe, dit-elle vivement. Un marché est un marché.

Elle avait besoin de s'éloigner de lui et de prendre un peu de recul. Peut-être fallait-il blâmer la crème, le vin ou le fait qu'elle ait simplement ressenti le besoin de se confier à quelqu'un. Quoi qu'il en soit, elle avait beaucoup parlé et se sentait vidée émotionnellement.

— J'ai dit que je ferais la vaisselle, ajouta-t-elle, consciente d'avoir été un peu sèche.

— D'accord, dit-il en se rasseyant.

Elle s'attendait à ce qu'il la suive à l'intérieur, mais il resta à table, les yeux fixés au loin. Elle ouvrit l'eau, attendit que celle-ci devienne chaude, puis rinça les assiettes et les couverts avant de les ranger dans la machine à laver la vaisselle en prenant soin de mettre les grands couteaux dans leur casier.

Elle était fatiguée, ce qui n'arrangeait rien. Son petit somme de l'après-midi l'avait un peu reposée, mais elle était loin d'avoir eu ses six heures quotidiennes de sommeil.

Elle replia le torchon, le suspendit à un crochet au-dessus de la cuisinière et regarda par la baie vitrée. Mack était toujours assis à table, mais il avait son portable collé à l'oreille. Il avait orienté sa chaise de façon à pouvoir la regarder s'affairer dans la cuisine.

Peut-être parlait-il à son père. Elle suspectait qu'ils avaient fixé à l'avance des rendez-vous téléphoniques. Mack était-il en train de lui faire son rapport ? Elle doutait qu'il soit très bavard. *Un bon dîner avec votre fille. Nous avons bu un peu de vin. Nous avons ri plusieurs fois. Elle m'a expliqué quel connard vous êtes.*

Il avait maintenant bien trop d'informations.

Attendait-il qu'elle se joigne de nouveau à lui ? Elle se détourna délibérément. Cela avait été un dîner agréable, certes, mais il était inutile de lui donner à penser qu'elle avait envie de prolonger la soirée. Elle avait des choses à faire, ses propres appels à passer.

Elle éteignit les lumières dans la cuisine et monta dans sa chambre. S'asseyant au bord de son lit, elle prit son portable sur la table de chevet. Elle avait essayé de joindre Mavis un peu plus tôt, pour savoir comment cela se passait chez sa sœur, mais n'avait pas pu l'avoir. Elle n'avait pas laissé de message. Elle fit défiler les numéros du répertoire et pressa le bouton d'appel.

Il y eut quatre sonneries avant que la messagerie vocale ne se mette en route. Au lieu de raccrocher de nouveau, elle attendit le bip.

— Salut Mavis, dit-elle. Je voulais seulement savoir si tu étais bien arrivée. J'espère que ton beau-frère va mieux. Appelle-moi si tu as besoin de quoi que ce soit.

Mavis était toujours en train de s'agiter en tous sens pour s'occuper de tout. Elle assistait sa mère, s'occupait des tâches ménagères à la maison et trouvait encore le temps au milieu de tout cela d'aller rendre visite à son beau-frère et de dorloter sa sœur. Cette femme était une vraie pile électrique. Elle incarnait à elle seule l'expression « retraitée active ». Quelle tristesse qu'elle ait perdu son mari et se retrouve seule à ce moment de la vie, censé être l'âge d'or. Et elle ne semblait pas encline à repasser par le mariage.

Hope se souvenait distinctement d'être entrée un jour dans la cuisine et y avoir trouvé sa mère et Mavis en train de prendre le thé. Elles parlaient d'une voisine, la soixantaine bien sonnée, qui venait de se remarier. Sa mère lui avait gentiment suggéré qu'il était peut-être temps de recommencer à sortir.

Mavis, qui était debout devant l'évier en train de faire infuser les sachets de thé, avait eu une expression étrange. Puis elle avait vu Hope et son visage s'était adouci.

Hope comprenait ses sentiments. Elle ne plaisantait pas quand elle avait dit à Mack qu'elle en avait terminé avec le mariage.

Elle reposa son téléphone, certaine que Mavis la rappellerait dès que possible. Puis elle se leva, traversa la pièce et ouvrit la porte qui menait sur le balcon. De tous les endroits de la maison, c'était celui qu'elle aimait le plus. Celui-ci était juste assez grand pour deux chaises longues et quelques plantes qu'elle avait rempotées elle-même. La façade étant orientée à l'ouest, Hope pouvait y contempler les couchers de soleil.

L'orage se rapprochait. L'air était chaud et agité, et elle pouvait presque sentir l'odeur de la pluie qui n'allait plus tarder. Ce soir, elle allait rester dehors jusqu'à la fin de l'orage. Cela ne la dérangeait pas d'être mouillée.

Elle s'assit sur une chaise longue, ferma les yeux, et se concentra pour deviner l'orage avec ses autres sens. Puis elle ralentit volontairement le rythme de sa respiration, retenant légèrement l'air dans ses poumons avant de le relâcher.

Il faisait noir quand elle fut brusquement tirée du sommeil par le fracas d'un puissant coup de tonnerre. Les lumières s'éteignirent dans sa chambre, en même temps que le grand lampadaire du jardin.

Alors qu'elle se disait que la foudre avait sans doute frappé un relais électrique dans le quartier, des coups répétés se firent entendre à la porte de sa chambre.

— Hope ? hurla Mack.

Il y eut une brève pause.

— Ouvrez la porte ou je fais sauter la serrure !

— Attendez, cria-t-elle.

Elle traversa la chambre plongée dans le noir, chercha à tâtons la poignée de la porte et ouvrit.

Mack lui projeta la lumière d'une torche dans les yeux et elle leva la main.

— Désolé, dit-il en dirigeant le faisceau vers le sol. Ça va ?

— Très bien.

Il y avait juste assez de lumière pour qu'elle discerne sa tenue. L'orage avait dû le tirer d'un sommeil profond car son T-shirt sortait de son jean.

Séduisant.

— Merci d'être venu voir, dit-elle en essayant de refermer la porte.

Mais il coinça le battant avec son pied.

— Je veux que vous descendiez.

— Pourquoi ?

— Sans électricité, l'alarme ne fonctionne pas. Vous devriez avoir une batterie de rechange, mais il n'y en a pas. Je veux pouvoir garder l'œil sur vous.

— Quelle heure est-il ? demanda-t-elle en tentant de se repérer.

— 23 heures.

Elle entendit le tonnerre gronder. Puis un autre éclair zébra le ciel. L'orage était tout près, elle ne voulait pas le manquer.

— Je vais bien, ne vous inquiétez pas, dit-elle en faisant une nouvelle tentative pour refermer la porte.

Autant essayer de repousser un mur de briques. Elle poussa une exclamation exaspérée et pivota sur elle-même pour retourner sur le balcon. Le halo de la torche suivait tous ses mouvements. Sans s'en préoccuper, elle reprit place sur une des chaises longues.

Mack la rejoignit en quelques secondes et se laissa tomber sur l'autre.

— J'imagine que ça vaut mieux que de se pencher à la fenêtre, grommela-t-il.

Les premières gouttes de pluie s'écrasèrent sur les jambes nues de Hope. Elle s'attendait à ce que Mack ajoute qu'elle allait se faire tremper, mais il ne dit rien.

Le vent fouettait les arbres et quand la pluie arriva enfin, ce fut une averse violente et intense. C'était un ouragan de sensations : le grondement du tonnerre, les craquements de la foudre, le sifflement du vent, tout cela se mêlant au choc de la pluie froide qui tombait sur sa peau.

Elle se sentit plus vivante que par le passé. Plus insouciante, plus téméraire.

La pluie battante dura une dizaine de minutes, puis s'arrêta aussi soudainement qu'elle avait commencé. Hope était trempée jusqu'aux os et se disait que Mack devait l'être aussi. Pourtant, il continuait à se taire.

Soudain, elle l'entendit remuer, se lever et se diriger vers la salle de bains. Il revint avec une serviette et le plaid qui était posé au bout de son lit.

— Vous allez prendre froid, dit-il en les lui tendant.

Elle tendit le bras. Leurs mains se touchèrent.

Et une décharge électrique, aussi puissante que la foudre de l'orage auquel ils venaient d'assister, lui parcourut le bras. Instinctivement, elle referma ses doigts sur ceux de Mack et l'attira vers elle. Elle l'entendit reprendre son souffle, mais il ne résista pas.

Elle posa leurs mains nouées sur son cœur, qui tambourinait dans sa poitrine. Pour garder l'équilibre, Mack avait dû poser un genou sur la chaise, elle le sentait près de sa jambe nue. Et plus clairement que si elle le voyait, elle sentait son visage à moins de trente centimètres du sien. La main de Mack trembla légèrement, et elle comprit qu'elle avait réussi à ébranler, ne serait-ce qu'un peu, le très cool et très calme M. McCann.

— Hope ?

— Chut ! fit-elle gentiment.

Se penchant en avant, elle posa sa main libre sur la joue

de Mack. Son visage était mouillé, luisant de pluie. De son pouce, elle chercha ses lèvres. C'était si mystérieux, si sensuel de le toucher, de deviner ses traits dans l'obscurité.

— Embrassez-moi, murmura-t-elle.

Devant son hésitation, elle attira son visage plus près. Et quand ses lèvres effleurèrent les siennes, elle sentit ses terminaisons nerveuses depuis longtemps endormies bourdonner. Son corps s'embrasa tandis qu'une délicieuse humidité naissait entre ses jambes.

Les lèvres de Mack survolaient sa bouche. Elle sentit son haleine douce et chaude et comprit qu'il était sur le point de s'éloigner.

Et Hope Minnow, qui vivait depuis deux ans dans une sorte de brouillard asexué, prit les rênes. Elle déplaça la main de Mack, toujours serrée dans la sienne, sur son sein et se cambra pour venir à sa rencontre.

— Bon sang, souffla-t-il, en effleurant le vêtement trempé qui lui collait à la peau.

Le mamelon, déjà durci, réagit à son contact.

Il l'embrassa profondément. Mais quelque chose le retenait encore, elle le sentait.

— Il faut que tu saches une chose, lui glissa-t-elle à l'oreille. Je n'ai pas fait l'amour depuis deux ans. Si tu me repousses, ce sera dévastateur pour mon amour-propre. Bien pire que Hopeless Fish Bait.

Il s'immobilisa une seconde, chercha sa main et la posa sur son aine. Avançant les hanches, il se pressa contre elle. Il était dur comme la pierre. Ce geste audacieux et érotique déclencha une cascade de sensations dans le corps de Hope.

— Voilà ce que tu m'inspires, toi, tout entière, dit-il d'une voix basse et sexy. Est-ce que ça flatte assez ton orgueil, Hopeless ?

— Enormément, dit-elle sur le même ton, tout en mordillant sa lèvre inférieure.

Prenant les choses en main, il défit le nœud de sa robe, et

fit tomber le tissu humide sur sa taille pour libérer sa poitrine. L'air tiède de la nuit la fit frissonner.

Ils n'avaient pas besoin de lumière. Mack se servit de ses mains et de sa bouche pour découvrir son corps. Il lécha délicatement la peau cachée à l'intérieur de ses bras, effleura sa clavicule de ses lèvres, mordilla le lobe de son oreille, caressa longuement ses mamelons et introduisit sa langue dans sa bouche.

Et quand le corps de Hope déborda littéralement de désir, il la prit dans ses bras et la porta à l'intérieur en laissant la porte du balcon ouverte.

Il la posa sur le matelas, se débarrassa de ses vêtements, et entreprit de lui enlever sa robe et sa culotte.

La bouche de Mack s'affaira à toutes sortes de choses délicieuses au cœur de son entrejambe, puis elle entendit l'emballage d'un préservatif se déchirer et enfin, enfin, il fut en elle.

Il bougea doucement, leur laissant le temps de s'accorder. Puis, quand il l'eut pénétrée profondément, il posa les mains sur ses fesses, lui écarta vigoureusement les jambes et se mit en mouvement.

Quand elle jouit, ce fut si intense, si puissant, qu'elle crut s'évanouir.

Il la laissa savourer ce moment.

— C'était bien ? demanda-t-il d'une voix rauque de désir.

— Oh oui ! répondit-elle. Bien meilleur que la crème.

Elle le sentit sourire contre son épaule. Puis il se remit à bouger. Son sexe encore plus puissant et plus dur la comblait totalement. Elle courba le dos pour l'accueillir plus profondément et sentit un frisson rouler sur les muscles de son dos.

Elle l'embrassa sur l'épaule et s'aperçut que les gouttes de pluie avaient fait place à des gouttes de sueur.

— Je vais venir, grogna-t-il.

Il accéléra la cadence, donnant de puissants coups de rein. Elle sentit son désir monter de nouveau et se cramponna à lui. Quand elle explosa, il se raidit, désormais incapable de se retenir.

Quand Mack reprit ses esprits, il eut la certitude que faire l'amour n'avait jamais été aussi bon. Et c'était grâce à Hope Minnow. Il en aurait eu le tournis s'il avait seulement trouvé la force de lever sa tête.

Les questions se bousculaient dans son esprit. Devait-il s'excuser ? Plaider la folie passagère ? Avouer qu'il en avait encore les genoux tremblants ? Attendre un quart d'heure et remettre ça ?

Mais la plus pressante de toutes était : pourquoi Hope avait-elle attendu deux ans pour faire l'amour, et pourquoi l'avait-elle choisi, lui ?

Un homme plus sage aurait refusé. C'était ce qu'il avait l'intention de faire, jusqu'à ce qu'elle lui mette son sein adorable dans la main et le supplie littéralement.

Elle n'était pas en état d'ébriété, il n'avait donc aucune raison de se sentir coupable.

En dehors du fait qu'il était censé la protéger.

Ils allaient devoir en parler, mais peut-être pas tout de suite. Il sortit du lit et alla à la salle de bains pour se nettoyer du mieux possible sans eau. Il faudrait attendre le retour de l'électricité pour que la pompe fonctionne de nouveau.

Il ne lui fallut qu'une seconde pour se rendre à l'évidence : il avait un problème. *Ils* avaient un problème. Debout dans le noir, il sentit son cœur battre plus vite.

Le préservatif s'était déchiré.

13

Qu'allait-il bien pouvoir lui dire ? Pouvait-il lui cacher une chose pareille ? Certainement pas.

En retournant se coucher, il ferma la porte du balcon et la verrouilla. Mieux valait ne pas lui donner l'occasion de se jeter par la fenêtre. Puis il se remit sous les couvertures.

Hope s'était tournée de l'autre côté. Il se rapprocha d'elle pour épouser son corps et lui passa un bras autour de la taille.

— Hope ?

— Oui ? dit-elle d'une voix endormie.

Il allait malheureusement la tirer brutalement de ce sommeil, car ce qu'il s'apprêtait à lui dire lui ferait l'effet d'une bombe.

— Je crois que nous avons un problème.

Elle se retourna entre ses bras pour lui faire face.

— Quoi ? murmura-t-elle, comme si quelqu'un venait de se glisser dans la maison.

Ça, ça aurait été plus facile à gérer. Mais il avait beau se creuser la tête, il ne trouvait pas de bonne façon de le lui dire.

— Le préservatif s'est déchiré.

— Quoi ? répéta-t-elle changeant immédiatement de ton.

— Est-ce que tu prends la pilule ?

— Non, bien sûr que non. Je n'avais pas de relations sexuelles, dit-elle avec un ton indigné en s'asseyant.

Il se hâta de se redresser aussi. Il aurait voulu la prendre dans ses bras, mais il ne savait pas si ce serait bien accueilli.

Il entendit son rire teinté d'ironie.

— Eh bien, j'imagine que cela a au moins un avantage : tous les stratagèmes que j'ai inventés jusqu'ici pour irriter mon père ressembleront à des enfantillages si je deviens mère célibataire.

Son enfant aurait un père, se dit Mack avec force. Un père et une mère. Et mariés, qui plus est.

— Ce ne sera pas forcément le cas, dit-il avec hésitation.

Voyant qu'elle ne répondait pas, il se décida à être plus clair.

— Un enfant est une raison suffisante pour se marier.

— Oh ! bon sang ! Je ne me remarierai pas, Mack, je te l'ai déjà dit.

Mais si elle était enceinte, tout restait possible, il le savait.

— Nous nous inquiétons peut-être pour rien, dit-il.

Il entendit Hope vider ses poumons et respirer plus calmement.

— Tu as sans doute raison. Je ne prenais pas la pilule quand j'étais mariée et je ne suis jamais tombée enceinte. Tout ira bien.

Elle se rallongea, mais pas assez près pour qu'il puisse l'enlacer. Elle avait en effet prit soin de rester de son côté du lit. Le message était clair : l'heure des câlins était terminée. Il se recoucha en faisant attention à ne pas franchir la ligne invisible qui les séparait.

Un enfant. Cette nuit, il avait peut-être conçu un enfant.

Rien ne serait plus pareil.

La lumière revint à 3 heures du matin. Hope avait roulé sur le ventre, et un de ses bras tombait en dehors du lit. Elle était toujours nue, et Mack prit un moment pour observer son corps magnifique.

Le bronzage de sa peau douce contrastait avec la blancheur des draps. Il suivit la ligne qui partait de sa colonne vertébrale pour descendre jusqu'à la courbe de son si joli postérieur. Ses longs cheveux étaient en bataille, dispersés sur ses épaules, ils lui recouvraient presque le visage.

Superbe.

Et tellement sexy. Bêtement, il se laissa aller à imaginer son corps épanoui par la grossesse. Ses seins lourds, son ventre s'arrondissant autour d'une nouvelle vie.

Son enfant.

Il se glissa hors du lit en prenant soin de ne pas la réveiller, et enfila son jean sans prendre la peine de le fermer. Puis il descendit et éteignit toutes les lampes qui étaient allumées au moment de la coupure de courant. Cela fait, il remit le système de sécurité en route.

En remontant, il constata que Hope s'était réveillée. Assise dans le lit, elle avait remonté les draps jusque sous son visage très pâle.

— Bonjour, dit-il en faisant un gros effort pour paraître enjoué et dissimuler sa nervosité.

— Bonjour. Je n'ai pas rêvé cette conversation, n'est-ce pas ?

— Non.

— Oh ! bon sang !

Elle mit la main sur ses yeux.

— Je n'arrive pas à croire que la seule fois où je fais l'amour, le préservatif se déchire. Qui a ce genre de malchance ? Je vais te dire qui : Hopeless Fish Bait, voilà qui !

— Je suppose, dit-il, essayant d'alléger l'atmosphère.

Il se rendit compte soudain qu'il y avait quelque chose qu'il devait absolument dire.

— Ecoute, Hope. Je veux que tu saches que si tu es enceinte, tu ne seras pas toute seule. Je serai là.

Elle le fixa.

— Nous ne devons plus jamais faire ça.

— Ne soyons pas si impulsifs, dit-il.

Elle secoua la tête.

— Je viens de comprendre que c'est ma faute. C'est moi qui t'ai demandé de faire l'amour avec moi. Je suis une grande fille, Mack, et je suis responsable de mes actes. C'est moi qui nous ai mis dans cette situation.

— Ne te fais pas de reproches. Personne ne m'a mis un couteau sous la gorge et si quelqu'un doit s'en vouloir, c'est moi, car je suis censé veiller sur toi. Maintenant, la vérité, c'est que nous sommes adultes et que les adultes ont le droit de faire l'amour. Nous ne devrions pas nous sentir coupables. En fait, je pense que nous devrions plutôt être heureux : c'était vraiment génial.

Elle sourit enfin.

Tout irait bien. Il fit un pas vers le lit quand le téléphone à sa ceinture se mit à vibrer. Qui donc l'appelait à 3 h 30 du matin ? Il regarda le numéro. Brody. C'était un texto.

L'adorable Hope et toi venez-vous au dîner ? Je dois avertir la MB. Ils ont besoin de temps pour effectuer des vérifications sur elle. Toi, tu es bien sûr toujours autorisé.

Mack songea que le moment était assez bien choisi pour poser la question à Hope.

— Puis-je ? demanda-t-il en désignant au bord du lit.

Il attendit qu'elle hoche la tête.

— Mon ami, le Dr Brody Donovan, soigne des soldats sur le front depuis plus de dix ans. Il a quitté récemment l'Air Force, mais on va lui rendre les honneurs la semaine prochaine à la Maison-Blanche. Je me demandais... eh bien, je me demandais si tu aimerais venir au dîner. Avec moi.

— Dîner à la Maison-Blanche ?

— Oui. Un repas, quelques discours avec applaudissements obligatoires. Et de bons desserts autant que je m'en souvienne.

Hope lâcha le drap qui glissa de plusieurs centimètres, pas assez toutefois pour lui permettre d'apercevoir sa poitrine magnifique.

— Autant que tu t'en souviennes ? Tu es donc déjà allé à la Maison-Blanche ?

Il agita la main.

— C'était il y a des années. Une réunion informelle. Mais je me souviens du cheese-cake.

— Je suis occupée, dit-elle.

— Je ne t'ai même pas dit quel jour c'était, reprit-il en s'efforçant de garder son calme.

— Ça ne fait rien. Je serai occupée.

Il tapota les draps de l'index.

— Pourquoi ? dit-il enfin.

Elle soupira.

— Quelle importance ? Ecoute, tu es encore ici pour une semaine. Je ne pense pas que mon absence à cet événement aura un impact quelconque sur ta vie future.

— Je pensais seulement que ça t'amuserait. Et je pensais, dit-il la gorge serrée, que cette nuit avait changé les choses entre nous.

Elle secoua la tête.

— Tu l'as dit toi-même, Mack. Tous les adultes font l'amour. Cela n'a rien d'extraordinaire.

— Rien d'extraordinaire, répéta-t-il.

Il eut envie de se mettre une gifle pour avoir mordu à l'hameçon.

— Non, dit-elle. Ecoute, j'aimerais bien dormir encore un peu. Tu peux fermer la porte en sortant ?

Elle se retourna, ne lui offrant que la vue de son dos.

Mack savait qu'il pourrait facilement la forcer à lui prêter attention. Mais en dépit de la douleur qu'il ressentait à cause de ce rejet, ce n'était pas ainsi qu'il voulait se comporter.

Il quitta la pièce sans un mot et referma doucement la porte derrière lui.

Hope attendit d'entendre la porte se refermer avant de se remettre sur le dos. Elle fixa le plafond dans l'obscurité. *Un dîner à la Maison-Blanche.* Son père aurait été en extase. C'était tout à fait le genre de publicité qu'il recherchait.

A quoi pensait donc Mack ?

Peu importait. A quoi pensait-*elle* ? Elle avait couché avec un homme qui vivait dans un monde où pleuvaient les invitations à la Maison-Blanche. Les gens de cette sorte étaient exposés en permanence à l'opinion publique. C'était ce qu'elle subissait depuis que son père avait accédé à la célébrité.

Elle ne pouvait plus le supporter. C'était trop.

Mais elle n'aurait pas dû se montrer aussi mesquine. Ni mépriser autant leurs ébats amoureux. Elle n'en avait jamais connu de meilleurs. Et elle regrettait d'avoir fait culpabiliser Mack car oui, mesdames et messieurs les jurés, en toute franchise, c'était elle qui lui avait sauté dessus.

Elle balança ses jambes par-dessus le bord du lit, mais s'arrêta à mi-mouvement. Qu'allait-elle donc faire si elle était enceinte de Mack ?

Ce n'était pas comme si elle ne voulait pas du tout d'enfant. Elle n'en parlait guère, mais à trente-quatre ans, elle sentait son horloge biologique s'affoler. La semaine précédente, elle avait lu un article sur une star de télé qui avait eu son premier enfant à trente-six ans. L'article mentionnait qu'aujourd'hui, on considérait qu'au-delà de trente-cinq ans, toutes les grossesses présentaient des risques.

Le temps commençait à manquer. Pourtant, elle n'avait jamais envisagé de tomber enceinte. Les enfants avaient besoin de deux parents. Elle ne faisait que débiter des âneries quand elle avait laissé entendre à Mack qu'élever un enfant seule ne lui poserait pas de problèmes.

Elle se rallongea et fixa de nouveau le plafond. Cela lui rappela son enfance. Son père l'emmenait se coucher, lui lisait une histoire puis s'en allait. Elle restait allongée les yeux au plafond, sachant qu'il attendait derrière la porte pour vérifier qu'elle faisait bien ses prières.

Elle joignit les mains.

— Mon Dieu…, commença-t-elle.

14

Le tapis de course et les haltères permirent à Mack d'évacuer sa colère. Il s'entraîna jusqu'à ce que la fatigue l'empêche d'en faire plus.

Puis il se traîna dans la salle de bains pour prendre une douche froide.

Apparemment, il allait en prendre souvent. *Nous ne devons plus jamais faire ça.*

Il aurait été facile de remballer ses affaires et de tout quitter pour aller panser ses blessures en privé. Mais il n'en était pas question. Sa mission initiale était on ne peut plus sérieuse et maintenant, elle le devenait encore plus : Hope était peut-être enceinte de son enfant.

Qu'allaient donc dire ses parents ? Et Bing ? Regretterait-il d'avoir fait appel à Mack ?

Cela ne changerait rien. Ils devraient s'en accommoder.

Chandler serait ravie d'être tante et son père serait très heureux pour lui. Quant à Brody et Ethan, ils se procureraient les meilleurs cigares en prévision de l'événement.

En supposant qu'il réussisse à convaincre Hope de l'épouser. Parce que cela ne l'intéresserait pas d'être un père lointain, un père que son enfant associerait à l'ambiance des aéroports.

Après la douche, il s'habilla et se prépara un petit déjeuner.

Hope n'était visible nulle part et il supposa qu'elle l'évitait. Si elle avait l'intention d'aider Serena à emménager dans son nouvel appartement, elle allait devoir surmonter rapidement son aversion, car les règles n'avaient pas changé. Il la suivrait partout où elle irait.

Mais il allait sûrement devoir faire un peu plus attention à la *distance* à laquelle il devrait la suivre.

A 12 h 30, Hope pénétra dans la cuisine. Mack leva les yeux du journal qu'il parcourait sans le lire vraiment. Elle tenait les vêtements et la perruque de Paula à la main. Elle avait remis son legging noir, cette fois avec un ample T-shirt gris. Ses cheveux étaient relevés en chignon.

— Bonjour, dit-il.

— Bonjour.

Elle prit un verre dans le placard, le remplit d'eau au robinet et le vida d'un trait.

Un simple regard à sa gorge délicate suffit à déclencher chez Mack un début d'érection, et il comprit qu'il allait au-devant de sérieux ennuis.

— Est-ce que tu veux déjeuner ? demanda-t-il pour tenter de penser à autre chose.

— Juste un toast, répondit-elle. Je vais le faire.

Il se tut et baissa les yeux sur ses mains. Il l'entendit sortir le pain de son emballage, glisser les tranches dans le grille-pain et ouvrir le pot de beurre de cacahuètes.

Puis à son grand étonnement, il la vit prendre une chaise et s'asseoir près de lui.

— Je suis désolée, dit-elle.

Il attendit.

— Je ne voulais pas te faire de mal.

— Je suis un grand garçon, Hope, je m'en remettrai, dit-il d'un ton plus dur qu'il ne voulait.

Il inspira profondément pour tenter de retrouver sa maîtrise de lui-même habituelle, en vain.

— Je sais bien. Mais j'aurais pu être plus gentille.

Il saisit l'occasion.

— Ce n'est pas de la gentillesse que j'attends de toi. Je voudrais seulement que tu envisages toutes les possibilités.

— Tout est si compliqué, soudain, dit-elle. Je veux que tu saches que cette nuit, c'était merveilleux mais…

Il attendit.

— Mais que c'était malgré tout une erreur. Ce qui n'est pas forcément incompatible.

Mack sentit sa gorge se nouer.

— Les choses ne sont pas toujours aussi compliquées qu'on le croit.

Elle sourit mais son regard resta grave.

— Ecoute, il faut qu'on y aille. Je suppose que tu viens avec moi pour aider Serena à s'installer… Si c'est le cas, j'ai quelque chose à te demander.

— Bien sûr, dit-il.

Tant que cela n'impliquait pas de compromettre sa sécurité, il était disposé à l'écouter.

— Je ne veux plus avoir de discussion sur cette grossesse éventuelle. Nous saurons bien assez tôt. Et, bien sûr, j'aimerais qu'aucun de nous deux n'en parle à quiconque.

Il n'avait pas besoin d'en parler pour y penser constamment. Il ne pouvait s'en empêcher.

— Entendu. Tu peux compter sur moi.

Il regarda son toast.

— Tu vas manger ça ?

Elle le repoussa.

— Je n'ai pas vraiment faim, dit-elle en prenant son portable dans son sac. Elle regarda l'écran et fronça les sourcils.

— Qu'est-ce qui se passe ? demanda Mack.

— J'ai laissé un message à Mavis et elle ne m'a pas rappelée. Je me fais du souci pour elle.

— Elle a l'air de savoir se débrouiller en toutes circonstances.

Hope rangea son téléphone.

— Tu as raison. Je suis certaine qu'elle rappellera bientôt.

Ils quittèrent la maison et se rendirent en ville. Ni l'un ni l'autre ne parla durant le trajet. Mack fit deux fois le tour du motel, avant se garer sur un emplacement situé à une rue de l'entrée.

Serena les attendait dans le hall. Les deux femmes s'embrassèrent.

— Je n'avais pas compris que vous seriez là, lui dit Serena. Ça doit être formidable de passer tant de temps chez votre sœur.

— Formidable, répéta Mack en évitant de croiser le regard de Hope.

Il s'empara de la valise de Serena, tandis que celle-ci soulevait un carton. Mack, en y jetant un coup d'œil, vit qu'il contenait des livres, un vase en cristal et quelques cadres.

Travailler pour l'armée l'avait toujours obligé à voyager léger. Mais cela le réconfortait de penser que ses affaires étaient stockées quelque part. S'il n'avait pu disposer que d'un seul carton, qu'aurait-il emporté ? Les photos de sa famille ? Evidemment. La preuve que ses notes à l'académie lui avaient valu les félicitations du surintendant ? Probablement pas. Ses vieux CD de Jimmy Buffet, qui étaient presque des antiquités à présent ? Certainement.

Il se servit de la télécommande pour ouvrir le coffre de son 4x4. Ils y rangèrent les affaires de Serena, puis montèrent en voiture. Hope lui redonna la direction à suivre.

— Wayne m'a envoyé un texto pour savoir si j'avais loué un appartement, dit soudain Serena. Je lui ai dit que oui.

— Vous lui avez dit où ? demanda Hope.

— Non. Mais il ne l'a pas demandé. Il m'a dit qu'il s'était inscrit sur un site de rencontres. Je lui ai demandé lequel, mais il n'a pas voulu me le dire.

On aurait dit les années de lycée, songea Mack. Le garçon se conduit mal. La fille se met en colère et lui botte les fesses. Le garçon met alors tout en œuvre pour la récupérer et fait semblant de se désintéresser d'elle en espérant qu'elle reviendra en courant.

Sauf que dans cette situation, l'enjeu n'avait rien à voir avec le fait d'avoir ou non un cavalier pour le bal de fin d'année. Quand Wayne se conduisait mal, il se servait de Serena comme d'un punching-ball. Si la jeune femme y retournait, nul ne savait quelle serait la gravité de ses blessures la prochaine fois.

Il se doutait que Hope suivait le même raisonnement.

— Est-ce important de savoir de quel site il s'agit ? demanda gentiment celle-ci.

Dans le rétroviseur, Mack vit Serena hausser les épaules.

— J'imagine que non, dit-elle.

Ils arrivèrent à l'appartement. Mack fit le tour du parking en dépassant plusieurs emplacements libres. Il n'y avait rien d'inhabituel. Le parking était à moitié vide et personne ne rôdait près de l'immeuble. Et il savait qu'ils n'avaient pas été suivis depuis le motel.

Les abords étaient sûrs. Il arrêta la voiture à proximité d'un autre véhicule.

— Mon frère est un peu maniaque quand il s'agit de se garer, dit Hope, pour justifier son comportement.

Serena ne semblait pas s'en soucier. Elle regardait son nouvel immeuble par la vitre, se rappelant sans doute la maison qu'elle avait fuie. Peut-être même les comparait-elle, au détriment de l'appartement, qui bien sûr ne pouvait pas rivaliser.

Mack s'attendait à l'entendre dire qu'elle avait changé d'avis. Mais elle ouvrit son sac à main et en tira une liasse de billets de vingt dollars.

Hope, quant à elle, sortit de son sac dix billets de cent dollars qu'elle tendit à Serena.

Mack savait qu'elle n'était pas allée à la banque. Elle devait garder de l'argent quelque part dans sa chambre, pour des occasions comme celle-ci.

La main de Serena trembla quand elle prit les billets.

— Je ne sais pas quand je pourrai les rembourser, dit-elle doucement.

— Ça ne fait rien, dit Hope. Je sais que vous le ferez.

Ils sortirent de voiture. Comme la fois précédente, le propriétaire les attendait dans le hall de l'immeuble. La transaction se déroula rapidement. Serena lui remit l'argent et il lui donna la clé de l'appartement, ainsi qu'un géranium en pot pour le balcon. Puis il les laissa.

Dans la cuisine, Serena se mit à tourner en rond.

— *Home, sweet home*, dit-elle avec dans la voix une faible note d'espoir qui résonna étrangement dans l'espace vide. J'imagine qu'il va falloir me meubler.

— Gloria's Path est en relation avec un magasin de meubles d'occasion, intervint Hope. Je vais m'arranger pour qu'ils vous livrent un canapé, un lit et une commode, ainsi que de la vaisselle et du linge. Ça vous laissera le temps de vous retourner.

— Merci.

Les yeux de Serena étaient pleins de larmes.

— J'aurais dû penser à apporter une cafetière. J'adore le café, ajouta-t-elle d'un ton mélancolique.

— Vous savez quoi ? reprit Hope. Mack et moi, nous devons aller faire quelques courses. Je prendrai une cafetière et du café chez Tate Drugs et je vous les déposerai au retour.

Mack vit que Serena était sur le point de craquer, et sans doute Hope le sentit-elle aussi, car ils ne s'attardèrent pas. Une fois de retour dans la voiture, ils restèrent silencieux quelques instants.

— C'est bizarre, dit enfin Mack. A certains moments, elle paraît très immature, et à d'autres, c'est tout à fait l'inverse.

— Oui. Elle n'a que vingt-six ans. Je suppose que ceci explique cela.

— Où se trouve Tate Drugs ? demanda-t-il.

Elle le lui indiqua et il se mit en route. Hope retira sa perruque et enleva sa chemise et son pantalon en se tortillant. Cela rappela à Mack la manière dont il l'avait déshabillée la veille, et combien ce moment lui avait paru sensuel. Détacher sa robe, sentir le tissu lourd de pluie tomber sur sa taille, tout en sachant qu'il révélait ainsi sa poitrine nue à la brise nocturne…

— Comment se fait-il que Paula ne fait jamais de courses ? demanda-t-il en espérant se changer les idées en abordant un sujet plus anodin.

— Je ne sais pas. Hope fait les courses et Paula aide les femmes battues.

Elle ôta ses horribles tennis et mit des sandales.

Il lui jeta un regard en biais.

— J'espère que tu sais que Hope et Paula ne sont qu'une seule et même personne !

Elle le regarda de haut.

— Merci, monsieur le psychiatre.

Mack entra dans le parking de Tate Drugs. C'était un magasin familial, comme il en existe encore dans les petites villes pas encore envahies par les hypermarchés. Il faisait partie d'un centre commercial regroupant quatre autres magasins de détail.

Ils sortirent de voiture et traversèrent le parking dont le sol aurait eu bien besoin d'être nivelé. La femme postée à la caisse leva les yeux quand ils franchirent le seuil. Mack vit une lueur d'intérêt apparaître dans son regard.

— Salut, Hope, lança-t-elle.

— Bonjour, Jane, répondit poliment cette dernière sans s'arrêter.

— Une amie ? questionna-t-il doucement quand ils furent plus loin.

— Une connaissance. Nous étions ensemble au lycée. Quatre ans de cours d'éducation physique ont prouvé qu'elle jouait au foot bien mieux que moi, mais qu'elle ne me battrait jamais au tennis.

— Et le golf ?

— Ne m'en parle pas.

Cela aurait été toutefois bien plus agréable de jouer au golf aujourd'hui plutôt que de faire les courses. Il faisait très chaud dans le magasin. On attendait un pic de 30°C dans la journée, et la température extérieure devait déjà s'en approcher.

Ils trouvèrent le rayon des cafetières. Il n'y avait que trois marques entre lesquelles choisir. Hope lut attentivement les descriptions de chaque modèle et finit par prendre le plus simple et le moins cher.

— Tu portes atteinte à ton image, murmura Mack.

— Je sais. Mais c'est Paula qui achète et c'est une cliente avisée.

— Je ne sais pas comment tu fais pour gérer tout ça dans ta tête.

Il leur fallut plusieurs minutes pour trouver le café. Il était rangé au bout d'un rayon, avec des boîtes de céréales, des macaronis au fromage à réchauffer et des mélanges de noix dans des boîtes métalliques.

Mack regarda le prix du café et vit qu'il atteignait presque le double de ce qu'ils auraient payé au supermarché. Il ne suggéra pas de l'acheter plutôt là-bas, car il n'avait nulle envie de croiser de nouveau l'ex-mari de Hope.

La veille, il avait réussi à bien se tenir. Mais après avoir tenu le corps de Hope dans ses bras, après avoir constaté combien elle était délicate, la pensée qu'elle ait été battue par cet homme le rendait fou. Il mourait d'envie d'envoyer un coup de poing dans la mâchoire de Baylor.

Hope prit du dentifrice et quelques autres articles. C'est alors qu'à l'angle du rayon suivant, ils tombèrent nez à nez avec les tests de grossesse. Se rappelant sa promesse, Mack ne dit rien. Mais il vit Hope les contempler quelques secondes.

— Premièrement, je ne suis pas enceinte, chuchota-t-elle. Deuxièmement, je ne peux certainement pas acheter ça ici. Toute la ville le saurait en quelques minutes.

Elle sortit précipitamment du rayon.

Ils étaient déjà à la caisse, quand Hope fit demi-tour pour aller prendre de la nourriture pour chats. Le magasin n'avait que des sacs de croquettes.

— C'est mieux que rien, commenta Hope. Fred s'efforce sans doute d'attraper des souris mais cela leur servira toujours, en dépannage.

Jane enregistra leurs achats.

— Comment ça va, depuis le temps ? demanda-t-elle à Hope.

— Super. Et toi ?

— Bien. Je travaille, comme tu vois.

Elle empoigna le sac de croquettes pour chats.

— Tu dois avoir un chat ?

— Oui, dit Hope joyeusement.

Jane lui annonça le total et Hope lui tendit la somme exacte. La caissière mit les articles dans un sac en plastique tout en jetant des regards curieux à Mack.

Celui-ci ne dit rien. Il ignorait quel nouveau rôle Hope lui aurait cette fois attribué si elle avait dû le présenter. Brève rencontre, terrible erreur ? Il n'aimait aucun d'eux.

Papa du bébé ?

Il s'égarait.

— Merci Jane, lança Hope en prenant le sac. A bientôt.

Elle poussa la porte du magasin.

Mack survola le parking du regard et ne vit rien d'inhabituel.

Ils étaient à une dizaine de mètres de la voiture quand Hope se baissa soudain pour retirer un petit caillou de sa sandale. Au même instant, une balle se ficha dans la vitrine derrière eux, brisant le verre en mille morceaux.

15

— Baisse-toi ! hurla Mack.

Il plongea sur Hope en s'orientant de manière à encaisser le plus gros du choc. Il sentit le revêtement brûlant lui lacérer le dos et comprit qu'il allait avoir une bosse à l'arrière du crâne.

Il se releva rapidement mais resta courbé pour entraîner Hope à l'abri entre une Toyota bleue et une Mazda grise.

A deux rangées de là, une femme se mit à crier et quelqu'un déclencha l'alarme de sa voiture, faisant hurler le Klaxon.

Mack regarda Hope. Son visage était pâle et ses yeux agrandis par la frayeur.

— Ça va ? demanda-t-il.

Sans réfléchir, il posa les yeux sur son ventre parfaitement plat. Elle avait la main plaquée dessus.

— Je vais bien. Vraiment, ajouta-t-elle pour le rassurer.

Il tira son arme.

— Reste couchée, lui ordonna-t-il.

Se redressant, il regarda dans la direction d'où était venu le coup de feu. Un van gris et un 4x4 bleu étaient les seuls véhicules en mouvement dans le parking. Ils avançaient dans des directions opposées.

Il avait envie de se rapprocher pour confronter le tireur, mais il ne bougea pas. Il était possible que le coup de feu ait été tiré pour faire diversion, afin de le séparer de Hope. S'il poursuivait le tireur, un deuxième assaillant risquait de s'en prendre à elle. Il n'était pas question de courir ce risque.

Il vit un homme sortir précipitamment du magasin, un portable collé à l'oreille. Sans doute le gérant. Mack prit son propre portable et fit défiler le répertoire. Trouvant le numéro qu'il cherchait, il obtint en quelques secondes le chef de police Anderson.

Mack s'identifia rapidement et indiqua l'objet de son appel et leur situation. Il décrivit aussi les deux véhicules qui venaient de quitter le parking. Le policier lui assura qu'il arriverait dès que possible.

Le temps qu'il achève la communication, une première voiture de police pénétra dans le parking, gyrophare et sirène en marche. Une ambulance la suivait.

Il demanda à Hope de rester à terre, protégée par les voitures. Il faudrait quelques minutes au chef de la police pour arriver et, dans l'intervalle, il n'avait pas l'intention de parler à qui que ce soit.

Mais c'était sans compter avec la femme qui avait hurlé et qui les désignait maintenant du doigt en criant :

— On a tiré sur eux !

Cela attira l'attention de tout le monde. Mack rengaina son arme et aida Hope à se relever. C'est alors qu'il remarqua que son legging était déchiré, laissant apparaître son genou en sang.

— Mais tu es blessée ! s'exclama-t-il.

Un homme et une femme policiers approchaient. Il s'assura que sa chemise dissimulait son arme. Inutile de causer une nouvelle agitation.

— C'est une simple écorchure, répondit Hope en agitant la main.

— Messieurs, mesdames, nous voudrions vous poser quelques questions, lança le policier.

Mack secoua la tête.

— Pas avant que quelqu'un ne se soit occupé de son genou, répliqua-t-il.

Les deux policiers se regardèrent. Ils n'étaient visiblement pas accoutumés à ce qu'on discute leurs ordres. Enfin, la femme acquiesça.

— D'accord.

Elle héla une des ambulancières. C'était une jeune fille d'à peine dix-huit ans et Mack se retint d'exiger qu'on leur envoie quelqu'un de plus expérimenté.

Mais il se tut, car elle semblait très compétente. Elle vérifia le pouls, la tension et les pupilles de Hope. Apparemment satisfaite de son examen, elle écarta ensuite le tissu du legging et nettoya l'écorchure, avant de poser un pansement sur la jambe de Hope.

Mack se tenait à cinquante centimètres de là, surveillant toute l'opération.

— Il faudra mettre de la glace dessus, dit l'ambulancière. En général, j'ai des compresses froides dans l'ambulance, mais quelqu'un a dû oublier d'en remettre. Quand vous rentrerez chez vous, appliquez et retirez la glace en alternance, vingt minutes chaque fois. Le plus tôt sera le mieux.

— Je le ferai. Merci beaucoup, dit Hope avec sa gentillesse habituelle.

Mack, quant à lui, ne se sentait pas du tout gentil et avait envie de passer ses nerfs sur quelqu'un. Pourtant, il se força à rester calme, pour ne pas attirer encore davantage l'attention sur eux.

Une fois que l'ambulancière eut terminé, les policiers s'approchèrent de nouveau. A leur demande, Hope et Mack fournirent leurs noms et montrèrent leurs permis de conduire. Ils se rendirent vite à l'évidence : la victime était la fille de la célébrité la plus connue de Weatherbie.

L'homme devint plus aimable et plus poli, tandis que sa collègue adoptait l'attitude inverse. Mack saisit dans ses yeux une lueur de dédain, qu'elle n'essaya même pas de cacher.

Il comprit que Hope l'avait aussi perçue. Elle resta polie, mais son comportement chaleureux disparut pour laisser place à une expression plus réservée et distante. Mack comprit comment cette attitude pouvait amener les gens à penser qu'elle se considérait comme supérieure.

Les questions supplémentaires leur furent épargnées car, à cet instant, une Crown Victoria entra dans le parking et un homme âgé en sortit. Les deux policiers échangèrent un regard facile à interpréter. *Que faisait le chef ici ?*

L'homme salua ses subordonnés et fit un signe de tête à Mack et Hope.

— Je prends le relais, déclara-t-il.

Mack vit que la femme policière avait envie de discuter, mais elle se tut. Tous deux s'éloignèrent.

— Je suis le chef Anderson, dit l'homme.

Mack tendit la main.

— Mack McCann. Merci d'être venu.

Le policier lui serra la main, ainsi que celle de Hope.

— Vous êtes blessée, mademoiselle Minnow ?

— Une égratignure et quelques bleus, rien de grave, répondit celle-ci.

— Vous voulez vous asseoir dans ma voiture ?

Voyant Hope secouer la tête, Mack s'empressa d'accepter. Cela leur offrirait plus de discrétion et de sécurité le temps de leur conversation, au cas où quelqu'un serait assez fou pour renouveler le coup de feu.

— Elle a besoin de glace pour son genou, ajouta-t-il.

— Je vais bien, protesta Hope.

Le chef leva un doigt et se dirigea vers les policiers rassemblés autour de leur véhicule. L'un d'eux ouvrit le coffre et fouilla dedans. Il revint avec une compresse froide, l'ouvrit en déchirant l'emballage et la tendit à Hope.

— Merci, murmura celle-ci d'un air gêné.

Le chef de la police les conduisit ensuite à sa propre voiture. Le véhicule était garé depuis moins de dix minutes, pourtant l'habitacle était déjà étouffant. Le policier démarra le moteur pour mettre en route la climatisation. Mack et lui s'installèrent à l'avant tandis que Hope montait à l'arrière.

— Que diable s'est-il passé ici ? demanda enfin le chef Anderson.

— Je ne sais pas vraiment, répondit Mack. Nous sommes restés dans le magasin environ un quart d'heure. Alors que nous étions sur le parking, à peu près à dix mètres du magasin, on nous a tiré dessus. Au bruit et à l'impact sur la vitrine, je dirais que c'était un fusil. Je pense que cela venait soit du van gris soit du 4x4 bleu que je vous ai décrits.

— Vous avez raison en ce qui concerne l'arme, dit le policier. J'ai écouté le rapport de mes agents sur le trajet. La balle s'est fichée dans un présentoir et nous l'avons récupérée. Mais on ne sait pas d'où elle venait. Des témoins ont aussi décrit les deux véhicules, mais personne n'a relevé leur immatriculation. J'ai demandé à un de mes agents de vérifier s'il y avait des caméras dans le parking.

— Et les caméras de rue ?

— Il n'y en a pas ici. C'est une ville tranquille en général, monsieur McCann. Il est difficile de convaincre le conseil municipal de voter ce genre de budget. Vous pensez que cela peut avoir quelque chose à voir avec les menaces qu'a reçues le révérend Minnow ?

Mack était conscient que Hope et lui s'étaient peut-être simplement trouvés au mauvais endroit au mauvais moment, mais il n'y croyait pas vraiment. Le coup de feu était dirigé contre Hope, il en était certain. Un coup de chance avait fait qu'elle s'était baissée juste à ce moment-là.

— Je ne sais pas. Hope et moi n'avons pas été suivis jusqu'au magasin, j'en suis certain. Il est possible que quelqu'un l'ait vue à l'intérieur.

Le policier se frotta la mâchoire.

— Monsieur McCann, en général, je ne propose pas aux victimes de participer à l'enquête, mais le révérend Minnow m'a parlé de vous. Je pense que, dans cette situation, ce serait utile. Voulez-vous venir avec moi parler au gérant du magasin ?

— Certainement. Hope vient aussi, bien sûr, ajouta Mack.

Il n'était pas question de la quitter des yeux. Il sortit de voiture, ouvrit la portière arrière et lui tendit la main.

Sa paume était chaude et cela lui rappela qu'il s'en était fallu de peu qu'elle ne soit tuée. Il avait envie de la serrer contre lui, mais ce n'était pas le moment.

— Prends la glace, lui dit-il. On va te trouver une chaise à l'intérieur.

Il se plaça entre elle et le policier pour gagner le magasin. Il y avait des bouts de verre partout et le présentoir pulvérisé par le coup de feu était en mille morceaux. En dehors de cela, le magasin était en ordre. Il serait prêt à rouvrir dès que la vitrine aurait été remplacée et le verre balayé.

Une fois qu'ils eurent engagé la conversation avec le gérant, il ne leur fallut pas longtemps pour comprendre ce qui s'était passé.

— Je suis terriblement navré, leur dit celui-ci en s'adressant surtout à Hope. Jane, ma caissière, a fait quelque chose qu'elle n'aurait pas dû. Elle s'est servie de Twitter.

— Et qu'est-ce qu'elle a twitté ? questionna Mack, qui se doutait déjà de la réponse.

— Votre photo. Nous avons un système de sécurité qui prend des clichés de tous ceux qui entrent dans le magasin. Elle a téléchargé la photo, l'a twittée et en quelques minutes, une agence de presse en ligne l'a repérée et re-twittée.

L'homme tourna les yeux vers Mack.

— Le texte qui accompagnait l'image était : « Hope Minnow avec un bel inconnu. »

— B.I., murmura Hope.

Le chef Anderson et le gérant lui jetèrent un regard perplexe. Mack sourit. Il était bien plus qu'un inconnu. Hope aurait peut-être souhaité le réduire à ce simple rôle, mais lui n'était pas d'accord. Beau, par contre ? Pourquoi pas si c'était ce qu'elle pensait.

— Vous allez les poursuivre ? demanda-t-il au chef de la police.

— Oui. Je connais quelqu'un de très fort pour ce genre de choses.

Mack aussi était doué pour retrouver des données sur internet, mais il ne pouvait pas délaisser Hope pour s'y consacrer.

— D'accord. Vous pouvez me joindre sur mon portable.

Hope et lui sortirent du magasin. Il n'y avait aucune trace

de Jane. Elle était peut-être en train de se déconnecter de son compte sur les réseaux sociaux. Cependant, un reporter se trouvait déjà sur le parking, et il prit une photo d'eux.

Mack tendit le bras vers lui avec l'intention de lui faire avaler son appareil.

— Bonjour, Hope, dit l'homme en l'esquivant. Alors, on fait de nouveau l'actualité ?

— Byron, soupira Hope d'un ton résigné. Ça faisait longtemps…

— Il ne se passe pas grand-chose aujourd'hui. Cet incident tombe à point nommé.

— Génial. Mack, je te présente Byron Ferguson, reporter au journal local. Byron, voici Mack McCann, un ami de la famille.

Encore un nouveau rôle. Mack comprit ce que Hope faisait. Elle transformait la réalité pour la rendre aussi inintéressante que possible.

— Un ami de la famille ? répéta le journaliste. Ce n'est pas ce que j'ai entendu dire. On m'a dit que c'était un garde du corps. Que votre famille avait reçu des lettres de menaces qui vous visaient.

Mack allait tordre le cou de quelqu'un.

— Nous n'avons pas de commentaire à faire, dit-il froidement en passant la main sous le coude de Hope.

L'homme leur emboîta le pas.

— Quelqu'un vous a tiré dessus, Hope. Vous n'avez aucun commentaire à faire là-dessus ?

Hope haussa les épaules.

— Je pense que vous cherchez des histoires là où il n'y en a pas. Vous nous avez habitués à mieux. Quelqu'un a tiré sur la vitrine du magasin et, par le plus grand des hasards, je me trouvais là.

— Je me demande si la police dira la même chose, la défia Ferguson.

Sans doute, s'il s'adressait à Anderson. Celui-ci comprendrait que Hope préférait minimiser la situation.

— Allons-y, dit Mack en pressant le pas.

Il continua pourtant à entendre les petits déclics de l'appareil photo numérique du journaliste. Il ne douta pas un instant que Hope et lui feraient les gros titres des journaux du lendemain.

16

— Ce n'était pas une supposition au hasard. Il sait qui tu es et il connaît l'existence des lettres, murmura Hope tandis qu'ils marchaient vers la voiture.

— On dirait bien, répondit Mack d'un air écœuré. Toi et moi ne lui avons rien dit, tes parents et Bing sont à l'étranger et Mavis n'est pas là. Il ne reste donc qu'Anderson.

— Il a peut-être laissé échapper quelque chose devant ses agents pour expliquer les raisons de sa venue.

— Tu as sûrement raison. Et l'un des agents a fait une gaffe devant le reporter. Soit par accident, soit volontairement.

— J'imagine que ça ne va pas changer la face du monde qu'on sache que j'ai un garde du corps ou que j'ai reçu des lettres de menace.

— Il aurait mieux valu que personne ne soit au courant, dit Mack.

— De toute façon, on ne peut pas y faire grand-chose.

— Je vais avoir une conversation avec Anderson à ce sujet, répondit Mack en serrant les dents.

Hope se sentit presque désolée pour l'homme.

— Oh mon Dieu, regarde ! dit-elle alors qu'ils avaient rejoint la voiture de Mack.

La cafetière, toujours dans le sac, était posée sur le coffre. Quelqu'un avait été assez prévenant pour la ramasser. Elle ouvrit le carton.

— Elle n'est pas cassée. Il faut l'apporter à Serena.

Mack, qui de toute évidence aurait préféré rentrer, obtempéra pourtant.

— Je suppose que oui. Elle va se demander ce qui nous a retenus si longtemps.

— Peut-être pas. Elle a une application sur son smartphone qui lui permet d'écouter la radio de la police. Elle s'en servait l'autre soir quand je suis arrivée. Elle a sans doute entendu qu'il y avait eu un incident au parking de Tate Drugs. D'ailleurs je ferais mieux de l'appeler car elle doit s'inquiéter.

— Quant à moi, je vais devoir parler à Wayne, dit Mack.

— Pourquoi ?

— Parce qu'il a des raisons de t'en vouloir. Je te rappelle que tu aides sa femme à le quitter.

— Pas moi, Paula.

Hope se mit en devoir de remettre son déguisement : d'abord le pantalon, puis la chemise, les chaussures, et finalement la perruque.

— Il sait peut-être qu'elle et toi vous n'êtes qu'une seule et même personne.

— Je ne vois pas comment il aurait pu le découvrir.

Hope savait que c'était une discussion inutile. Si Mack avait décidé qu'il voulait parler à Wayne, alors il le ferait.

— Il faudra aussi que je parle à ton ex.

— Wills n'essaie pas de me tuer.

— Possède-t-il une arme ?

— Plusieurs. Il chassait avec son père.

— Et c'est un bon tireur ?

— Je n'en sais rien. Il disait que oui. Mais d'un autre côté, il se vantait et se croyait le meilleur dans tout ce qu'il faisait. J'étais bien placée pour savoir que ce n'était pas vrai.

Mack lui lança un regard en coin. Elle sentit une vague de chaleur monter de son cou jusqu'au sommet de son crâne. Pensait-il qu'elle faisait allusion aux prouesses sexuelles de Wills ? Était-ce le cas ? Elle avait commenté l'immaturité de Serena, mais n'était-ce pas puéril de comparer ses amants ?

Bien qu'il n'y ait pas de comparaison possible. Quand Mack s'était levé, elle sentait encore son corps résonner de plaisir après ces deux orgasmes merveilleux. Mack s'était révélé être un amant attentionné et pourtant exigeant. Doux mais juste assez animal pour l'emmener à des altitudes vertigineuses. Calme au bon moment et fougueux quand il le fallait. Il avait provoqué dans son corps des réactions qui l'avait véritablement bouleversée.

Puis il lui avait parlé de ce préservatif déchiré, et elle avait pris la décision qu'ils ne feraient plus jamais l'amour.

En déclarant cela, elle avait immédiatement eu conscience que c'était vraiment dommage.

— Nous y voilà, dit-elle quand il se gara dans le parking de Serena. Je vais lui donner la cafetière en vitesse.

Elle avait besoin de prendre l'air, même si celui-ci était brûlant et moite.

Mais Mack secoua la tête.

— Appelle-la. Dis-lui qu'on dépose le sac devant la porte d'entrée.

Il sortit de la voiture en verrouillant les portières, alors qu'il s'était arrêté à moins de cinq mètres du porche.

Il était déjà difficile de se débarrasser de lui auparavant, mais à présent, c'était devenu un véritable pot de colle, songea Hope. Pourtant, elle devait l'admettre, elle n'était pas si impatiente que cela de le voir s'éloigner. Entendre la vitrine se briser en mille morceaux l'avait terrifiée, de même que l'idée que cette balle aurait pu la tuer.

Quand l'ambulancière avait contrôlé ses constantes vitales, elle avait failli lui avouer qu'elle se sentait mal et qu'elle avait peur de vomir. Mais quelques minutes de soins lui avaient permis de se ressaisir.

Rien ne prouvait que cette balle lui était destinée. Elle s'était cramponnée à cette pensée durant toute la conversation avec le chef de la police et le gérant. Elle avait fait de gros efforts et avait réussi à surmonter son angoisse.

Mais à présent, elle n'avait qu'une envie : rentrer chez elle pour pleurer.

Mack revint à la voiture et ouvrit la portière. Il se glissa sur le siège et la regarda.

— Qu'est-ce qui ne va pas ?

Dix minutes. C'était le temps du trajet jusqu'à la maison. Il fallait qu'elle tienne bon.

— Rien, dit-elle en se tournant vers la vitre.

— Que s'est-il passé ? Quelqu'un t'a appelée ?

Il prit son portable et l'examina, vérifiant qu'il n'y avait pas eu d'appel.

— Personne ne m'a appelée, protesta-t-elle.

— Alors qu'est-ce qui t'arrive ? insista-t-il en lui tâtant le front. Tu as froid. Je t'emmène à l'hôpital. Tu es en état de choc.

Elle se dégagea.

— Je suis assise devant la ventilation, c'est pour ça. Je ne suis pas en état de choc.

Mack ne parut pas convaincu. Il était prêt à l'emmener aux urgences.

— Ecoute, espèce d'idiot. Si tu veux savoir la vérité, j'étais en train de penser au fait que j'ai failli mourir aujourd'hui. Je ne veux pas mourir, je suis trop jeune pour ça.

Sa voix se brisa, mais elle poursuivit :

— Et si je suis enceinte, je ne veux pas que mon bébé meure. Je veux le tenir dans mes bras, le promener au parc et lui apprendre à colorier. Je veux l'accompagner à son premier jour de maternelle et je veux l'aider pour ses exposés de science en CM2. Je veux tout ça et aujourd'hui… Aujourd'hui, j'ai failli mourir et ne pas vivre tous ces instants de bonheur !

Le barrage se brisa et les larmes qu'elle croyait pouvoir retenir inondèrent ses joues.

Elle ne résista pas quand il la prit dans ses bras. Elle se mit à sangloter contre sa poitrine, tandis qu'il lui caressait les cheveux. Elle pleura toutes les larmes de son corps jusqu'à en être vidée. Enfin, épuisée, elle releva la tête.

Mack essuya gentiment du pouce les larmes qui s'attardaient sur ses joues et l'embrassa sur le front.

— Je suis désolée, dit-elle.

Même quand son mari l'avait frappée, même au cours de son divorce, elle n'avait pas pleuré autant.

— Il n'y a pas de quoi être désolée. C'était une dure journée. Rentrons à la maison.

La maison. Sa maison, pour l'instant, mais pas forcément pour très longtemps. Depuis des semaines, elle cherchait du travail sur internet et avait même postulé pour un emploi. Ce n'était pas exactement ce qu'elle avait envisagé jusque-là, mais elle s'était faite à l'idée qu'elle avait déjà eu un poste de rêve et qu'à présent, elle avait seulement besoin d'un travail.

L'association l'avait rappelée la veille de l'arrivée de Mack pour lui proposer un entretien. Si cela marchait, elle allait devoir prendre des décisions. Sinon, eh bien… Peut-être pourrait-elle louer un appartement en face de chez Serena. Deux femmes battues qui essayaient de remettre leur vie sur les rails… Mais elle devrait dire la vérité à Serena sur son identité car il n'était pas question de porter les affreux vêtements de Paula jusqu'à la fin de sa vie.

Sauf qu'il serait plus facile de cacher une grossesse dessous.

Seigneur, qu'allait-elle faire si elle était enceinte ? Elle aurait besoin d'un bon travail car il lui faudrait subvenir aux besoins de deux personnes au lieu d'une.

Elle allait devoir trouver un employeur qui lui garantirait un congé maternité, des horaires flexibles et une bonne assurance santé. Comme les choses se compliquaient soudain !

Qu'avait dit Mack ? *Les choses ne sont pas toujours aussi compliquées qu'on le croit…*

Oui eh bien, ce n'était pas lui qui allait avoir un petit locataire pendant neuf mois.

Et pour la première fois depuis qu'ils avaient eu cette fameuse conversation, elle n'eut pas de sueur froide à l'idée d'être enceinte.

Elle s'en sortirait. Elle pouvait s'en sortir. Ces dernières années lui avaient prouvé qu'elle était capable de faire face à un tas d'épreuves.

Comme se faire tirer dessus.

A cette pensée, elle secoua la tête. Les choses pour lesquelles on s'inquiétait le plus étaient rarement celles qui arrivaient.

Voilà qui était une bonne manière de voir la vie si on voulait se faire moins de soucis.

— A quoi penses-tu ? demanda gentiment Mack.

— J'ai faim, mentit-elle. Je n'ai rien mangé depuis ce matin et mon estomac gronde. C'est mon tour de cuisiner ce soir.

Il enclencha une vitesse et sortit du parking.

— Et qu'y a-t-il au menu ? s'enquit-il.

— Des enchiladas au poulet. Je sais que tu as des critères élevés, mais j'ai envie de savoir si les miennes peuvent rivaliser. Peut-être peuvent-elles même t'impressionner !

— Quelle confiance en soi ! J'aime ça.

Il continua à conduire en silence.

J'aime ça. Qui aurait cru que ces simples mots pouvaient la réconforter à ce point ? Sa crise de larmes l'avait fragilisée, c'était la seule explication.

Etait-elle prête à reconnaître qu'elle aimait l'idée de cuisiner pour lui ? Qu'elle aimait s'imaginer avec lui, bavardant et sirotant des margaritas ? Grignotant des chips et de la salsa ? Faire des sopapillas pour le dessert et emporter les beignets tièdes et dégoulinants de miel au lit avec eux ?

Lécher le miel sur son corps splendide.

Lui demander de faire de même.

Elle orienta la ventilation vers son visage, saisie d'une bouffée de chaleur.

Non, elle n'était certainement pas prête à l'admettre.

Il n'y aurait pas d'effets de langue, ce soir, que ce soit sur les assiettes ou sur les corps. Peut-être des grincements de dents causés par la frustration sexuelle, mais ce serait tout. Ils avaient commis une erreur en couchant ensemble. Et seul le temps leur dirait si ce faux pas aurait des conséquences sur le long terme. Inutile d'aggraver les choses en recommençant.

Il était indéniable qu'elle détenait la plus grande part de responsabilité dans ce qui s'était passé et elle l'avait reconnu. Mais elle pouvait résister mieux que cela et elle le ferait.

Pour Mack, il s'agissait d'une mission temporaire. Et pour elle, d'un bref interlude avant que sa vie ne reprenne son cours.

Il s'arrêta dans l'allée.

— Laisse-moi entrer le premier, lui rappela-t-il en coupant le contact.

Elle ouvrit la portière.

— Je veux aller voir Fred et sa nouvelle famille, dit-elle en prenant le sachet de nourriture pour chats dans le sac en plastique.

Il leva les yeux au ciel.

— D'accord, allons-y d'abord.

Ils pénétrèrent dans la grange, Mack en tête. Il n'y avait bien sûr personne, sauf la chatte et ses petits. Hope n'essaya pas de les toucher. Elle déchira simplement le sac et répandit un peu de nourriture sur le sol en ciment.

— Fred a déserté, remarqua Mack.

— Il reviendra, répondit Hope d'un ton confiant. Ce sera un bon père.

Les yeux de Mack pétillèrent et elle regretta sa remarque désinvolte. Pensait-il aussi qu'il ferait un bon père ?

Elle-même n'en doutait pas. Si elle était on ne peut plus sérieuse quand elle lui avait déclaré qu'elle ne se remarierait pas, elle était incapable en revanche d'enlever un enfant à son père. Ils se débrouilleraient avec la distance géographique. Des tas de gens le faisaient.

Ils ressortirent de la grange et se dirigèrent vers la maison.

— Je ne pense pas que ton père sera très content d'héberger ces chats, dit-il.

Elle haussa les épaules.

— Je vais déménager bientôt. Je pourrai sans doute en prendre un avec moi et j'essaierai de trouver un foyer pour les deux autres.

— Déménager ? Où ça ?

— Je ne sais pas encore, dit-elle.

Elle attendit que Mack ouvre la porte d'entrée.

— Mais il est temps. Je n'ai jamais vécu ailleurs que sur la côte Est, alors je pense que je vais rester dans la région.

Il la fixait, se rappelant vraisemblablement sa promesse de

ne pas parler de cette grossesse éventuelle, mais certainement curieux de savoir si cet événement changerait ses projets. Cependant, au lieu de remettre le sujet sur le tapis, il ouvrit la porte et désactiva le système de sécurité.

— Reste ici, lui dit-il. Et si tu entends quelque chose de bizarre, dépêche-toi de ressortir.

Au lieu de lever les yeux au ciel comme elle l'avait fait jusqu'à présent chaque fois qu'il lui avait donné des instructions de sécurité, elle hocha la tête comme une petite fille raisonnable et attendit.

Mack grimpa l'escalier quatre à quatre. Bien qu'elle n'entende ni le son lourd de ses pas ni le grincement des portes, elle savait qu'il inspectait minutieusement la maison.

Mack McCann pouvait être si délicat !

Il redescendit.

— Ecoute, je me suis dit que ce serait peut-être une bonne idée si tu quittais la ville pendant quelque temps. J'ai un endroit où tu pourrais aller.

Il éveilla sa curiosité.

— Où ça ?

— Tu as dit que tu n'avais jamais vécu ailleurs que sur la côte Est. Cela te donnerait l'occasion de visiter un autre Etat. J'aimerais que tu viennes avec moi dans le Colorado. J'ai une maison dans la montagne. Deux maisons, en fait. L'une a récemment brûlé et nous la reconstruisons, mais l'autre, qui appartient à un ami, est libre. Nous pourrions partir aujourd'hui.

— Je ne peux pas aller dans le Colorado, déclara Hope.

Qu'avait-il donc en tête ?

— Pourquoi ? Tu y serais en sécurité, insista Mack.

— J'ai un entretien prévu à New York dans trois jours, le 9 mai. Je dois rester ici.

— Un entretien ? Je l'ignorais.

— Désolée, je n'en ai informé personne. J'ai reçu l'appel il y a quelques jours seulement. J'ai postulé pour un emploi dans une association de Brooklyn qui organise des activités artistiques périscolaires dans les quartiers défavorisés.

Il la dévisagea.

— Ce n'est pas le Met, dit-il enfin.

— Non, en effet, répliqua-t-elle avec légèreté.

Si les responsabilités de son emploi précédent lui manqueraient probablement, ce qui l'ennuyait le plus à l'idée de ce nouveau travail, c'était de devoir ré-emménager à New York et de mettre un terme à son bénévolat à Gloria's Path. Cela avait été sa planche de salut l'année passée et, en toute franchise, c'était pour cela qu'elle était restée à Weatherbie bien après que sa mère avait été déclarée en voie de guérison.

Enfin, pour le moment, Hope n'avait pas l'intention d'aller dans le Colorado ni à Brooklyn. Elle se dirigea avec détermination vers le seul endroit qui importait à cet instant même : la cuisine.

— Je vais me mettre aux enchiladas, conclut-elle.

17

Tandis que Hope s'affairait dans la cuisine, Mack appela le chef de police Anderson. L'homme se montra plutôt amical, jusqu'à ce que Mack lui dise qu'il soupçonnait l'un de ses agents d'avoir renseigné le journaliste.

— C'est impossible, l'assura Anderson. Je sais que vous êtes un ami de la famille Minnow, mais je dois vous dire que je n'apprécie pas ce genre d'accusations.

— Ferguson avait des informations qui ne pouvaient provenir que d'une source bien renseignée.

— Et je vous garantis qu'il ne les a obtenus ni de moi ni de mes agents.

Mack ignorait s'il devait le croire ou non, mais il ne servait à rien de s'obstiner. Si la fuite venait en effet d'un policier, ils devraient être plus prudents dorénavant. Mais si ce n'était pas le cas… Eh bien, il était légitime que le chef de la police soit offusqué par les insinuations de Mack.

— J'ai besoin d'aller faire une course, mais je ne veux pas laisser Hope sans protection.

— Je vais venir vous remplacer. Et si cela peut vous tranquilliser, monsieur McCann, je n'en parlerai à personne.

Mack raccrocha et rejoignit Hope. Elle coupait des oignons sur une planche.

— J'ai parlé au chef Anderson. Il dit que la fuite ne vient pas de chez eux, et que ton ami le journaliste a dû récolter ses informations ailleurs.

— D'abord, Byron Ferguson n'est pas mon ami. Mais on

ne peut pas dire qu'il soit mon ennemi non plus. En fait, je crois qu'il n'est ni l'un ni l'autre.

Elle tapota son couteau sur la planche à découper.

— Tu sais, il y a une autre explication possible.

— Laquelle ?

— Mon père en a peut-être parlé à Byron avant de partir.

— Mais pourquoi ? demanda Mack d'un ton incrédule.

— Pour la publicité. La plupart des gens ne considéreraient pas cela comme une faute. Et même si c'était le cas, je ne pense pas que cela embarrasserait mon père.

— Je ne sais pas, dit Mack. Je ne le vois pas faire ça.

Hope haussa les épaules et se remit à couper les oignons bruyamment. Mack leva la main pour l'interrompre.

— Il faut que je m'absente un moment. Anderson va venir me remplacer. Je veux que tu lui parles de Gloria's Path.

— Ça ne me semble pas une bonne idée, remarqua Hope, le couteau en l'air. Les policiers n'ont pas l'air très doués pour garder certaines informations secrètes. En outre, je ne sais pas si tu l'as remarqué, mais la policière était assez hostile à mon égard. Je ne pense pas que tous les agents aient mes intérêts très à cœur.

— Tu as peut-être raison. Mais nous sommes forcés de collaborer avec eux pour le moment. Au moins, si Anderson découvre un élément en rapport avec Gloria's Path au cours de l'enquête, il y accordera de l'importance. Tu dois absolument lui parler de Paula.

Hope le dévisagea.

— D'accord, je vais lui parler de Paula et de Gloria's Path, dit-elle enfin, mais je ne lui dirai pas ce qui m'a conduite là-bas.

— Il serait utile à la police de connaître la vérité sur ton ex. Ils voudront peut-être l'interroger.

— Il leur suffit de savoir que j'ai un ex-mari. Cela devrait le mettre automatiquement sur la liste des gens à interroger. Je ne serai pas obligée de dévoiler ma vie privée.

— Tu sais, c'est un délit de cacher délibérément des faits. Tu entraves une enquête de police.

— Je m'en fiche.

Mack se passa la main dans les cheveux.

— En tout cas, toi, tu n'as pas de raison de t'inquiéter, poursuivit Hope. Les gens te surnomment « le bel étranger » sur Twitter alors qu'ils me détestent sans même me connaître.

Elle trancha un oignon avec énergie.

— C'est toujours la même chose. On juge les autres selon de nombreux critères : la couleur de leur peau, leur statut social, leur état civil, etc., remarqua Mack.

— C'est mal.

— Bien sûr. Mais on ne peut pas l'empêcher. Tout ce que nous pouvons faire, c'est partager les informations utiles avec Anderson. Fais-moi confiance. Je vais veiller à ce qu'il saisisse l'importance d'enquêter sur tous ceux qui ont des comptes à régler avec ton père.

— Quelle ironie ! s'exclama Hope. On en veut à mon père et on reporte ça sur moi. Mais moi aussi j'en veux à mon père ! Que dois-je faire ? Passer une annonce dans les journaux pour informer ce dingue qu'il n'est pas tout seul ?

— C'est peut-être à toi qu'il en veut.

— A moi ?

— Nous ne pouvons pas écarter l'idée que quelqu'un essaie délibérément de nous mener dans une mauvaise direction. Il faut que tu donnes à Anderson les noms de tous ceux qui pourraient avoir envie de te causer des ennuis.

Hope se pinça l'arête du nez.

— En CM2, j'ai volé une bague à deux dollars dans un magasin et j'ai laissé une amie se faire accuser à ma place. Elle a été punie pendant une semaine. Ça compte ?

— Mets-la sur la liste, dit-il pour lui signifier qu'il ne changerait pas d'avis.

Elle secoua la tête.

— Une course à faire ? Tu n'as pas besoin d'aller au nettoyage à sec ou à la banque. Tu vas voir Wills, n'est-ce pas ?

Elle posa son couteau.

— Un peu que je vais aller le voir. Et si j'ai des raisons de penser qu'il est peut-être mêlé à tout ça, je peux te garantir que je ne me gênerai pas pour aborder les sujets qui fâchent.

William Baylor III ouvrit la porte, vêtu d'un vieux short et d'un T-shirt grisâtre. Il avait un bandeau autour de la tête.

Il resta bouche bée en apercevant Mack.

— Oh ! Je croyais que c'était le livreur. J'ai commandé des plats chinois.

— Pas de biscuits ni d'heureux présages avec moi, répliqua Mack. Je voudrais vous voir une minute.

Il fit un pas en avant, forçant Wills à reculer.

La maison était agréable mais ne ressemblait pas du tout à Hope. Trop froide, avec une multitude de meubles prétentieux de bois sombre. C'était une vaste bâtisse coloniale à deux étages, bien trop grande pour un homme seul.

— Ecoutez, je suis occupé, protesta Baylor.

— Vous n'en avez pas l'air. Vous savez de quoi vous avez l'air ? D'un mari violent. D'un salopard qui décide de frapper sa femme uniquement parce qu'il en a le pouvoir.

Le visage rougeaud de Baylor perdit rapidement ses couleurs jusqu'à devenir aussi blême que son T-shirt.

— Je ne sais pas ce que Hope vous a raconté, mais si vous croyez que vous pouvez salir mon nom, vous allez vous en mordre les doigts.

— Je veux savoir ce que vous faisiez aujourd'hui entre 14 et 15 heures.

Baylor lui lança un regard noir.

— Je n'ai aucune raison de vous répondre. Tout ça parce que vous baisez…

Mack le souleva et le plaqua contre le mur. Ses jambes pendantes s'agitaient dans l'air.

— Ferme-la ! Entre 14 et 15 heures ?

— J'étais au travail. A l'église. Une réunion avec le personnel administratif. Huit personnes peuvent vous le confirmer.

Mack le laissa suspendu encore quelques secondes avant

de le reposer à terre. Et juste pour le principe, il le bouscula assez fort pour que sa tête heurte le mur.

— Sortez de chez moi, gronda l'homme, humilié.

— Si je découvre que vous êtes à l'origine ne serait-ce que d'un minuscule désagrément dans la vie de Hope, vous aurez affaire à moi, déclara Mack.

Il partit sans lui laisser le temps de répliquer. Il avait l'intention de relater à Anderson la version censurée de son échange avec Baylor et de lui demander de vérifier l'alibi de ce dernier.

L'homme s'était peut-être organisé pour avoir des témoins après avoir été prévenu que Hope était dans ce parking. Peut-être même avait-il engagé quelqu'un pour faire le sale boulot à sa place.

C'était un peu tiré par les cheveux, Mack devait le reconnaître. Mais même si sa visite n'avait servi qu'à faire comprendre à Baylor qu'il était surveillé, elle en valait la peine. Cela lui avait fait du bien de malmener un peu ce type.

Il entra l'adresse de Wayne Smother dans son GPS et se remit en route.

Le mari de Serena vivait dans un petit ranch de bois dépourvu de garage. Il n'y avait pas de voiture garée devant. Mack sonna, puis frappa à la porte. Pas de réponse. Il traversa le petit jardin envahi par les mauvaises herbes et frappa à la porte de service. Entendant un bruit derrière lui, il se retourna.

— Il n'est pas là, dit une femme vêtue d'un jean, d'un T-shirt à manches longues et coiffée d'un grand chapeau de jardinier. Ce matin, je l'ai vu mettre une valise dans le coffre de sa voiture. Je l'ai prévenu la semaine dernière que s'il ne tondait pas rapidement sa pelouse, je le signalerais à la municipalité. Et c'est ce que j'ai fait après son départ.

— Vous avez une idée d'où il est allé ?

— Pas la moindre. Je crois qu'il a de la famille au Texas, mais j'ignore où. J'essaie de vendre ma maison et cette horreur derrière chez moi ne me facilite pas les choses.

Mack songea qu'il était inutile de lui dire qu'il s'en fichait complètement. Il voulait savoir où Wayne était dans l'après-midi et tira donc une carte de visite de sa poche.

— Pourriez-vous m'appeler si vous le voyez revenir ?

— Je pense que oui. Pourriez-vous faire en sorte qu'il tonde sa pelouse ?

— Appelez-moi et, s'il le faut, je viendrai tondre moi-même.

Quand il revint, Hope était en train de finir de préparer ses enchiladas et le chef Anderson buvait un café accompagné de quelques biscuits. Tous deux avaient l'air détendu. Cette vision le rassura et le nœud qu'il avait à l'estomac se desserra un peu.

— Salut, dit-il. Tout va bien ?

— Très bien, répondit Anderson en s'essuyant la bouche avec une serviette en papier. Je vous suis reconnaissant d'avoir persuadé Hope de me parler de son travail bénévole à Gloria's Path. Une association très utile, d'ailleurs. Et cela va nous permettre de faire le lien entre Hope, les clientes et leurs familles. Même si elle est persuadée que personne ne la connaît en tant que Hope Minnow, mieux vaut s'en assurer.

— Je suis allé voir son ex-mari, dit Mack en prenant un biscuit dans le plat posé sur le comptoir.

Le chef de la police hocha la tête.

— Je sais que je vous ai proposé d'assister aux dépositions des témoins, mais ce n'était pas un encouragement à enquêter de votre côté.

— Je n'avais pas besoin d'un encouragement. Il a dit qu'il était en réunion avec le personnel cet après-midi. J'aimerais qu'on vérifie son alibi.

— Nous le ferons. Mais rendez-nous service et restez à votre place… Le révérend Minnow m'a dit que vous aviez été engagé pour protéger Hope. Pourquoi ne vous concentrez-vous pas là-dessus en nous laissant nous occuper du salopard qui a fait ça ?

Mack n'avait pas l'intention de faire des promesses qu'il ne pourrait pas tenir.

— J'essaierai de ne pas traîner dans vos pattes, chef, du moment que j'ai la certitude que vous et vos agents faites tout votre possible pour retrouver l'homme responsable des menaces et du coup de feu.

— C'est ce que nous ferons, ne vous en faites pas.

Sur ce, Anderson se leva, les salua et quitta la maison.

Mack s'assit sur l'un des tabourets placés devant le comptoir.

— Difficile de trouver crédible un homme qui a des miettes de biscuit sur la figure.

Hope sourit.

— La cuisinière prend ça pour un compliment. Mes biscuits étaient si bons qu'il les a engloutis en un rien de temps.

— C'est vrai qu'ils sont bons, reconnut-il. Et les enchiladas, comment ça se passe ?

— Jusqu'ici, ça s'annonce plutôt bien. Le dîner sera prêt dans une petite heure.

— Tu veux un coup de main ?

Elle parut surprise.

— Oui, pourquoi pas ? Tu sais faire le guacamole ?

— Avocats, tomates, oignons, sel. Citron vert ou non ?

— Citron vert, dit-elle en le regardant de travers.

— Piment ?

— *Un poquito*, dit-elle mimant le geste d'une pincée avec ses doigts.

— *Si, señorita !*

Le guacamole de Mack était délicieux, les enchiladas étaient ce qu'elle avait réussi de mieux jusque-là et les margaritas étaient… eh bien, extraordinaires. Peut-être était-ce parce que Hope avait frôlé la mort et qu'elle aurait pu ne plus jamais en déguster que la tequila lui semblait plus savoureuse que d'habitude.

Ils dînèrent sur la terrasse. Mack avait allumé les lanternes et trouvé une chaîne de télévision qui diffusait de la musique mexicaine. Il avait sorti un des haut-parleurs qui diffusait dans la nuit *La Bamba* de Ritchie Valens, ce chanteur mort bien avant la naissance de Hope. Entraînée par le rythme de la chanson, elle battait la mesure de son pied.

Mack repoussa sa chaise.

— C'était délicieux, dit-il. Sérieusement, tes enchiladas l'emportent haut la main. Dorénavant, je reviendrai ici une fois par semaine.

Hope prit son verre et l'éleva vers lui avant de le reposer doucement.

— Tu as raconté à mon père ce qui s'est passé cet après-midi ?

— Pas encore. Nous nous sommes mis d'accord pour que je lui adresse un e-mail chaque soir. C'est ce que j'ai fait ces derniers jours.

— J'apprécierais que tu ne lui en parles pas. Je ne veux pas qu'ils se fassent du souci.

— Ils ? releva Mack. Pas seulement ta mère ?

— Elle, eux… Ecoute, je ne suis toujours pas persuadée que tout ça est bien réel.

— Tu n'as pas entendu la vitrine exploser sous l'impact de la balle ?

Elle agita la main.

— Ce n'est pas ce que je voulais dire. Bien sûr que c'est arrivé. Mais la balle ne m'était peut-être pas destinée. Il est possible que cela ait été un coup de feu au hasard. Le tireur n'essayait peut-être même pas de toucher quelque chose, il faisait juste l'imbécile.

— Ce n'est pas un jeu, dit Mack.

— Je sais. Mais si tu racontes ça à mon père, il va en parler à ma mère et elle va insister pour revenir. Et je ne me le pardonnerai jamais. Alors je t'en prie…

— D'accord, accepta Mack à contrecœur. Je le garderai pour moi pour l'instant, mais je ne te promets rien à l'avenir.

— Pas de problème, répondit-elle. A propos, j'ai enfin eu des nouvelles de Mavis. Elle m'a appelée pendant qu'Anderson était là. Son beau-frère tient le coup. On lui a fait un pontage et il rentre à la maison demain. Elle sera encore absente quelques jours.

— Tu lui as raconté ce qui s'est passé ?

— Certainement pas. Elle a bien assez de soucis comme ça. S'occuper des autres, c'est sa raison de vivre, alors tu peux imaginer dans quel état elle se serait mise.

Mack rassembla leurs assiettes.

— C'est mon tour de vaisselle. Tu restes dehors ?

— Un petit moment.

— D'accord. Mais ne quitte pas la véranda sans me prévenir. Et ne t'enfuis pas avec Fred s'il se montre, dit-il en s'efforçant de garder un ton léger.

— Entendu.

Hope s'adossa à son fauteuil et contempla les lumières qui dansaient sur la piscine. Elle était reconnaissante à Mack de ne pas avoir reparlé de sa crise de larmes. Quand elle avait ressenti le besoin de lui expliquer pourquoi elle pleurait, il ne s'était pas non plus attardé sur ce qu'elle lui avait confié.

Elle devait reconnaître qu'elle voulait ce bébé. Elle posa la main à plat sur son ventre. Elle avait demandé à Mack de ne plus en parler, mais cela ne l'empêchait pas d'y penser. Aussi délicieuses qu'aient été les margaritas, elle n'avait fait que siroter la sienne, consciente du fait que l'alcool n'était pas bon pour les bébés.

Son enfant serait-il blond comme elle ou brun comme Mack ? Adolescente, elle aurait tout donné pour ne pas être blonde aux yeux bleus. C'était tellement fade. Elle aurait voulu avoir l'air exotique, avec des yeux d'un noir charbon et des cheveux aile de corbeau.

Mack avait les yeux et les cheveux noirs.

Son enfant serait-il grand ou petit ? Elle avait une taille moyenne pour une femme, mais Mack était très grand.

Les possibilités étaient infinies.

Mais il ne s'agissait sans doute que d'un tas de suppositions stériles. Elle n'était pas enceinte. Elle aurait ses règles la semaine suivante et elle plaisanterait sur le fait qu'une fois encore, elle l'avait échappé belle.

Au bout de dix minutes, Mack revint sous la véranda. A ce moment-là, Hope s'était déplacée sur une chaise longue, plus près de la piscine.

Mack avait un torchon sur l'épaule.

— C'est fait, dit-il en tirant une chaise pour s'asseoir.

C'était une soirée magnifique, tiède et estivale. Les grands arbres et l'éclairage doux de la piscine donnaient à Hope l'impression d'être dans un cocon, protégée de cette réalité violente où les vitrines explosaient et où les secrets refaisaient surface.

Elle ferma les yeux et sentit Mack tout près, qui la contemplait.

Elle était en sécurité.

— Hé marmotte ! murmura Mack d'une voix douce, tout près de son oreille.

Elle ouvrit les yeux.

— Tu t'es endormie. Je ne voulais pas t'effrayer, mais je préférerais que tu ne passes pas la nuit dehors.

Il était penché sur elle, les mains posées sur les montants de la chaise longue.

Elle s'étira et comprit aussitôt que c'était une erreur en voyant les yeux de Mack s'attarder sur ses seins. Son regard de braise vint enflammer le désir qu'elle avait réussi à dompter toute la journée.

C'était dingue. Ils étaient tous les deux adultes. Célibataires. Et leurs ébats avaient été si passionnés.

Elle leva la main et lui caressa la mâchoire. Sa barbe avait déjà repoussé. Elle fit courir son pouce sur sa lèvre inférieure.

Il demeura absolument immobile.

Hope s'humecta la lèvre supérieure et vit les yeux de Mack suivre le mouvement.

— Parfois, je vais trop vite en besogne, dit-elle.

— Je t'écoute.

— Je dis des choses que je regrette ensuite, reprit-elle doucement.

— Hum-hum, fit-il.

Il tourna le visage et embrassa la paume de sa main. Une vague de chaleur se forma au creux du ventre de Hope.

— Mack, murmura-t-elle.

Il remonta le long de son bras avec sa bouche. Il lui lécha l'intérieur du coude, embrassa son biceps et enfouit le nez dans son épaule. Puis ses lèvres trouvèrent la peau délicate de son oreille.

— Qu'est-ce que tu regrettes d'avoir dit ? chuchota-t-il.

Hope était littéralement en feu. Elle tourna la tête, trouva les lèvres de Mack et ils s'embrassèrent. C'était fougueux et sensuel et elle comprit qu'elle ne pouvait pas résister contre cette force qui les attirait l'un vers l'autre.

— Que je ne coucherai plus jamais avec toi, avoua-t-elle. Je retire ça.

Elle sentit une puissante énergie envahir le corps de Mack.

— Tu es sûre ?

— Oui, affirma-t-elle.

Rien n'était plus sensé.

Il la souleva dans ses bras et l'emporta à l'intérieur. Après avoir refermé la porte d'un coup de pied et donné un tour de clé, il monta l'escalier.

Là, il la déposa doucement sur le lit. La chambre était dans le noir, mais l'éclairage du jardin filtrait à travers les voilages. Hope distinguait le désir sur le visage de Mack et sentait la chaleur émaner de son corps musclé.

— Fais-moi l'amour, dit-elle. Toute la nuit.

18

Mack dormit jusqu'à 9 heures du matin, ce qui était une vraie prouesse pour lui. Mais en réalité, songea-t-il en ramassant ses vêtements pour les enfiler, il devait reconnaître qu'il n'avait pas dormi tant que ça.

Hope dormait toujours, allongée sur le côté, son corps nu enroulé entre les draps et ses cheveux dispersés sur ses épaules. C'est pourquoi il essayait de faire le moins de bruit possible.

Mack frotta l'extrémité de ses doigts, se remémorant le contact de sa chevelure soyeuse quand elle s'était penchée pour le prendre dans sa bouche.

Ils avaient utilisé des préservatifs chaque fois et il n'y avait pas eu de problème. Mais même sans en avoir parlé, tous deux partageaient cette même pensée entêtante : il était trop tard pour s'en préoccuper.

Dans le passé, Mack avait fait l'amour sans s'inquiéter car il avait toujours été prudent. Et il ne pouvait s'accuser de négligence lors de la nuit précédente.

Défaillance technique. Dans la marine, cela pouvait coûter des vies. Dans leur cas, cela pourrait *donner* la vie. C'était une bonne leçon d'humilité.

Il quitta la chambre et descendit pour vérifier l'alarme et inspecter rapidement la maison. Jetant un coup d'œil à l'extérieur par la fenêtre, il vit qu'une belle journée s'annonçait.

Si Hope ne s'était pas baissée pour se débarrasser de ce caillou qui la gênait, elle ne l'aurait pas vécue. Cette idée le fit redoubler d'efforts sur le tapis de course et repousser ses limites.

Quand il eut fini, il remonta et, comme la fois précédente, trouva Hope assise à la table de la cuisine, buvant une tasse de café. Cette fois pourtant, elle ne lisait pas le journal, celui-ci était toujours dans son emballage plastique.

Quand Mack pénétra dans la cuisine, elle lui lança un long regard audacieux qui fit monter la température de son corps de quelques degrés.

— Bonjour, dit-elle. Si tu te sers un café, j'en reprendrai volontiers.

Il marcha jusqu'au comptoir, prit la cafetière et l'apporta à table. Il la servit avant de remplir sa propre tasse.

— Tu vas jeter un coup d'œil au journal ?

— J'ai un peu peur de le faire, avoua-t-elle.

— Tu crois que c'est si mauvais que ça ?

— Plutôt. Byron Ferguson a le sens du drame.

— Pourquoi s'intéresse-t-il autant à toi ?

— Ce n'est pas seulement moi qui l'intéresse, c'est toute la famille. Et je ne sais pas pourquoi. Je croyais qu'il finirait par se lasser de nous. Nous ne sommes pas si intéressants que ça.

Mack ouvrit le journal. Comme ils l'imaginaient, la une ne manquait pas de piquant :

HOPE MINNOW VICTIME D'UNE TENTATIVE D'ASSASSINAT

Il y avait une photo de Hope et lui quittant le magasin. Sans doute l'une de celles que le journaliste avait prises à leur sortie. Le cliché était bon : Hope était aussi belle que d'habitude et Mack avait l'air d'avoir envie d'arracher la tête de quelqu'un.

Encore une preuve que les photos ne mentent pas.

Il survola l'article. Celui-ci présentait les faits : l'heure et le lieu du coup de feu, le type de cartouche, le montant des dégâts. Mais ensuite les choses se gâtaient. Les Minnow avaient récemment engagé un garde du corps après avoir reçu des lettres de menaces ; tous les membres de la famille étaient en danger ; le révérend et Mme Minnow avaient préféré quitter la ville.

— Ce n'est pas du journalisme, commenta Mack.

Hope haussa les épaules.

— C'est ce que les gens aiment lire, du sensationnel. Ça fait vendre.

Ferguson ne communiquait pas le nom de Mack dans l'article. Ce qui était étrange, pensa Mack, compte tenu du fait que Hope avait fait les présentations. Le reporter avait sans doute pensé qu'il était plus captivant de le décrire comme un mystérieux garde du corps.

— Il a découvert que tes parents étaient en voyage.

— Ça n'a pas dû être difficile. Il y a plusieurs personnes dans l'équipe de mon père, à l'église. L'une d'elles a pu dire en toute innocence qu'il était parti à l'étranger.

Après avoir parcouru l'article, elle leva la tête pour regarder Mack.

— Je sais que c'est très immature de ma part, mais je crois que mon plus gros regret est que Wills se sent sans doute beaucoup mieux maintenant qu'il est au courant que tu es payé pour être avec moi.

Mack tendit la main et lui prit le menton.

— Soyons clairs là-dessus, Hope. Je suis payé pour te protéger, pas *pour être avec toi*. Ce que nous faisons ensemble est tout à fait différent. Cela n'a rien à voir avec ce que je suis censé faire en tant que garde du corps.

Elle le dévisagea et, pendant une seconde, il crut qu'elle était prête à aborder le sujet « Et si je suis enceinte ? ». Mais elle repoussa soudain sa chaise et se leva.

— Il faut que je change la date, dit-elle en désignant le calendrier fixé sur le réfrigérateur. C'est Mavis qui s'occupe de ça d'habitude. C'est elle qui nous garde sur les rails.

Bon, apparemment, discuter de cette éventualité n'était pas encore au programme. Pas pour l'instant du moins. Mais il ne la laisserait pas repousser éternellement cette conversation.

Hope arracha la page du jour, la froissa et la jeta dans la poubelle, exactement comme il avait vu Mavis le faire le premier jour. La force de l'habitude. Même si Mavis était bouleversée par les nouvelles de son beau-frère, elle avait mis à jour le calendrier. Sans doute parce qu'elle le faisait chaque matin et ce depuis toujours.

Mack s'approcha et feuilleta quelques pages. Le vendredi 9 mai quelqu'un avait noté : « Prendre les billets pour le concert. »

— Quelqu'un va à un concert ? demanda-t-il.

Hope lut elle aussi l'annotation.

— L'institut universitaire de Weatherbie a un orchestre et ma mère, qui joue toujours du violon, est une de leurs fans. C'est une petite association et ils n'ont pas de personnel, alors ils mettent les billets en vente ce jour-là uniquement. Autrement, il faut les acheter le soir du concert et ma mère déteste ça.

Elle examina l'écriture de plus près.

— C'est l'écriture de Mavis. Elle avait sans doute l'intention d'aller les chercher pour maman. C'est le jour de mon entretien d'embauche, mais je peux quand même m'en occuper.

— Je parie que c'est toi qui as acheté ce calendrier, dit Mack.

— Oui, c'est vrai. Comment le sais-tu ?

Il feuilleta quelques pages.

— Il y a des photos d'animaux avec des informations insolites à leur propos. « Les phoques muent une fois par an. Cela peut prendre jusqu'à six semaines. »

Il lui sourit.

— Passionnant !

Hope plissa le nez sans relever son commentaire.

— Si cela ne tenait qu'à moi, la grange serait remplie d'animaux. Pas de phoques bien sûr, mais tu vois ce que je veux dire. Des chevaux, des vaches, des poulets, des chiens, des chats. C'est le numéro 3 sur ma liste des choses à faire avant de mourir.

— Et quels sont les numéros 1 et 2 ? questionna-t-il.

— Apprendre le langage des signes et visiter la canopée amazonienne sur une tyrolienne.

Il se mit à rire.

— C'est un peu les deux extrêmes !

— Peut-être, dit-elle en haussant les épaules. Et toi, quelle est ta liste ?

— Je n'ai pas de liste.

Elle fronça les sourcils.

— Tout le monde devrait en avoir une.

Il claqua dans ses doigts.

— D'accord, j'ai trouvé le numéro 1. Me trouver à moins de cinquante mètres d'un réfrigérateur contenant des bières glacées.

Hope poussa un grand soupir et orienta sa chaise de manière à lui tourner le dos.

— C'est fini entre nous, dit-elle.

— Oh non, ce n'est pas fini, rétorqua-t-il en riant.

Puis il l'arracha à sa chaise et, malgré ses protestations, la porta jusqu'à la salle de bains.

— Je viens juste de trouver mon numéro 2, dit-il en ouvrant les robinets.

Durant les deux jours suivants, tout se passa aussi bien que possible. Ils cuisinèrent à tour de rôle. Mack se révéla un bon élève quand elle lui apprit à confectionner la sauce au basilic frais. En retour, il lui enseigna à faire des petits pains et de la sauce à la viande. Ils regardèrent des films à la télévision, se disputèrent pour savoir si les Colorado Rockies étaient meilleurs que les New York Mets et firent beaucoup l'amour.

Hope essayait d'oublier que, dans quelques jours, Mack allait partir. Il retournerait au Colorado et elle entamerait une nouvelle étape de sa vie, qui restait encore floue.

Aucun d'eux ne reparla de la possibilité d'une grossesse mais ils firent très attention à se protéger. Ils n'évoquèrent ni les armes, ni les reporters, ni les lettres de menaces.

Mack lut peut-être le journal, mais elle non.

Le matin du 9 mai, elle ouvrit les yeux sur une belle journée. Le ciel était bleu et même s'il était encore tôt, le thermomètre affichait déjà 27°.

— Petit déjeuner, annonça Mack en entrant dans la chambre avec un plateau. Pain perdu et bacon. Et café aussi, bien sûr.

Elle se redressa dans le lit.

— Ça sent délicieusement bon, dit-elle.

Vêtu uniquement d'un caleçon, il se glissa près d'elle entre les draps. Tous deux prirent une assiette et se mirent à manger. Il avait réchauffé le sirop d'érable et l'avait versé dans un petit pichet. Après quelques bouchées, elle le saisit pour en ajouter un peu. Cela lui rappela son fantasme à propos du miel.

— Qu'est-ce qui te fait sourire ? demanda-t-il.

— Eh bien, est-ce que tu connais les sopapillas ?

— Bien sûr. Ce sont des beignets avec de la cannelle et du miel. Pourquoi ?

— Eh bien, j'ai rêvé que je te préparais des sopapillas, que nous les mangions au lit, que des gouttes de miel perlaient sur nos corps et que nous les léchions.

Les yeux de Mack s'illuminèrent.

— Vraiment ? Et tu as beaucoup de fantasmes comme ça ?

— Quelques-uns. Mais celui-là était très agréable. Très sucré, si je puis dire.

Il lui retira son assiette.

— Hé, je n'ai pas fini, protesta-t-elle.

— Si, dit-il en retirant son caleçon et en empoignant le petit pichet. Par contre, il va falloir faire avec ce qu'on a.

Ils sortirent très tard du lit et durent se dépêcher pour se préparer. L'entretien de Hope était fixé à 13 h 30, et ils voulaient partir à midi pour être sûrs d'arriver à l'heure à Brooklyn.

La circulation était fluide, et ils trouvèrent une place de parking au coin de la Cinquième et la Neuvième Avenue.

Une fois dans l'immeuble, ils prirent l'ascenseur jusqu'au troisième étage, où étaient situés les bureaux de l'association.

— Tu ne peux pas venir avec moi, lui dit Hope. Sinon on pensera que j'ai peur de me présenter toute seule et que j'ai besoin d'avoir mon petit ami avec moi.

— Petit ami, répéta-t-il d'un air ravi.

— C'est ce que la réceptionniste pensera en nous voyant. Elle le dira au directeur et il barrera mon nom sur la liste en mettant une petite note dans la marge du genre : « Ne semble pas pouvoir agir de manière indépendante », dit-elle en dessinant des guillemets en l'air.

Il l'observa.

— D'accord. Je t'accompagne jusqu'à la porte et je reste dans le couloir. Tu n'as parlé à personne de cet entretien, n'est-ce pas ?

— Non.

— Alors il n'y a aucune raison pour que ce soit dangereux. Je sais que nous n'avons pas été suivis, je m'en suis assuré.

— Il y a un café à côté, dit-elle. Tu pourrais m'attendre là.

— Ne t'inquiète pas pour moi. Tu as le trac ? Tu m'as l'air nerveuse.

Elle arrangea ses cheveux.

— Bien sûr que je suis nerveuse. Je n'ai pas passé beaucoup d'entretiens dans ma vie. Je ne sais même pas si je veux vraiment ce boulot, mais par contre je voudrais quand même qu'ils me choisissent. Tu comprends ?

— Bien sûr. Tu veux être celle qui dira non et pas l'inverse.

— Exactement. Bon, j'y vais.

Elle ouvrit la porte.

— Hé ! murmura-t-il. Tu vas les subjuguer !

La porte se referma, la séparant de Mack. Elle souriait encore quand la réceptionniste releva la tête.

— Bonjour. Je m'appelle Hope Minnow. *Et je suis ici pour vous subjuguer*, ajouta-t-elle en silence.

— Le directeur va vous recevoir tout de suite, répondit la jeune femme, les mains toujours sur le clavier. Asseyez-vous, je vous prie.

La salle d'attente ressemblait un peu à celle de Gloria's Path, avant que l'incendie ne la ravage. Ce qui lui rappela qu'il fallait qu'elle appelle Sasha. Elle travaillait normalement le vendredi soir, car c'était en général une nuit mouvementée.

Sans doute parce que la fin de semaine donnait aux gens l'envie de se détendre. Les verres d'alcool se multipliaient et les accès d'humeurs devenaient difficiles à contrôler.

Hope s'assit sur le canapé et prit un magazine sur la table. Elle le reposa aussitôt. Elle n'avait pas vraiment envie de lire des potins sur d'autres gens, alors qu'elle-même attirait tout autant l'attention.

Elle allait devoir trouver un moyen de se débarrasser de Byron Ferguson. Il s'était montré utile dans le passé, alimentant les rumeurs, colportant les commérages sur sa vie privée, ce qui avait réussi à embarrasser fortement le révérend Minnow, mais aujourd'hui, cela ne lui semblait plus indispensable.

Etait-il possible qu'elle n'en veuille plus à son père ?

Pourtant, elle souffrait toujours. La colère était une émotion vraiment stérile, elle l'avait compris depuis quelque temps bien sûr, mais ces derniers jours, tout était devenu encore plus évident.

Se faire tirer dessus et tomber amoureuse y était sûrement pour quelque chose.

Doux Jésus ! Tomber amoureuse ? Elle reprit le magazine et éventa son visage subitement enflammé.

Etait-ce possible ? Etait-elle vraiment amoureuse de Mack McCann ?

Non. Ce n'était que du sexe. Des conversations sympas. Quelques dîners. Et de bonnes parties de rigolade.

Oh non !

— Hope, le directeur va vous recevoir.

Après être resté immobile un instant, Mack se mit à faire les cent pas dans le couloir sans quitter la porte des yeux. Il n'avait jamais vu Hope aussi nerveuse. En un sens, c'était charmant.

De toute façon, Hope était charmante en toute situation, même vêtue de haillons.

Il était certain qu'elle réussirait l'entretien. Et si elle obtenait cet emploi, elle reviendrait vivre en ville, peut-être à Brooklyn même, pour être plus près de son travail.

Mack marcha jusqu'à la fenêtre au bout du couloir et regarda dehors. Le temps était dégagé et il put admirer le point de vue. Brooklyn n'avait pas l'éclat tape-à-l'œil de Manhattan : les immeubles étaient plus vieux, il y avait davantage d'arbres et aucun gratte-ciel.

Pourrait-il habiter là ? Au fil des ans, il avait vécu dans des endroits bien moins agréables que celui-ci, mais son cœur était resté au Colorado. C'était pour s'y installer qu'il avait accepté l'emploi de Matrice Biomedics.

Mais tout cela n'avait plus d'importance, se dit-il. Ce qui comptait dorénavant, c'était d'être là où se trouvait Hope. Là où se trouverait peut-être leur enfant.

Il emménagerait sur la lune s'il le fallait. Mais il devait d'abord convaincre Hope qu'il ne s'agissait pas d'une liaison éphémère et qu'il avait bien l'intention de rester à ses côtés. Il allait aussi devoir la faire changer d'avis sur le mariage.

Il se retourna en entendant la porte du bureau s'ouvrir. Hope sortit, toujours aussi belle dans sa robe noire distinguée et ses escarpins à talons. Elle releva sa longue chevelure et l'épingla sur sa nuque. Il avait vu sa sœur faire le même geste et il se rappela soudain ce que son père lui avait dit un jour : l'aisance des femmes à se coiffer était la preuve qu'elles appartenaient à une espèce supérieure. Il se demanda ce que le révérend Minnow penserait d'une telle opinion.

— Comment ça s'est passé ? questionna-t-il.

— Bien, je crois. Ils m'ont dit qu'ils m'appelleraient. Je suis contente que ce soit terminé.

— Tu veux rester un moment en ville ? On pourrait aller à Manhattan.

Elle secoua la tête.

— Il faut que je retourne chercher les billets de concert pour Mavis. Je te parie dix dollars qu'elle va appeler pour m'en parler.

— Si elle se souvient de ce qu'elle a noté sur le calendrier, remarqua-t-il en lui ouvrant la porte.

— Tout ce qu'elle écrit dessus, elle l'enregistre aussi sur son smartphone. Elle a commencé à le faire le jour où en rentrant des courses, elle s'est aperçue qu'elle avait oublié quelque chose. Elle a dû ressortir et ça ne lui a pas plu de perdre du temps. C'est Madame Efficacité, comme je te l'ai dit.

Le trajet de retour jusqu'au New Jersey ne fut pas aussi rapide qu'à l'aller. Il y avait eu un accident sur la route et la circulation était ralentie sur des kilomètres.

Ils attendaient en silence dans les embouteillages quand le portable de Mack sonna. Il regarda le numéro.

— C'est le chef Anderson, dit-il à Hope.

— Mets le haut-parleur, lui demanda-t-elle.

— McCann, répondit-il.

— Ici Anderson. J'ai du nouveau pour vous.

19

— Bonjour chef, vous êtes sur haut-parleur, dit Mack. Hope est avec moi.

— Je m'en doutais. Je voulais vous dire que cet après-midi, nous avions arrêté Wayne Smother pour tentative de meurtre. Il a tout avoué. C'est lui qui vous a tiré dessus l'autre jour et c'est également lui qui a envoyé les lettres de menaces.

Mack se tourna vers Hope qui le regardait, bouche bée.

Ainsi, Smother avait réussi à faire le lien entre Paula et Hope. Elle était pourtant certaine que seules Sasha et Mavis connaissaient la vérité. Mack vit à l'inquiétude subite qui s'afficha sur son visage qu'elle était parvenue à la même conclusion que lui.

— Comment a-t-il découvert que Paula et Hope n'étaient qu'une seule et même personne ?

— Sa femme Serena le lui a dit. Elle a manifestement reconnu Hope la première fois qu'elle a rencontré Paula. Elle était impressionnée par le fait que sa conseillère était Hope Minnow et elle l'a raconté à Wayne pour se vanter.

Ça collait. La relation de Serena et Wayne montrait qu'ils essayaient sans cesse de rivaliser l'un avec l'autre.

— Smother est aussi l'auteur de l'incendie de Gloria's Path, il va donc devoir faire face à des accusations très graves. De même que le conducteur de l'El Camino, d'ailleurs. Serena soupçonnait son mari mais elle n'a rien dit. A sa manière, elle ne voulait pas lui créer d'ennuis. Mais elle a finalement pris la bonne décision. Après avoir lu l'article de Byron Ferguson dans le journal, elle nous a appelés pour nous dire qu'elle pensait que son mari était le coupable. Nous avons perquisitionné chez Smother, et nous avons trouvé dans un calepin l'adresse du père de Hope, écrite de sa main.

— Et où se cachait-il ?

— Il logeait chez son ami, le conducteur de l'El Camino. C'est Serena qui nous a mis sur la piste. Je crois que, dans un sens, il était soulagé que nous l'ayons identifié. Comme s'il s'était embarqué dans quelque chose qui le dépassait.

Hope se pencha en avant.

— Mais les menaces mentionnaient la perte d'un enfant. Je ne crois pas que Wayne et Serena aient des enfants.

— Vous avez raison. Il a fait cela pour créer une fausse piste. Il ne savait pas que vos parents n'étaient pas au courant pour Paula et il s'est dit que s'il y avait des menaces contre vous, ceux-ci exigeraient que vous cessiez votre bénévolat à Gloria's Path. Il pensait que vous encouragiez Serena à le quitter. Comme vous avez continué à travailler et que sa femme a emménagé dans son nouvel appartement, il a décidé de faire monter la pression d'un cran.

— Comment savait-il que nous étions dans ce magasin ? demanda Mack.

Il était sûr qu'ils n'avaient pas été suivis depuis l'appartement.

— Serena lui a envoyé un texto en fanfaronnant sur la beauté de l'appartement, sa proximité avec la gare et la gentillesse des membres de Gloria's Path. Tellement gentils qu'ils allaient lui acheter une cafetière. Il ne savait pas où se trouvait exactement l'appartement, mais il avait une idée générale du quartier. Il a fait des suppositions et il a eu de la chance. Il nous a dit qu'il avait presque renoncé quand il vous a vus sortir tous les deux du magasin. Il l'a pris pour un signe du ciel.

— Il a payé sa caution ? demanda Mack.

— Non, et je ne pense pas qu'il le pourra. Il va rester en prison jusqu'à son procès. Bien sûr, cela sera déduit de sa peine.

— Pourrez-vous nous prévenir s'il paye une caution ? questionna Hope.

Le policier eut beau leur dire qu'ils pouvaient compter sur lui, cela ne suffit pas à tranquilliser Mack. Il allait s'organiser pour surveiller l'homme jusqu'à ce qu'il soit derrière les barreaux. Il n'aurait plus jamais l'occasion d'approcher Hope.

— La presse est au courant de l'arrestation, ajouta le chef de la police. Ferguson a déjà interrogé Serena. Je crains que votre implication à Gloria's Path ne soit plus un secret. Ferguson m'a appelé pour m'interroger là-dessus et j'ai fait comme si je ne savais rien, mais c'est une vraie sangsue quand il flaire une bonne histoire. Je crois que vous devriez vous préparer aux répercussions médiatiques de toute cette affaire.

Mack regarda Hope. Elle avait l'air troublée et il comprit qu'elle se demandait si la totalité de son secret allait être dévoilée. Byron Ferguson allait-il renoncer avant de connaître les motifs qui avaient amené Hope jusqu'à Gloria's Path ?

— Merci, dit-elle. J'ai hâte de voir le journal de demain, ajouta-t-elle sèchement.

Le chef se mit à rire.

— C'est ce que je me dis tous les matins. Mais essayez de vous souvenir que toutes les nouvelles de ce type finissent par être oubliées.

— Bien sûr, approuva Hope sans grand enthousiasme. Merci encore, monsieur. Je vous suis reconnaissante pour tout.

— Eh bien, dit l'homme d'un ton soudain hésitant, moi qui admire depuis si longtemps votre père, je pense qu'il doit être fier de vous.

Hope sourit à Mack.

— Oui, je suis sûre qu'il l'est.

— Merci chef, ajouta vivement Mack. Tenez-nous au courant s'il y a du nouveau.

— Je n'y manquerai pas. Je suis content que tout soit terminé, dit Anderson et il raccrocha.

Mack et Hope roulèrent quelques minutes en silence. Enfin, elle se tourna vers lui.

— C'est vraiment fini, n'est-ce pas ?

— On dirait bien, confirma-t-il.

Elle se rejeta contre le dossier de son siège.

— Je suis désolée, dit-elle.

Ce n'était pas la réaction à laquelle il s'attendait.

— Pourquoi ?

— Pour ne pas avoir pris les menaces au sérieux. Tu l'as fait et c'est toi qui avais raison. Mes parents aussi avaient raison. J'étais tellement aveuglée par ma colère envers mon père que je ne voyais plus rien d'autre. Je ne voyais même pas à quel point la situation était potentiellement dangereuse.

— Tu as le droit d'être en colère. Choisir de garder Baylor à ses côtés était une grosse erreur. Ton père devrait le savoir.

Elle sourit.

— Tu sais, quand je t'ai dit l'autre jour que ça n'avait pas d'importance, je mentais : en fait, cela en avait beaucoup. Mais aujourd'hui, soudain, ça n'en a plus du tout.

Elle baissa les yeux sur ses mains, puis le regarda.

— Je te dois cela.

— Tu ne me dois rien.

— Disons que nous ne sommes pas d'accord là-dessus, dit-elle avec un nouveau sourire.

— Hope, je pense que je devrais informer tes parents de ce qui s'est passé. Ils ont le droit de savoir.

Elle hocha la tête.

— Tu as raison. Je suis sûre qu'ils seront soulagés de savoir que les menaces vont cesser.

— Mais sache que je ne partirai pas. Même s'ils me disent que ma mission est terminée.

Ferguson avait laissé trois messages sur le répondeur de la maison. Il travaillait sur un article pour l'édition du lendemain et voulait offrir à Hope l'occasion de donner sa version des faits.

Elle écouta le premier et effaça les suivants.

— Il va sans doute interviewer d'autres membres de l'équipe de Gloria's Path, dit Mack. Que tu le veuilles ou non, il finira par découvrir ce qui t'a amenée là-bas.

— Peut-être ou peut-être pas, répliqua Hope. Sasha est la seule qui connaisse la vérité et je ne pense pas qu'elle en parlera.

— Pourquoi ?

— Eh bien, pour commencer, elle déteste le journal, déclara-t-elle, heureuse de pouvoir changer de sujet. Son deuxième ex-mari vend de l'espace publicitaire pour eux. Elle déteste aussi le concessionnaire auto, ajouta-t-elle avec un sourire, car cette fois c'est son premier ex-mari qui y travaille.

— Deux ex. Manque de chance ou manque de discernement ?

— Je ne sais pas. Sasha m'a soutenue à une époque où j'avais désespérément besoin d'aide. Et je trouve qu'elle a une bonne vision de la vie. Elle travaille dans une maison de retraite et même si ce n'est pas un endroit très gai, elle le fait avec plaisir. Elle parle tout le temps de ce vieux monsieur, Charlie Fenton, qui se débrouille pour s'enfuir sans ses vêtements et aller acheter des donuts pour sa fiancée qui vit aussi là-bas. Sasha raconte bien les histoires.

— Apparemment, tu l'estimes beaucoup. Tu vas y aller ce soir ?

— Normalement, je travaille le vendredi soir, mais je pense que je vais dire à Sasha de ne pas compter sur moi pendant quelques jours. D'ici là, j'espère que la situation se sera calmée et que Fergusson aura trouvé une autre histoire à raconter.

— A Weatherbie ? s'exclama Mack.

— C'est presque la fin de l'année pour les élèves de terminale. Avec un peu de chance, comme chaque année, ils vont faire quelques plaisanteries pour attirer l'attention, comme laisser les chèvres s'échapper sur la route ou suspendre une culotte au mât de la mairie.

— Le charme tranquille des petites villes, fit Mack en secouant la tête. Donc, pour résumer, tu n'as aucune obligation ce soir ni dans un avenir proche.

— Eh bien, mardi 13, je dois remplacer Mavis à la collecte de la bibliothèque. Elle m'a dit qu'elle serait de retour ce jour-là, mais seulement dans la soirée.

— D'accord, on prendra le temps de s'en occuper.

— Prendre le temps ?

Mack saisit son téléphone et composa un numéro.

— Qui appelles-tu ? demanda Hope.

— La pizzeria. On ne va certainement pas faire la cuisine ce soir ou demain soir, ni aucun autre jour avant le retour de Mavis.

— Ah bon ? dit-elle d'un ton de défi. Je croyais que cela te plaisait.

— C'était amusant, c'est vrai. Mais toutes proportions gardées, il y a des choses qui me plaisent davantage.

— Je me demande bien de quoi tu parles, le taquina-t-elle.

— Continue à réfléchir. Voyons voir : pizza ce soir, thaï demain et peut-être chiche-kebab après-demain, chez le petit Grec à l'entrée de la ville.

Elle lui sourit.

— Tu sais, j'adore soutenir l'économie locale.

Le mardi, à 6 h 50, Hope se dégagea des bras de Mack. En le voyant se redresser, elle comprit qu'il était déjà réveillé.

— C'est l'heure de laver les voitures ? questionna-t-il d'une voix encore endormie.

— Oui. Je vais prendre une douche rapide, manger un morceau et y aller.

Mack balança les jambes hors du lit et Hope eut du mal à détacher ses yeux de lui. Son corps nu était splendide.

— On va se doucher ensemble, dit-il.

— Impossible ! protesta-t-elle en se dirigeant vers la salle de bains. Sinon je vais être en retard.

— Peut-être mais tu seras une retardataire heureuse et détendue quand nous serons arrivés là-bas, riposta-t-il.

— Nous ? Tu n'as pas besoin de venir. Les menaces sont terminées, je ne risque plus rien maintenant.

— Je veux y aller. J'ai déjà regardé le journal d'aujourd'hui. Après ces derniers jours, tu seras satisfaite de savoir que

Ferguson a finalement pris un jour de congé. Mais les gens vont quand même parler de ce qui s'est passé. Je ne veux pas que tu sois seule pour affronter ça.

— Heureusement que Byron n'a pas trop creusé et qu'il n'a pas découvert les raisons pour lesquelles j'ai choisi de travailler à Gloria's Path.

— Oui, en effet. Je pense que c'est un journaliste assez paresseux.

— Ce qui m'arrange. Par contre, il faudra que je sois vigilante aujourd'hui, au cas où il aurait décidé de venir rôder aux alentours.

— Ne t'inquiète pas. Je m'occuperai de lui.

Elle se pencha et l'embrassa sur la joue.

— Je suis une grande fille, Mack.

— Je sais. Et tout ce qu'il y a de plus indépendante. C'est juste que Ferguson me sort par les yeux.

Elle rejeta ses cheveux sur son épaule.

— S'il devient trop curieux, je l'arroserai avec mon tuyau.

Les organisateurs de la collecte tombèrent presque à la renverse en voyant apparaître Hope et Mack.

— J'ai entendu dire que Mavis était absente, dit la femme qui enregistrait les candidatures bénévoles, alors je pensais que personne de chez vous ne viendrait.

— Elle s'est débrouillée pour se faire remplacer, répondit Hope en acceptant la pile de chiffons que lui tendait la femme.

— C'est terrible, ce qu'a tenté de faire cet homme, fit l'autre à mi-voix.

— Oui, en effet, se contenta de dire Hope en prenant place dans la file pour obtenir des éponges.

Ils rejoignirent la vingtaine de bénévoles qui se divisèrent bientôt en trois groupes, l'un qui arrosait les véhicules, l'autre qui lavait et le troisième qui séchait.

L'événement se déroulait dans le parking de la bibliothèque.

Si l'argent récolté ce jour-là était suffisant, le bâtiment aurait bientôt de nouvelles fenêtres.

Un peu plus tard, levant les yeux de la voiture qu'il était en train de sécher, Mack contempla la file de véhicules qui faisait le tour du pâté de maisons et se dit qu'on allait sans doute pouvoir rénover aussi la toiture du bâtiment.

Vers midi, il faisait déjà 30° et il n'y avait pas un nuage dans le ciel. Les gens étaient amicaux et ne rechignaient pas à donner vingt dollars pour faire laver leur voiture.

— Il me faut d'autres chiffons, dit une des femmes de leur groupe.

— Je vais en chercher, répondit Hope.

Elle posa son tuyau et se dirigea vers les palettes où étaient entreposées les fournitures. Ferguson ne s'était pas montré, mais Mack garda néanmoins un œil sur elle tandis qu'elle traversait le parking et s'accroupissait pour prendre des chiffons.

Il la vit se relever.

Mais elle laissa soudain tomber les chiffons, porta une main à son front et s'effondra à terre.

20

Mack, l'ancien champion de cross-country, piqua un sprint et écarta rapidement les personnes déjà attroupées autour de Hope. Elle était pâle et ses paupières s'agitaient.

— Que s'est-il passé ? demanda-t-elle.

— Je crois que vous vous êtes évanouie, dit une femme.

— Appelez le 911, lança Mack.

Il prit le poignet de Hope pour vérifier son pouls.

— Ce n'est rien, répondit celle-ci en souriant à la femme qui venait de lui parler. Je vais bien. Vraiment. Je crois que c'est seulement une petite insolation.

— Tu es tombée sur le ciment, dit Mack, tu t'es peut-être cogné la tête.

Elle contesta.

— Non. Vraiment, Mack, ça va.

Eh bien, tant mieux pour elle, songea Mack, car lui-même était dans tous ses états. Quand il l'avait vue s'effondrer, sa première pensée avait été qu'on lui avait de nouveau tiré dessus et que cette fois, la balle l'avait touchée. Son cœur s'était arrêté dans sa poitrine.

— Puis-je vous apporter quelque chose à boire ? demanda la femme qui lui avait parlé précédemment.

— Oui, je veux bien. Une limonade, c'est possible ? répondit Hope.

— Pouvez-vous l'apporter là-bas ? dit Mack, tandis qu'il la prenait dans ses bras pour l'emporter un peu plus loin.

— Oh ! Bonté divine ! s'exclama Hope. Pose-moi donc !

Sans lui répondre, il l'emmena à l'ombre, sous deux grands chênes. Il la déposa sur le gazon et s'assit à côté d'elle.

— Que s'est-il passé ? demanda-t-il.

— Je n'en sais rien, avoua-t-elle. Je me suis relevée et, soudain, ma vue s'est brouillée et je ne voyais plus rien. Je ne m'étais jamais évanouie avant, je n'aime pas ça.

— Moi non plus. Tu m'as fait peur, renchérit Mack. Tu es sûre de ne pas vouloir voir un médecin ?

Elle secoua la tête.

— Non, ce n'est pas nécessaire. C'est la chaleur, peut-être la déshydra…

Elle s'interrompit en voyant revenir la femme qui leur apportait deux verres de limonade.

— J'espère qu'elle est assez fraîche, leur dit-elle avant de s'éloigner.

Hope but une longue gorgée.

— Nous rentrerons à la maison dès que tu auras fini ton verre, dit Mack.

— Nous ne pouvons pas partir ! Il faut terminer le lavage.

— Oh non ! Tu ne vas rien terminer du tout, à part peut-être ta limonade. C'est fini.

— Mais…

— Mais rien. Je te propose un compromis. Si tu restes à l'ombre en buvant ta limonade, je continuerai à laver et sécher les voitures. Mais si tu insistes pour aider, alors ma proposition ne tient plus.

Hope leva les yeux au ciel.

— D'accord… Puis-je au moins m'asseoir au comptoir pour encaisser l'argent ?

— Du moment que c'est à l'ombre. Ensuite, nous rentrerons et tu te reposeras.

— J'ai quelque chose à demander, dit Hope.

— J'écoute.

— Je voudrais que tu ailles au dîner en l'honneur de Brody à la Maison-Blanche ce soir. Vraiment. Tu es toujours sur la liste des invités, et tu auras le temps d'attraper un train si tu pars tôt.

— Je ne veux pas te quitter. Mais je peux passer quelques coups de fil pour que tu puisses m'accompagner.

Elle refusa d'un signe de tête.

— Ici, le cirque médiatique est limité, mais à la Maison-Blanche, ce sera une autre histoire. Ce ne serait pas juste pour toi.

— Je peux composer avec les médias, dit Mack.

Elle sourit.

— Tu as prouvé que tu peux composer avec presque tout. Mais ce n'est pas une raison. Vas-y, je t'en prie. Brody est un de tes meilleurs amis. Tu n'auras sans doute plus jamais une telle occasion de lui rendre hommage.

Il était vrai que l'idée de négliger Brody lui coûtait, mais il n'avait pas osé insister pour que Hope vienne avec lui.

— Tu es sûre ? demanda-t-il.

— Oui. Tout ira bien. Mavis rentre ce soir, nous passerons la soirée ensemble.

— Je ne serai absent que quelques heures. Et je ne pense pas que je vais prendre le train. L'avion sera plus rapide. Deux heures pour le dîner et je serai revenu avant même que tu ne t'en aperçoives.

— Je sais. Ne t'inquiète pas. Le danger est derrière nous maintenant.

Il le savait, mais ne pouvait oublier qu'il avait failli la perdre.

— Tes parents reviennent aussi ce soir, dit-il.

— Je sais. Je vais parler à mon père. J'ai besoin de connaître son point de vue sur cette histoire.

Mack avait envisagé de prendre un vol commercial jusqu'à Washington, mais il décida finalement qu'un petit avion privé conviendrait mieux à la situation. Cela réduirait le laps de temps pendant lequel il serait séparé de Hope.

Pourtant, il n'était pas à l'aéroport depuis vingt minutes

qu'elle lui manquait déjà. Il savait qu'il devait arrêter de se faire du souci, mais ne pouvait s'en empêcher. Il avait envie de l'envelopper de coton, de la protéger, d'être pour elle comme un doux oreiller. Bien entendu, ce n'était pas du tout ainsi que Hope voyait les choses. Ce qu'elle voulait, elle, c'était finir de laver des voitures malgré un soleil brûlant.

De toute façon, il savait que Mavis et elle étaient à l'abri, maintenant que Wayne Smother avait été arrêté. De plus, Archibald et Patsy Minnow devaient arriver dans la soirée.

On n'avait plus besoin de ses services.

Dommage.

Mais c'était compter sans le fait qu'il aimait Hope. Il n'avait pas l'intention de s'en aller. Et même s'il comprenait sa désillusion sur le mariage, il était patient et il ne renoncerait pas.

Il avait hâte de parler d'elle à Brody. Et quand l'avion se mit en mouvement sur la piste, il songea qu'il allait pouvoir le faire dans moins d'une heure. Il devait d'abord retrouver son ami à l'hôtel puis ils se rendraient ensemble à la Maison-Blanche.

Il ferma les yeux et se pelotonna sur son siège comme un chat pour piquer un petit roupillon. Comme un chat : cela le fit sourire. Il s'était débrouillé pour acheter Fred aux Webster. Il était conscient que c'était un coup tordu, mais il s'en fichait. Il jouait pour gagner.

Quarante-cinq minutes plus tard, les roues de l'appareil touchèrent le tarmac. Il sortit de l'avion, avec à la main le smoking que Chandler lui avait envoyé quelques jours auparavant. Elle avait été ravie de s'en occuper, lui avait-elle dit, car cela lui avait donné une bonne raison pour fouiller dans le placard de son frère.

Dans le taxi, Mack dut prendre son mal en patience car la circulation à Washington était dense et ralentie. Enfin, il arriva à l'hôtel. Le hall était immense et spectaculaire, tout en marbre, mais il n'y prêta aucune attention, car il venait d'apercevoir le grand corps de Brody Donovan qui s'extirpait d'un canapé.

Son ami avait l'air en forme, bronzé et musclé. Il n'avait

pas changé, quelques rides étaient juste apparues autour de ses yeux. Mais il avait tout de même passé deux ans sur le front à jouer les sauveurs, ce qui avait certainement généré beaucoup de stress.

Il lui donna une forte accolade.

— Content de te voir, mon vieux !

— Ravi que tu aies pu venir, répondit Brody. Ta mission au New Jersey est terminée ?

— Presque. Les parents de Hope reviennent ce soir.

— Tu as réussi à ne pas lui passer la bague au doigt. Bravo !

Mack recula d'un pas. Il savait que son ami plaisantait, mais il ne pouvait pas laisser passer l'occasion.

— Je vais l'épouser.

Brody le dévisagea en plissant les yeux.

— Ma parole, tu es sérieux !

— On ne peut plus sérieux. Elle est fantastique, Brody. Belle, intelligente, drôle. Elle est gentille, attentionnée et généreuse. Oh ! et elle fait les meilleures enchiladas du monde.

— Eh bien, lance les démarches et fais-le.

— Elle n'a pas encore dit oui.

Brody le prit par le coude et l'entraîna vers le bar.

— Qu'est-ce que tu fais ? demanda Mack. Il faut nous habiller et y aller.

— Oh non ! Je viens juste d'apprendre qu'une femme a envoûté mon meilleur ami. Tu ne peux pas faire comme si de rien n'était et t'attendre à changer de conversation aussi rapidement. Allez, viens, c'est moi qui régale.

Hope attendit vingt minutes après le départ de Mack, puis elle prit sa voiture pour aller au supermarché. Heureusement, Jane n'était pas de service. Hope ne connaissait pas la caissière. Peu importait de toute façon.

Elle acheta deux tests de grossesse. Elle y pensait depuis des jours, mais son évanouissement le matin même l'avait décidée à agir.

Elle n'avait pas menti à Mack : elle ne s'était encore jamais évanouie.

Elle ne lui avait pas parlé de cette nausée qu'elle avait ressentie au réveil, sachant pertinemment que si elle le faisait, il ne la quitterait pas d'une semelle. Et elle avait besoin de faire ça seule.

De retour chez elle, elle monta au premier étage, lut les instructions des tests et s'enferma dans les toilettes.

Les deux tests affichèrent le même résultat.

Enceinte. Avec un E majuscule.

Hope Minnow allait avoir un bébé.

Elle eut envie de danser et de sauter de joie. Mais elle se retint en entendant le déclic du système de sécurité. Mavis était rentrée.

Hope rassembla les tests et les emballages, les remit dans le sac en plastique et fourra celui-ci sous son lit. Elle ne voulait pas que quiconque soit au courant avant qu'elle ait pu l'annoncer à Mack. Il méritait d'être le premier à savoir. Il serait de retour vers minuit, au plus tard. Huit heures à patienter, ce n'était pas grand-chose.

Elle descendit l'escalier et rit sous cape en s'apercevant qu'instinctivement, elle effleurait la rampe de sa main. Elle avait dévalé ces marches pendant des années sans jamais y prêter attention. Etonnant comme une grossesse pouvait changer les perspectives.

— Salut, Mavis, lança-t-elle en entrant dans la cuisine.

— Bonjour, Hope. Tu m'as manqué, dit Mavis en l'embrassant. Je n'ai pas vu la voiture de Mack.

— Il est à une soirée de célébration pour un vieil ami à Washington. Il rentrera dans la nuit. Sans doute en même temps que mes parents. Il s'est dit qu'il n'y avait pas de risque, maintenant que Smother est en prison.

— C'est cohérent, dit Mavis.

— Comment va ton beau-frère ? Et ta sœur ?

— Mieux.

— J'en suis ravie. Et je suis contente que tu sois rentrée.

Je vais descendre pour utiliser le tapis de course pendant un moment.

— D'accord, acquiesça Mavis. J'ai acheté des plats chinois pour le dîner.

— Parfait. A tout à l'heure.

En remontant, Hope fut surprise de trouver la cuisine déserte. Elle passa la tête par la porte vitrée pour voir si Mavis était sous la véranda. Aucun signe d'elle.

— Mavis ? cria-t-elle.

Un pressentiment la fit frissonner. Mavis la prévenait toujours quand elle sortait.

Elle s'empara du téléphone fixe, dans l'intention d'appeler sur le portable de Mavis. C'est alors qu'elle vit la petite note sur le calendrier.

« Je suis allée chercher de la maïzena, je reviens tout de suite. »

Rassurée, Hope songea à aller s'asseoir dehors pour profiter des derniers rayons du soleil.

Elle était sur le point d'ouvrir la porte vitrée, quand elle entendit la sonnerie d'un portable. Il lui fallut quelques secondes pour comprendre qu'elle provenait du portable de Paula, qui était toujours dans son sac à main. Elle le sortit, reconnut le numéro de Gloria's Path et répondit.

— Hope à l'appareil, dit-elle, se réjouissant du fait qu'elle n'avait plus à dissimuler son identité.

— Salut, c'est Sasha.

— Que se passe-t-il ? J'ai entendu dire que tu étais partie pour quelques jours.

— J'ai dû aller rendre visite à ma mère. Elle s'est cassé le col du fémur.

— Oh ! Je suis désolée ! Est-ce que ça va ?

— Oui, sauf qu'elle doit sortir de l'hôpital aujourd'hui et qu'il faudrait que je sois avec elle pour l'aider. Nous avons eu un appel urgent, une nouvelle cliente qu'il va falloir aller chercher. Elle attend à la station-service Smart, à l'est de la ville. Une voisine l'a emmenée là-bas.

— Est-ce qu'elle va bien ?

— Maintenant, oui. Son mari l'a envoyée à l'hôpital et elle est sortie il y a deux jours. En se réveillant ce matin, elle s'est dit qu'elle ne pouvait plus supporter ça. Elle s'appelle Dana. La quarantaine, des cheveux bruns courts. Je ne voulais pas lui dire que nous n'avions personne pour aller la chercher. Jackie va arriver, mais pas avant quelques heures. Tu pourrais passer la prendre et l'installer à Gloria's Path ? Jackie prendra le relais dès que possible.

Hope hésita. Que dirait Mack quand il apprendrait qu'elle avait quitté la maison en dépit de la promesse qu'elle lui avait faite ?

— Personne d'autre n'est disponible ?

— Non, j'ai vérifié. Je ne te le demanderais pas si…

C'était vrai. Sasha faisait toujours preuve de bonne volonté quand il s'agissait d'heures supplémentaires ou de corvées et elle ne se déchargeait jamais sur les bénévoles.

— Pas plus d'une heure ou deux ?

— Absolument.

Hope serait rentrée avant que Mack ait fini le poulet caoutchouteux ou les autres horreurs qu'on devait servir à la Maison-Blanche.

— D'accord, je m'en charge. Bon courage avec ta mère.

Hope raccrocha et prit un stylo. En dessous de la note de Mavis, elle griffonna :

« Je suis sortie pour conduire une femme au refuge. Mange sans moi, je grignoterai en rentrant. »

Puis elle prit son sac, soulagée de ne plus avoir à enfiler ce déguisement ridicule.

Son portable sonna alors qu'elle montait en voiture. Elle regarda le numéro. C'était l'association de Brooklyn.

— Hope, répondit-elle.

*
* *

Dix minutes plus tard, elle s'arrêtait sur le parking de la station-service.

C'était une petite station indépendante, dont les affaires marchaient bien, grâce au passage des poids lourds en route pour New York et aux banlieusards qui travaillaient en ville.

Il n'y avait personne dehors. Elle se gara devant la boutique et entra. Personne non plus dans les rayons. Elle s'approcha du caissier.

— Bonjour. Je devais retrouver une femme ici. La quarantaine, les cheveux bruns et courts.

— Je viens de lui donner la clé des toilettes, répondit l'homme en désignant l'extérieur.

Il se tourna pour servir un autre client.

Construite trente ans auparavant, la station-service appartenait à la famille Smart qui, de toute évidence, n'avait pas jugé nécessaire de créer de nouvelles toilettes à l'intérieur.

Hope sortit, longea la façade du bâtiment et tourna l'angle sans voir l'homme qui l'attendait, tapi dans l'ombre.

Trop tard. Plaquant une main sur sa bouche, il lui tira la tête en arrière.

— Pas un cri ou vous êtes morte, murmura-t-il.

21

Le bar servait de la bonne bière pression et Mack fut heureux de trinquer à sa bonne fortune. Il avait l'impression d'avoir une chance incroyable. Dire qu'il avait accepté cette mission sans imaginer qu'il allait rencontrer une femme merveilleuse, une femme avec qui il voudrait passer le reste de sa vie.

— Tu en as déjà parlé à Chandler ? demanda Brody.

— Non. Je veux le lui annoncer de vive voix. Mais je ne veux pas non plus faire de l'ombre à son mariage. Je le lui dirai après.

— Elle aurait peut-être aimé un double mariage ? suggéra Brody.

— Si je perturbe en quoi que ce soit le mariage d'Ethan et Chandler, je crois que je ne serai plus là pour le mien. Ethan me tuera.

— C'est génial qu'ils se soient mis ensemble, reprit Brody en reposant son verre. Et étonnant si on pense aux probabilités.

— C'est vrai. Même si ça ne semble pas si surprenant, en fait. En y repensant, il faisait énormément attention à elle, il voulait toujours qu'elle vienne avec nous.

Brody hocha la tête.

— Il a bouclé la boucle. Et j'ai à peine le temps de m'habituer à la nouvelle que mon autre ami fait le grand saut.

— Tu seras le prochain, dit Mack en se levant.

Il était l'heure pour eux de se rendre à la Maison-Blanche.

— Je ne pense pas, dit Brody, comme s'il voulait écarter immédiatement cette idée. Ce que je vais faire, c'est prendre des vacances en Amérique du Sud. Me prélasser sur une plage et siroter des rhums glacés.

— Pas mal !

Brody lui envoya une claque dans le dos.

— Excellent, tu veux dire ! Et sans explosions de bombes autour. Ça, c'est encore mieux.

Il se mit en marche.

— Viens. Il ne faut pas faire attendre le Président.

Les deux hommes s'habillèrent dans la chambre de Brody, ce dernier en uniforme et Mack en smoking.

— Tu es plutôt chic en tenue, dit Mack.

— Pareil pour toi. Mais je n'en attendais pas moins de toi. C'est un des effets de ton patrimoine génétique à la James Bond.

— Si tu dis des trucs comme ça ce soir, ils vont te retirer ta récompense.

— Qu'ils essaient seulement !

Mack sortit son portable.

— Je vais envoyer un texto à Hope.

Il tapa son message et l'envoya.

Sortant de la chambre, les deux amis prirent l'ascenseur pour descendre dans le hall. Puis ils quittèrent l'hôtel et se mirent à marcher vers la Maison-Blanche, dont quatre rues seulement les séparaient. Sur le trajet, Mack vérifia trois fois son téléphone. Rien.

— Pas de réponse ? demanda Brody qui avait visiblement remarqué son air préoccupé.

— Non.

— Elle est peut-être sous la douche ?

— Peut-être.

Mais Mack n'y croyait pas. Hope s'était déjà douchée ce jour-là, il le savait car il était avec elle. Qui aurait cru que le gel douche à la framboise pouvait servir à des choses si agréables ? Ils étaient restés si longtemps sous l'eau qu'ils avaient vidé le ballon d'eau chaude.

Il n'avait aucune raison d'imaginer un quelconque problème. Pourtant cette logique ne suffisait pas à apaiser son inquiétude.

Ils parcoururent les derniers mètres. Un petit groupe d'invités attendaient de passer la sécurité et ils prirent leur tour dans la queue. Tandis qu'ils avançaient à petits pas, Mack sortit de nouveau son portable et appela Hope. Après quelques sonneries, la messagerie vocale se mit en marche.

— Appelle-moi, dit-il rapidement.

C'était leur tour d'être contrôlés.

Ils montrèrent leurs cartes d'identité et furent autorisés à passer à travers une série de portiques électroniques.

A l'autre bout, une femme en longue robe noire les accueillit et les escorta jusqu'à leurs sièges, dans la salle à manger officielle.

Les gens circulaient ou prenaient des chaises, tandis que des serveurs fendaient la foule avec des plateaux chargés de verres de vin. De la musique jouait en fond sonore. Tout le monde semblait vouloir rencontrer Brody et le féliciter sur ses états de service.

Tout en serrant les mains des inconnus que Brody lui présentait, Mack ne pouvait s'empêcher de penser à Hope. Pourquoi ne répondait-elle pas au téléphone ?

Il fit une nouvelle tentative et tomba encore sur la messagerie.

Il appela la maison. Aucune réponse, là non plus.

Le Président approchait, serrant des mains au passage. Mack fit défiler ses numéros, trouva celui qu'il cherchait et lança l'appel. A la troisième sonnerie, il expliqua ce dont il avait besoin, transmit le numéro de Hope et raccrocha.

— Qu'est-ce que tu fais ? demanda Brody.

— J'ai appelé Pam Brogan, la meilleure analyste de données que je connaisse. Je veux savoir où se trouve le portable de Hope.

Moins de deux minutes plus tard, son téléphone vibra. Il répondit et sentit la panique se répandre comme une brûlure dans sa poitrine. Il raccrocha juste au moment où le Président s'arrêtait devant eux.

— Ravi de vous revoir, Mack, dit ce dernier.

— Merci, monsieur.

Le Président tourna alors son attention vers Brody.

— Docteur Donovan, dit-il, c'est un plaisir.

Puis il le félicita pour ses états de services et lui dit combien il admirait ses compétences et son courage.

Quand il se fut éloigné, Mack se pencha vers l'oreille de Brody.

— Je suis désolé de te faire ça : tu es mon meilleur ami et je voudrais être là pour te voir recevoir les honneurs. Mais je ne peux pas rester. Pam a repéré le portable de Hope. Il est abandonné au milieu d'un champ. Quelque chose de grave se passe.

— Allons-y, dit Brody.

— Tu ne peux partir, il y a la cérémonie.

Brody agita la main.

— Il y a trois autres lauréats. J'ai serré la main du Président, ça me suffit. Tu es mon ami. Si tu as des problèmes, je veux t'aider. Mais tu dois me promettre une chose.

— Vas-y, dit Mack en gagnant déjà la sortie.

— Que je serai ton témoin.

Hope n'avait aucune idée de l'endroit où ces hommes l'emmenaient. Dès qu'ils l'avaient poussée dans la camionnette, ils lui avaient placé un bandeau sur les yeux et l'avaient jetée sur le plancher, où elle s'était durement cogné la tête.

Elle avait senti son agresseur agripper la bandoulière de son sac à main et la faire passer par-dessus sa tête. Puis la camionnette avait démarré sur les chapeaux de roues. Hope avait tendu les bras à l'aveuglette pour ne pas être ballottée d'une paroi à l'autre. Elle avait la nausée et se retenait pour ne pas éclater en sanglots tant sa terreur était grande.

Pourtant, elle réussit à rester silencieuse et s'efforça d'écouter ce que les hommes disaient à l'avant. En vain, car ils parlaient une langue qu'elle ne comprenait pas.

Elle entendit un bruit de fermeture Eclair et sentit une

bouffée de vent quand une vitre fut ouverte. L'un des hommes dit quelque chose, l'autre rit, puis la vitre se referma.

Avaient-ils jeté quelque chose par la fenêtre ? Son sac ? Autre chose ?

Elle ne pensait pas que son enlèvement était fortuit. La camionnette attendait au coin de la rue. L'homme l'avait agrippée et fourrée dans le véhicule en quelques secondes. Il l'attendait.

Elle tenta de se remémorer les événements de la soirée. En arrivant à la station-service, elle avait demandé après une femme répondant à la description que lui avait faite Sasha. Le caissier lui avait dit qu'elle était aux toilettes.

Sasha avait la quarantaine et des cheveux bruns courts.

Hope n'avait prévu de travailler ce soir-là. Elle n'était sortie que parce que Sasha le lui avait demandé.

Elle eut envie de vomir. Son amie l'avait-elle trahie ?

Que voulaient ces hommes ? Une rançon ? Ses parents la paieraient, elle en était certaine.

Oh, Seigneur ! Mack… Il allait être fou d'inquiétude.

Et leur bébé. *Oh ! je vous en prie*, songea-t-elle avec désespoir, *faites qu'il n'arrive rien à notre bébé.*

Mack et Brody attrapèrent un taxi aux abords de la Maison-Blanche. Dans la voiture, Mack appela le pilote pour lui demander de se tenir prêt à décoller, car Brody et lui seraient là dans quinze minutes.

Ce fut le plus long quart d'heure de sa vie. Il essaya encore deux fois le numéro de Hope et ne prit pas la peine de laisser un message.

L'appel suivant fut pour le chef Anderson. Quand le policier répondit, il paraissait ensommeillé.

— Oui ?

— Mack McCann. Je n'arrivais pas à joindre Hope et j'ai fait localiser son portable. Il est dans une sorte de terrain vague sur la route 52. Elle a des ennuis. Je voudrais que vous envoyiez un agent chez elle, pour voir s'il y a quelqu'un.

— Mais, mais…, bégaya l'homme.

Puis il soupira.

— Je vais y aller moi-même. J'habite à proximité de chez les Minnow.

Le taxi s'arrêta et Mack lança de l'argent au chauffeur, après quoi Brody et lui se mirent à courir. Ils embarquèrent dans l'avion, le pilote effectua les manœuvres de décollage et ils furent dans les airs en moins de trois minutes.

— Ça va aller, lui dit Brody.

Mack opina.

— Il le faut.

Rien n'était plus important que cela.

Hope essayait d'évaluer la distance parcourue en comptant les secondes dans sa tête. Elle en était arrivée à douze minutes et quelques quand la camionnette s'arrêta soudain. Elle entendit les portières s'ouvrir.

Elle n'était pas certaine de la vitesse à laquelle ils avaient roulé, mais ils avaient dû respecter la limitation à 90 km/h, pour ne pas attirer l'attention. Ce qui signifiait qu'ils se trouvaient approximativement à vingt kilomètres de la station-service où elle avait été enlevée.

Cela ne lui disait pas grand-chose, mais c'était déjà ça. Elle tendit l'oreille pour écouter les bruits environnants. Etait-ce un train au loin ? Il existait quelques voies de chemin de fer pour les marchandises et les passagers, au nord de Weatherbie.

— Allons-y.

Une main agrippa le haut de son bras et l'entraîna. Les yeux toujours bandés, elle manqua un pas et tomba.

De l'herbe. De hautes herbes.

La main la tira de nouveau. Ils marchèrent pendant une minute, puis une porte s'ouvrit. Elle sentit le changement de température quand ils pénétrèrent dans un bâtiment étouffant. Se posant sur son épaule, la grosse main la poussa sur une chaise.

Enfin, quelqu'un lui retira son bandeau et elle put voir ses ravisseurs.

Ils lui étaient totalement inconnus. Deux hommes aux cheveux noirs et au teint olivâtre. Sans doute âgés d'une petite quarantaine d'années. L'un portait un jean et un T-shirt blanc. L'autre avait un pantalon kaki et une chemise à manches longues.

Mais le plus important était que tous deux avaient des armes à la main. Difficile de se concentrer sur autre chose. Elle se força à reposer les yeux sur leurs visages.

L'homme au pantalon kaki avait quelque chose de familier : son visage rond, son front large…

Soudain, elle se souvint. Les photos dans la voiture de Sasha. Son partenaire au mariage de sa cousine. Aucun doute, c'était lui.

Une preuve de plus que Sasha était impliquée dans son enlèvement.

Elle déglutit, craignant de se mettre à vomir. Comment son amie avait-elle pu en venir là ?

Elle détourna les yeux pour éviter que l'homme ne remarque la lueur qui s'était allumée dans son regard quand elle l'avait reconnu. Elle jeta un coup d'œil autour d'elle. Le bâtiment avait des parois en métal et un sol en ciment. Un vieux tracteur et un râtelier étaient rangés à un bout. A l'endroit où ils l'avaient fait asseoir se trouvait une table de jardin bon marché avec quatre chaises. Il y avait aussi un petit réfrigérateur, comme celui qu'elle avait à l'université, et une rallonge électrique qui courait jusqu'au mur.

— Qui êtes-vous ? demanda-t-elle.

Aucun d'eux ne répondit. L'homme en jean ouvrit le réfrigérateur et y prit une bière. Il la lança à son comparse et prit une deuxième bouteille pour lui-même.

— Que voulez-vous ? reprit-elle.

— Ta gueule, lança Jean, cette fois en anglais.

En entendant sa voix, elle comprit que c'était lui qui avait parlé dans la camionnette. Kaki devait conduire. Cela voulait dire qu'il avait sans doute les clés dans sa poche.

A la première occasion, elle s'en emparerait et filerait. Mais quand Jean posa soudain sa bière pour décrocher un rouleau de corde suspendu au mur, elle comprit que ses chances de succès s'amenuisaient.

22

Mack et Brody atterrirent sur le petit aérodrome privé de Weatherbie, à exactement 20 heures. Deux minutes plus tard, ils roulaient en direction de la maison Minnow. Mack reçut l'appel qu'il attendait.

— Je suis chez les Minnow, dit le chef de la police. Mavis est rentrée il y a vingt minutes. Il n'y a aucune trace de Hope. Sa voiture n'est pas là. Son sac non plus. Aucun signe de lutte. Mavis dit que l'alarme était branchée quand elle est rentrée.

— Pas de note ? Aucune explication ?

— Non. Je lui ai demandé et j'ai vérifié moi-même. Je n'ai rien trouvé.

Il était inutile d'aller là-bas. Il entra l'adresse donnée par Pam Brogan dans le GPS. Puis il la répéta à Anderson et ajouta :

— J'y vais. Rejoignez-nous là-bas.

Il y avait peu de circulation et il leur fallut huit minutes pour arriver. C'était dans les faubourgs de Weatherbie, là où la campagne reprenait ses droits. Il y avait un McDonald's à un carrefour, une station-service au suivant, une église avec un grand parking au troisième et le dernier ouvrait sur un champ vide avec un panneau « à vendre ».

— Ça doit être ça, dit Brody.

Mack acquiesça et se gara.

Ils sortirent et s'immobilisèrent au bord du talus herbeux. Ce serait comme de chercher une aiguille dans un tas de foin. A moins d'un coup de chance. Mack composa le numéro de Hope et écouta. Rien. Ils se séparèrent, chacun d'eux refaisant régulièrement le numéro en espérant entendre la sonnerie. La nuit était en train de tomber.

Il se passa dix minutes avant que Brody ne lance :

— Je l'ai !

Mack courut vers son ami. L'appareil était là, gisant dans l'herbe. Comme si quelqu'un l'avait jeté depuis la route.

Dans ce secteur, les herbes n'étaient ni couchées ni piétinées. Il était certain que ni Hope ni son ravisseur n'étaient venus dans ce champ.

Du coin de l'œil, il vit clignoter des lumières bleues et il comprit qu'Anderson était arrivé. Il y avait deux voitures de patrouille avec lui.

Le policier et deux agents pénétrèrent dans le champ. Mack les salua d'un signe de tête.

— Voici mon ami, Brody Donovan.

Puis il désigna le téléphone de Hope.

— Je suis sûr que c'est le sien, mais je ne l'ai pas touché. Je n'ai pas de gants.

Le chef hocha la tête et un agent ramassa l'appareil avant de presser une touche. Il montra l'écran à Mack. Hope n'avait pas passé d'appels de la journée. Les seuls enregistrés étaient ceux qu'il avait passés depuis Washington et la trentaine que Brody et lui avaient faits au cours des dernières minutes.

— Regardez les textos, dit-il.

Il y avait son texto de Washington, rien d'autre.

Il se tourna vers Anderson.

— Hope est passée par ici. Je ne sais pas pourquoi, mais elle était là. Il faut interroger tout le monde dans le quartier. Je pense que l'option la moins probable est l'église. Il n'y a aucune voiture dans le parking et, en toute franchise, si elle a roulé jusqu'ici, je ne pense pas que c'était pour visiter une église vide. Mais elle aurait pu avoir besoin d'essence ou d'un en-cas, bien que je ne l'aie jamais vue dans un fast-food.

Anderson fit un geste à un des agents.

— Toi, va voir l'église.

Puis il se tourna vers l'autre.

— Va au McDonald's avec Brody. Mack et moi allons à la station-service. Branchez vos radios sur le canal deux pour communiquer discrètement.

— Attendez, intervint Mack.

Il prit son portable dans la poche de sa chemise, fit défiler les photos et en trouva une de Hope.

— Voici sa photo, dit-il en tenant son appareil de manière à ce que les hommes puissent bien voir.

Puis il regarda son ami.

— Je te la transfère pour que tu puisses la montrer aux gens.

— Pigé, lança Brody. On va la retrouver.

Mack ne répondit pas. Il avait l'horrible sensation que le temps n'était pas leur allié.

Quand Anderson et lui pénétrèrent dans la station-service, il y avait un employé et trois personnes à la caisse. Le policier écarta les clients en exhibant son badge et ils furent soudain en tête de la queue. Dans l'intervalle, Mack avait vérifié qu'il n'y avait personne dans les rayons.

— Bonne chance, souhaita le caissier à un client qui venait d'acheter un billet de loterie.

C'étaient eux qui avaient besoin de chance. Le policier s'avança et montra de nouveau son badge.

— Anderson, chef de la police de Weatherbie. Nous recherchons cette femme.

Il fit signe à Mack de montrer son portable à l'employé, qui examina la photo.

— Elle est jolie. Elle a fait quelque chose de mal ?

— Elle… a disparu, répondit Anderson.

Mack détesta le son de ce mot. *Disparu.*

— Vous l'avez vue ?

— Je viens juste de commencer, il y a une demi-heure. C'est Hank qui était à la caisse avant, mais il est rentré chez lui.

Bon sang.

— Vous avez une caméra de sécurité ? interrogea Mack.

L'homme fronça les sourcils.

— Bien sûr.

— Nous avons besoin de voir les bandes de ce soir, dit Mack.

— Il va falloir demander à Tammy, la gérante.

Mack approcha son visage de celui de l'homme.

— Allez chercher Tammy. Tout de suite.

Jean lui avait mis les mains derrière le dos, l'avait traînée vers un poteau de bois et l'avait attachée. Puis Kaki et lui avaient quitté le bâtiment.

Les épaules lui brûlaient et la tête lui faisait mal là où elle s'était cognée, mais le pire, c'était la douleur morale.

Quand elle était arrivée à Gloria's Path, Sasha avait été sa confidente. Grâce à elle, elle avait trouvé le courage de quitter Wills et de s'engager dans le bénévolat. C'était son amie.

Du moins l'avait-elle cru jusque-là.

Elle s'était imaginé qu'elle ne pourrait jamais endurer une trahison plus cruelle que celle de son père. Mais ceci était encore bien pire. Son père était motivé par son appétit de célébrité et d'argent. Même si elle détestait cela, elle pouvait le comprendre.

Mais quelle était la motivation de Sasha ?

Peu importait finalement, comprit-elle. Ce qui comptait, c'était de rester en vie. A n'importe quel prix, quoi qu'elle doive supporter.

Elle se le devait à elle-même, à Mack, et, plus que tout, à l'enfant qu'elle portait. Mack allait revenir, il verrait la note sur le calendrier et il comprendrait ce qui s'était passé. Il allait la retrouver. Et elle serait en vie quand il y parviendrait.

Tammy Burden ne mesurait pas plus d'un mètre cinquante mais avait l'allure de quelqu'un qui ne s'en laisse pas conter. Le chef Anderson se présenta et lui présenta Mack avant de lui expliquer rapidement la situation.

Tammy les dévisagea.

— Hope Minnow était ma partenaire de tennis au lycée. Oh mon Dieu, vous êtes le bel étranger sur lequel Jane a twitté !

Mack hocha la tête.

— Jane n'a jamais eu le moindre bon sens, commenta Tammy. Venez, allons voir.

La qualité des vidéos de sécurité n'était pas fameuse, mais elle était meilleure que certaines bandes que Mack avait vues. De plus, il ne s'agissait pas de repérer quelqu'un dans une foule. Il cherchait la femme qu'il aimait et il la trouva assez facilement.

— La voilà, annonça-t-il en vérifiant l'heure sur la bande.

18 h 14. Presque deux heures auparavant.

— Elle parle au caissier.

Il s'efforça de lire sur ses lèvres. « Retrouver une femme », comprit-il. Le caissier pointait le doigt. Que lui montrait-il, bon sang ?

Tammy avait déjà pris le téléphone. Elle composa un numéro et se mit à parler.

— Hank, c'est Tammy. Désolée de vous déranger, mais j'ai une question à vous poser. Environ une demi-heure avant la fin de votre journée, une femme blonde est entrée. Elle vous a parlé, peut-être pour vous dire qu'elle avait rendez-vous avec une femme, et vous avez désigné quelque chose à l'extérieur. Vous vous en souvenez ?

Mack avait envie de lui arracher le téléphone des mains, mais Tammy semblait bien se débrouiller jusque-là. Il préférait ne pas intervenir. Il regarda Anderson et eut l'impression que le policier pensait la même chose.

— Bon, merci, dit Tammy avant de raccrocher. Il se souvient bien de Hope. Elle est entrée, a regardé autour d'elle, puis lui a demandé s'il y avait une femme d'une quarantaine d'années aux cheveux bruns et courts dans le magasin. Il lui a dit qu'il venait de donner la clé des toilettes à une femme qui correspondait à cette description. Selon lui, elle est sortie pour aller la chercher. Mais il n'était pas content, car personne n'a rapporté la clé. A la fin de sa journée, il est allé voir et a trouvé la clé sur le sol des toilettes. Il l'a remise à sa place.

Elle désigna une clé munie d'une tige métallique rouge en guise de porte-clés. Elle pendait au mur derrière la tête du caissier.

— N'y touchez pas. Ne la donnez à personne et condamnez l'entrée des toilettes, ordonna le chef Anderson.

Il se mit à parler dans la radio accrochée à son revers.

— Rassemblement à Smart Gas. Je répète, rassemblement à Smart Gas.

Il regarda Mack.

— Je vais demander à mes agents de traiter la scène.

— Y a-t-il une caméra de sécurité dans les toilettes ? questionna Mack.

— Non, pas de ce côté-ci du bâtiment, je suis désolée.

— Et aux pompes ? insista-t-il.

— Bien sûr. Vous pensez qu'elle a pris du carburant ?

Il en doutait. Il existait deux possibilités : soit la femme brune était également en danger, soit elle avait fait office d'appât et quelqu'un avait accosté Hope sur le chemin des toilettes. Ensuite on l'avait emmenée en voiture. Il restait une chance d'obtenir une description du véhicule.

— Je voudrais voir les bandes de 6 heures à 6 h 20.

Tammy tapa calmement quelque chose sur son ordinateur, et une image des trois pompes à essence s'afficha à l'écran. Les voitures s'arrêtaient des deux côtés. Il n'y avait rien d'inhabituel. Mais Mack vit soudain une camionnette bleue contourner les pompes sans s'arrêter. Le conducteur, un homme d'âge moyen, portait une casquette de base-ball tirée bas sur le front.

Il sortit de l'écran.

— Où est-il allé ? s'exclama Mack. Où est-il allé ?

— Il s'est peut-être arrêté pour faire demi-tour, dit Tammy. Cela arrive tout le temps. Des gens qui cherchent une adresse et qui se rendent soudain compte qu'ils ont dépassé les limites de la ville.

Il était impossible de le savoir car la caméra ne couvrait pas l'entrée de la station.

— Revenez à l'autre caméra, demanda Mack. Pour voir s'il est entré dans la boutique.

Tammy s'exécuta et ils examinèrent les images. Aucun homme avec une casquette n'était entré. Aucun homme du tout, d'ailleurs.

Mack croisa le regard du chef de la police et celui-ci opina. S'adressant à sa radio, il demanda qu'on recherche une camionnette bleue dont le pare-chocs arrière droit était cabossé.

— Voilà. L'information va être relayée dans tout l'Etat, dit-il à Mack après avoir fini.

Tammy contemplait les deux hommes.

— Je suis désolée, déclara-t-elle. J'aimerais pouvoir vous en dire plus, mais il n'arrive jamais rien à Weatherbie.

Mack, lui, savait que des malheurs se produisaient partout. Parfois, c'était une question de hasard, mais pas cette fois. Hope était venue chercher quelqu'un. Mais qui ? Et qui l'avait attirée dans ce piège ? S'il pouvait découvrir cela, il la retrouverait.

— Je pense que nous avons fait tout ce qu'il était possible de faire, déclara le chef de la police. Je suggère que vous rentriez chez les Minnow. Avec un peu de chance, vous allez recevoir une demande de rançon. Je vais appeler le FBI pour demander une assistance.

Mack regarda sa montre. Les Minnow devaient atterrir à l'aéroport JFK de New York dans moins de deux heures. Il serait impossible de dissimuler la disparition Hope Minnow, et il ne pouvait pas les laisser apprendre la nouvelle par quelqu'un d'autre.

Hope avait été placée sous sa responsabilité et il avait échoué à la protéger.

La seule chose pire que cela, c'était la possibilité qu'il l'ait perdue pour toujours.

23

Même si Hope ignorait depuis combien de temps elle était seule, cela lui semblait une éternité. Elle était fatiguée d'être debout, sa gorge lui faisait mal à force de crier à l'aide, elle avait très mal au dos et aux épaules à cause de ses liens et pour ne rien arranger, elle avait un besoin pressant de faire pipi.

Mais c'était le sentiment d'isolement, de solitude totale, qui était le plus difficile à supporter. Et si personne ne revenait ? Ceux qui l'avaient enlevée allaient-ils la laisser mourir là ? Combien de temps cela pouvait-il prendre ? Quelques jours, une semaine, avant qu'elle ne meure de faim et de déshydratation ? Quelle horreur.

Quand la porte s'ouvrit enfin, elle se sentit presque soulagée de voir ses ravisseurs. Ils la regardèrent comme si elle n'existait pas vraiment. Kaki avait les ongles rongés jusqu'au sang et il avait changé de chemise. Celle-ci n'était plus rayée blanche et grise comme la précédente mais bleue. Ses cheveux aussi avaient l'air plus propres.

S'était-il douché et changé ? Le fait qu'il puisse avoir fait quelque chose d'aussi anodin pendant qu'elle était retenue captive ici lui noua l'estomac. Etait-il allé chez Sasha ?

Elle croisa son regard.

— J'ai besoin d'aller aux toilettes.

L'homme parut hésiter. Puis il s'approcha d'elle et la détacha. Elle s'étira en priant pour ne pas s'évanouir de douleur. L'homme lui saisit l'avant-bras d'une poigne de fer.

— Pas de coups fourrés, lui dit-il.

Il la conduisit jusqu'à la porte par laquelle Jean et lui étaient entrés et poussa Hope devant lui. La pièce ressemblait à un petit bureau. Il y avait une télévision fixée au mur, sur laquelle était diffusé un match de football. Des restes de fast-food traînaient sur le bureau. L'estomac de Hope gargouilla bruyamment.

L'homme n'y prêta aucune attention et lui désigna la salle de bains.

— Si tu n'es pas sortie dans une minute, je viens te chercher.

La petite salle d'eau ne contenait que des toilettes et un lavabo. Si Kaki s'était douché, il l'avait fait ailleurs. Peut-être quand il était allé chercher leur repas. Elle n'avait pas entendu la camionnette circuler, mais elle était persuadée que l'un d'entre eux s'était absenté.

Cela allait-il se reproduire ? Il serait plus facile de lutter contre un seul homme. Elle y mettrait toute son énergie, utiliserait ses dents, ferait tout ce qu'elle pourrait.

Hope utilisa les toilettes et essaya de trouver quelque chose qui pourrait éventuellement lui servir d'arme. Mais il n'y avait rien. Ni bombe de laque ni rasoir. Juste une savonnette et du papier toilette.

Elle tira la chasse d'eau, se lava les mains et rouvrit la porte. Kaki regardait la télévision.

— Que voulez-vous ? lança-t-elle. Il n'est peut-être pas trop tard pour faire marche arrière.

Il se contenta de la regarder.

— Allons-y, dit-il.

— Puis-je avoir quelque chose à boire ? demanda-t-elle en s'efforçant de paraître docile.

Il ne répondit pas et la reconduisit dans la grande pièce. Au passage, il s'empara d'une bouteille d'eau dans le réfrigérateur et la lui tendit. Il la regarda l'ouvrir et boire à grandes gorgées.

Elle entendit son portable sonner et le vit prendre l'appareil dans la poche de son pantalon. Il jeta un coup d'œil à l'écran et s'adressa à Jean.

— C'est bon, dit-il. Il n'y en a plus pour longtemps.

Son complice hocha plusieurs fois la tête, comme s'il était nerveux.

Qu'est-ce qui était bon ?

Kaki lui reprit des mains la bouteille d'eau à moitié vide.

— Ça suffit.

Puis il la ramena au poteau et l'attacha.

Mack utilisa ses relations pour franchir rapidement la sécurité de l'aéroport et attendre à la porte de débarquement. Là, il se mit à faire les cent pas en attendant l'atterrissage de l'avion.

Il avait appelé Mavis de la voiture. Elle était calme, bien plus calme que lui. Il l'avait prévenue de l'arrivée imminente de la police et du FBI.

— Je les attends, avait-elle dit simplement.

Bing apparut en premier. Puis Patsy Minnow et Archie derrière elle. Ils avaient tous l'air exténués.

— Mack ? lança Bing d'un ton inquiet.

Personne ne venait plus jamais chercher les passagers à la porte de débarquement. Mack sentit sa gorge se nouer d'émotion et secoua la tête.

— Je suis désolé, commença-t-il en se tournant vers Archie et Patsy. Hope a disparu il y a environ six heures. La police locale et le FBI ont été alertés. Jusqu'ici, nous n'avons pas eu de demande de rançon.

Patsy laissa échapper un cri semblable à celui d'un chiot. Le visage d'Archie perdit toute couleur. Bing, quant à lui, le fixa de son regard noir.

— Mais je croyais qu'on avait arrêté ce fou furieux ! s'exclama Patsy.

Elle était perplexe.

— C'est quelqu'un d'autre, dit Mack.

Il aurait voulu leur promettre qu'il allait tout résoudre et leur ramener Hope, mais il n'avait rien, absolument rien. Aucun indice, aucune piste.

— Mavis est à la maison. Je crois qu'elle est impatiente de vous retrouver.

Alors qu'ils quittaient l'aéroport, le téléphone de Mack sonna. Il le tira précipitamment de sa poche. *Brody.*

— On en sait plus ? demanda-t-il.

— On a eu un appel, lui dit son ami. Ils demandent une rançon. Cinq millions de dollars d'ici demain midi.

— Vous avez eu une preuve qu'elle est encore en vie ?

— Oui. Apparemment, elle va bien. Ils lui ont ordonné de parler et elle a dit : « Dites à Mack que j'adore les donuts du Nord. »

Les donuts du nord ? Bon sang, mais de quoi parlait-elle ?

— Tu es sûr que c'est ce qu'elle a dit ?

— Je l'ai entendu de mes propres oreilles. Nous avions mis le haut-parleur.

Nord comme dans le nom d'une marque ? Donuts ? Il ne lui avait jamais acheté de donuts et ils n'en avaient jamais parlé non plus.

Mais si ! Elle lui avait raconté l'histoire d'un vieux monsieur qui s'était enfui nu de la maison de retraite pour acheter des donuts à sa petite copine.

Elle était détenue dans une maison de retraite, dénommée Nord ?

Non, cela n'avait aucun sens. Près d'une maison de retraite ? Au nord de la ville ? Peut-être.

Détenue par quelqu'un d'âgé ?

Détenue par quelqu'un qui travaillait dans une maison de retraite ? Par celle qui lui avait raconté cette histoire ?

Sasha.

Il s'écarta du groupe.

— Brody, je voudrais que tu fasses quelque chose pour moi, mais n'en parle à personne.

Il ne savait plus à qui il pouvait faire confiance.

— Je crois que la femme avec qui Hope travaillait à Gloria's Path est dans le coup. Son prénom est Sasha. Je ne connais pas son nom de famille ni son adresse, mais je parie qu'on peut les demander à quelqu'un au refuge.

— Je m'en occupe, dit Brody.

Ils sortirent de l'aéroport. Le trajet de retour jusque chez les Minnow fut silencieux, tout le monde était perdu dans ses pensées.

Le révérend Minnow brisa le silence une seule fois pour annoncer qu'il avait l'intention de payer. Il irait à la banque dès le lendemain matin.

Mack lui fut reconnaissant de ne pas se dérober. Il aurait pu lui-même fournir une part importante de la somme, mais il lui aurait fallu plusieurs jours pour rassembler le reste. Et le temps était compté.

Néanmoins, il savait que la chance n'était pas de leur côté. Les affaires de kidnapping se terminaient rarement bien, même quand on payait la rançon. Les ravisseurs perdaient souvent leur sang-froid et finissaient par tuer la victime, parfois avant d'avoir reçu l'argent, parfois juste après.

Mais pour le moment, Hope était encore vivante. Du moins l'était-elle un quart d'heure plus tôt.

Ils s'engagèrent dans l'allée de la maison et s'arrêtèrent derrière les voitures de police. Quand ils pénétrèrent dans la maison, une douzaine d'agents et d'officiers en tenue levèrent la tête. Mavis avait fait du café et il y avait un grand plat de cookies sur le comptoir.

On aurait pu se croire à une fête, si les visages n'avaient pas tous reflété à quel point la situation était dramatique.

— La presse locale est venue, lui dit le chef Anderson en le prenant à part. Personne n'a parlé de la demande de rançon, bien sûr, mais je pense tout de même que l'affaire va faire grand bruit, surtout après ce qui est arrivé à Hope la semaine dernière.

Les feux de la rampe. C'était ce que Hope détestait le plus. Quelques jours auparavant, elle était convaincue que les menaces dirigées contre elle n'étaient qu'un stratagème pour renforcer la popularité de son père. Etait-il possible qu'elle ait eu raison ? Son père était-il tellement avide de notoriété qu'il avait organisé tout cela ?

Mack s'approcha du révérend Minnow. L'homme semblait

avoir vieilli de dix ans depuis qu'il était descendu de l'avion, mais rien ne pouvait freiner Mack à ce stade.

— Puis-je vous dire un mot en privé ? demanda-t-il.

— Bien sûr, dit Archie Minnow.

Il le conduisit à la bibliothèque et referma les portes vitrées. Mack ne perdit pas de temps.

— Je sais que votre fille et vous entretenez des relations compliquées. Je sais aussi que William Baylor l'a frappée, et que, pour une raison incompréhensible, vous avez continué à employer cet homme.

Archie pinça les lèvres, mais ne dit rien.

— Au début, Hope ne croyait pas aux menaces car elle pensait que c'était un coup de pub destiné à promouvoir la vente de votre nouveau livre. Mais les menaces étaient réelles, et Wayne Smother était réel. Nous pensions que c'était fini, et voilà ce qui vient de se passer. Je ne vous le demanderai qu'une fois. Etes-vous responsable de cette situation, d'une manière ou d'une autre ?

Il s'attendait à ce que l'homme se fâche, mais Archie Minnow se contenta de secouer la tête.

— J'ai commis une erreur avec William. Il était comme un fils pour moi, longtemps avant qu'il n'épouse Hope. Je l'aimais. Et je savais que je ne serais jamais arrivé à autant de succès sans son aide. C'est un homme brillant. Il a un bon instinct et me conseillait judicieusement sur ce que je devais faire. Quand ils ont commencé à avoir des problèmes, Hope et lui, j'ai eu peur. J'ai pensé que j'échouerais si William ne faisait plus partie de mon équipe. Alors que j'avais travaillé toute ma vie pour en arriver là.

Mack avait terriblement envie de lui envoyer son poing dans la figure, mais il ne dit rien.

— J'ai été surpris quand Hope m'a raconté ce qui s'était passé. Et j'ai vu ses blessures, qui étaient graves. J'en ai parlé à William qui m'a donné une version tout à fait différente. Je n'étais pas là, me suis-je dit, qui devais-je croire ? Ce que je savais par contre avec certitude, c'est que si cette histoire éclatait au grand jour, cela ferait du tort à l'Eglise. Tout le monde savait que William était mon bras droit, mon successeur désigné, en fait.

— Hope pense que vous avez choisi de prendre le parti de William plutôt que le sien.

— Je sais. Mais elle a tort, continua Minnow d'une voix chargée d'émotion. J'ai fait bien pire. Et je l'ai longtemps regretté. Je ne m'attends pas à ce qu'elle me pardonne. Vous voyez, c'est moi que j'ai choisi plutôt qu'elle. Ce n'est pas ce qu'un père est censé faire. Les parents font passer les besoins de leurs enfants avant les leurs. Ce n'est pas ce que j'ai fait et je n'en suis pas fier. En fin de compte, je serai jugé par Dieu, et je ne peux qu'implorer Son pardon. J'ai dit la vérité à Patsy. Je l'ai fait après que vous nous avez appelés à Paris. Nous avons failli perdre Hope. J'ai compris que je devais enfin être honnête avec sa mère.

— Et comment a-t-elle réagi ?

— Elle était bouleversée, bien sûr, mais je pense qu'elle a compris. Elle a toujours été consciente de l'importance que l'Eglise a pour moi. Et c'est important pour elle aussi.

Archie s'éclaircit la gorge et jeta un coup d'œil aux portes, comme pour s'assurer qu'elles étaient bien fermées.

— Il y a quelque chose que vous devez savoir. Les menaces que nous avons reçues, ces deux lettres, c'est Patsy qui en a parlé à Byron Ferguson. Et qui lui a dit que Hope avait un garde du corps. C'est comme ça qu'il l'a su.

Mack s'attendait à tout sauf à ça.

— Mais pourquoi ?

— J'ai déjà reçu des lettres étranges de paroissiens. Certains sont de fervents croyants. Bien que ces lettres aient été différentes, Patsy m'a dit qu'elle ne pensait pas que Hope soit véritablement en danger, surtout avec vous à ses côtés. Elle pensait que ces informations seraient utiles pour la vente de mes livres. Elle l'a fait pour moi.

Mack sentit qu'il allait exploser.

— Maintenant, écoutez-moi bien. J'aime votre fille et elle m'aime.

Il prit une profonde inspiration.

— Et je vais l'épouser.

Archie Minnow le dévisagea en silence. Puis il reprit la parole.

— Vous ne le croirez peut-être pas, mais je suis vraiment croyant. Je prie pour Hope, je prie pour nous tous.

— Je vais la retrouver, affirma Mack. Même si je dois y laisser ma vie.

Mack retourna dans la cuisine. A présent que la demande de rançon était arrivée, tout le monde était dans l'expectative. Les agents discutaient à voix basse, en petits groupes. Quelqu'un avait commandé des pizzas, et une odeur appétissante s'échappait de la pièce.

Mavis se tenait au bout du comptoir. Elle portait le même chemisier que le matin où elle était partie. Le matin où elle ne voulait pas laisser Hope et Mack seuls. Où elle avait examiné le calendrier avec eux.

Mack regarda le réfrigérateur.

Le calendrier affichait la date du lendemain.

Quelque chose clochait. C'est Mavis qui se chargeait d'enlever le feuillet tous les matins, il l'avait vue faire. Bien sûr, il était possible que quelqu'un d'autre l'ait fait. Mais dans quel but ? C'était très improbable. Tenir à jour le calendrier faisait partie des prérogatives de Mavis.

Si elle avait retiré le feuillet du jour par inattention, alors elle l'avait sans doute jeté à la poubelle. Les vieilles habitudes ont la vie dure.

D'un air dégagé, Mack prit une serviette en papier dans le distributeur et cracha dedans le chewing-gum qu'il avait dans la bouche. Il la froissa en boule, s'approcha de l'évier et ouvrit le placard qui se trouvait en dessous. Il jeta la serviette en papier.

Dans une poubelle complètement vide.

Il se souvenait distinctement y avoir jeté le filtre à café le matin même. Quelqu'un avait pris la peine de la vider et de la sortir. Au beau milieu de cette agitation ?

Il referma le placard et se servit un verre d'eau. Debout près de l'évier, il le but. Personne ne faisait attention à lui. Mavis était dans le salon, assise près de la mère de Hope, lui parlant doucement.

Mack sortit sous la véranda. La nuit était tiède, et il s'immobilisa pour contempler un instant la piscine. Si quelqu'un l'observait, il penserait qu'il était perdu dans ses pensées.

Un instant plus tard, il faisait le tour de la maison et se dirigeait vers les poubelles alignées le long du garage. Il souleva le couvercle et sortit le sac du dessus. Il l'ouvrit et en examina le contenu à la lueur de sa lampe de poche.

Parmi le marc de café, les restes de spaghettis et les journaux, il trouva ce qu'il cherchait. Il déplia la feuille de papier et la lissa.

« Je suis allée chercher de la maïzena, je reviens tout de suite. »

C'était l'écriture de Mavis.

« Je suis sortie pour conduire une femme au refuge. Mange sans moi, je grignoterai en rentrant. »

La réponse de Hope.

Mavis avait délibérément caché cette information. Pourquoi ?

La seule explication possible était qu'elle trempait là-dedans jusqu'au cou.

24

Mack prit son téléphone et appela Brody.

— Où es-tu ?

— Je viens de quitter Gloria's Path. La femme s'appelle Sasha Roher, j'ai son adresse.

— Qui te l'a donnée ?

— Personne. L'endroit était désert. Les dégâts de l'incendie n'ont pas encore été nettoyés. Mais ils n'avaient pas enlevé les dossiers. J'ai trouvé un classeur métallique dans lequel il y avait les formulaires de déclarations de tous les employés. Il n'y avait qu'une Sasha. Je suis en train de me rendre chez elle.

— Passe me prendre, dit Mack. Je t'attends au bout de l'allée.

Il n'avait pas l'intention de prévenir quiconque qu'il partait.

Quelques minutes plus tard, Brody arrêta la voiture à l'endroit convenu. Il laissa le volant à Mack, et son ami lui parla du feuillet dans la poubelle.

Brody siffla entre ses dents.

Mack entra l'adresse de Sasha dans le GPS et se hâta de démarrer. Ils arrivèrent à destination en moins de dix minutes. C'était une petite maison de bois qui ne devait pas abriter plus de trois pièces. Une allée étroite menait au garage et débouchait ensuite dans la ruelle de derrière. La porte du garage était baissée, mais il y avait de la lumière à l'arrière de la maison.

— Passe par-derrière, dit Mack. J'entre par-devant.

Il gravit les marches du perron, ouvrit la moustiquaire et tourna la poignée de la porte. Fermée. Il entendit de la musique, quelque chose de bruyant avec beaucoup de batterie. Enfin un élément positif.

Levant la jambe, il donna un coup de pied dans la porte. Deux de plus et le chambranle se fendit. Il entra. La maison sentait la cannelle. Il jeta un coup d'œil dans la cuisine. Propre et rangée. Même chose pour le petit salon. Il n'y avait aucune trace de lutte. Cela ne le soulagea qu'à moitié.

Dans le couloir, il dépassa la salle de bains et passa la tête à l'angle de la pièce d'où la lumière provenait. Sasha était là, le dos tourné. Elle dansait au rythme de la musique, tout en remplissant une valise posée sur son lit défait. Dans un sac à main ouvert à côté, Mack vit un petit revolver.

Se faufilant derrière elle, il lui pressa son arme sur la tempe et replia le bras autour de son cou.

Elle tenta de se dégager, mais ne put bouger.

— Vous allez quelque part ? murmura-t-il à son oreille.

— Comment êtes-vous entré ? questionna-t-elle d'une voix tremblante.

Bien. Il voulait qu'elle ait peur.

— Je vous donne trois secondes pour me dire où se trouve Hope. Sinon, je vous descends. Un. Deux…

Il prit sa respiration et ouvrit la bouche.

— Comment le saurais-je ? rétorqua la femme en essayant de bomber le torse.

Il saisit sa chance au vol.

— Parce que vous avez choisi une associée qui ne résiste pas aux interrogatoires. Mavis a peut-être l'air solide mais ce n'est qu'une poule mouillée. Elle s'est dégonflée comme une veille baudruche et vous a balancée.

Il la sentit souffler brusquement.

— Merde ! dit-elle.

— La seule chose qui peut vous sortir de là, c'est de me dire où se trouve Hope.

— Je ne sais pas.

Elle mentait. Il prit son portable et appela Brody.

Quand son ami répondit, il parla rapidement.

— Officier Donovan, je veux que vous appeliez l'officier

Ethan Moore. Dites-lui que Mme Roher a résisté à l'arrestation et que j'ai été obligé de l'abattre en position de légitime défense.

Puis il écarta le téléphone de son oreille afin que Sasha puisse entendre la réponse de Brody.

— Bien reçu, dit son ami. J'appelle également le coroner.

Mack lâcha Sasha et la fit pivoter afin de lui faire face. Moins d'un mètre les séparait.

— Adieu, Sasha, articula-t-il en pointant son revolver sur le cœur de la femme.

— Attendez ! cria-t-elle. Ils la retiennent dans un vieux hangar à machines. Sur la route C, au croisement avec la route 126.

C'était au nord de la ville.

— Qui ? interrogea Mack.

— Mon ami et son frère. Mais c'était une idée de Mavis. C'est elle qui a mis au point ce plan insensé. Elle a persuadé mon ami que ça marcherait.

— Comment connaît-elle votre ami ?

— C'est son frère.

Mack rappela Brody.

— Rejoins-moi. Par la porte d'entrée.

Quand son ami pénétra dans la chambre, Mack lui sourit d'un air complice.

— Bien reçu ?

Brody haussa les épaules.

— Je ne regarde pas beaucoup de films policiers.

Mack lui désigna du menton le sac à main toujours posé sur le lit.

— Prends son revolver et vérifie s'il est chargé.

Brody s'y connaissait en armes à feu. Durant leur enfance, ils chassaient dans les montagnes et Brody avait toujours eu la main sûre. Une qualité qui s'était révélée être un véritable atout pour la chirurgie.

— Il est chargé. Six balles.

— Essaie-le, pour être sûr qu'il tire.

Brody ficha une balle dans le chevet du lit.

— Il tire un peu à droite mais je peux corriger ça facilement.

— Je compte sur toi. Mets-la en joue. N'hésite pas à tirer si elle fait quoi que ce soit. Je vais appeler le chef Anderson et il sera là dans quelques minutes.

— Où vas-tu ? questionna Brody.

— Je vais retrouver la femme de ma vie. Quand les flics arriveront, dis-leur qu'ils me trouveront au croisement de la route C et de la 126.

— Tu ne veux pas les attendre ?

— Certainement pas ! lança Mack en quittant la maison.

Il ne voulait surtout pas prendre le risque que la cavalerie prenne d'assaut le hangar et que Hope se retrouve au milieu d'une avalanche de tirs croisés. Il allait faire ça à sa manière, discrètement.

Il conduisit à toute allure et ne mit que sept minutes pour arriver. Il gara la voiture à cinq cents mètres du hangar et courut le reste du trajet. Il n'était même pas essoufflé quand il atteignit l'endroit.

A la vue d'une camionnette bleue à l'extérieur du bâtiment, il sentit les battements de son cœur s'accélérer. Il contourna le hangar et remarqua deux portes. L'une était la porte d'entrée, l'autre, une porte de garage assez large pour laisser passer des machines agricoles.

Il y avait trois fenêtres de chaque côté, trop hautes pour pouvoir les atteindre. Il allait devoir passer par la porte principale. Il fallait qu'il trouve un moyen de faire sortir les ravisseurs sans éveiller leurs soupçons.

Il regarda autour de lui, considérant les possibilités qui s'offraient à lui. La camionnette. Ça pouvait fonctionner. Il y avait un petit espace vert entre l'avant de la camionnette et le bâtiment. Légèrement en pente. C'était peut-être suffisant.

Il ouvrit la portière, espérant que ces imbéciles avaient laissé la clé sur le contact. Mais non.

O.K., plan B. Il ressortit du véhicule, s'allongea sur le dos et se glissa en dessous. A l'aide de sa lampe de poche, il localisa le câble de transmission qui était relié à un levier. Il le débrancha et poussa le levier jusqu'à ce qu'il entende un double déclic. La camionnette avança un peu, lui indiquant qu'il avait réussi à passer la marche avant.

Il sortit en rampant de sous le véhicule et alla s'adosser contre l'arrière de la camionnette. Il la poussa de toutes ses forces, pour qu'elle prenne suffisamment de vitesse. Puis il s'éloigna en courant jusqu'à l'angle du hangar qu'il réussit à atteindre au moment même où le véhicule percuta le mur. Il y eut un énorme fracas.

En plein dans le mille.

La porte s'ouvrit et Mack vit un homme passer la tête au-dehors et regarder à droite et à gauche. Il avait une torche.

— C'est quoi ce bordel ? dit-il, et c'est alors qu'il vit la camionnette.

Il balaya les environs avec sa lampe et sembla rassuré de ne pas découvrir d'autre véhicule. Il sortit, laissant la porte ouverte.

Mack le laissa approcher de la camionnette avant de se faufiler derrière lui et lui asséna un coup sur la tête avec son revolver. L'homme s'effondra sur le sol. Mack le fourra dans le véhicule et se servit d'une corde trouvée dans le coffre pour lui attacher les mains dans le dos. Cela fait, il ressortit en prenant soin de verrouiller les portières.

Il franchit la porte du hangar et pénétra dans le petit bureau. Une télévision était allumée dans un coin et une bière à moitié vide était posée sur le vieux bureau métallique.

Mack poussa la porte qui communiquait avec le hangar lui-même. Celle-ci grinça et il prit son élan, sachant qu'il venait de perdre son effet de surprise.

Malgré cela, il ne fut pas assez rapide. Il vit Hope et le deuxième homme, à l'instant où eux-mêmes l'apercevaient.

L'homme, qui venait de détacher les mains de Hope, l'attrapa par les épaules et se cacha derrière elle, l'utilisant comme bouclier.

Mack sentit son cœur chavirer. Il n'était pas arrivé jusque-là pour la voir mourir.

Mais soudain, il vit Hope entrelacer ses mains, les lever au-dessus de sa tête et frapper l'homme assez fort pour qu'il titube.

Cette diversion arrivait à point nommé.

Le temps que l'homme se reprenne, Mack avait son arme braquée sur sa poitrine.

C'est alors qu'ils entendirent les sirènes approcher.

Trente minutes plus tard, Mack était assis dans l'herbe, adossé au hangar, serrant Hope dans ses bras. L'air frais de la nuit lui faisait du bien.

— Je savais que tu allais arriver, dit-elle.

— Tu as été très maligne, lui dit-il en l'embrassant sur le front.

Elle était vivante.

— Sans ton allusion aux donuts, je n'aurai jamais pu te retrouver.

Après avoir quitté la maison de Sasha, il avait appelé le chef Anderson pour lui faire un bref résumé des événements. Le policier avait accepté de s'occuper de l'arrestation de Mavis et d'envoyer des renforts à Brody. Puis d'un ton ferme, il avait ordonné à Mack de ne plus rien faire et de laisser la police se charger de la suite des événements.

Il avait donc été assez irrité de découvrir que Mack avait ligoté un suspect à l'arrière d'une camionnette et qu'il en tenait un autre en joue. Mais il s'était rapidement détendu et avait passé une partie de la dernière demi-heure à les mettre au courant des derniers événements.

Confrontée, Mavis avait d'abord nié avoir un quelconque rapport avec la disparition de Hope. Mais quand le révérend Minnow l'avait suppliée de leur dire la vérité, elle s'était effondrée. Elle avait avoué avoir entendu la conversation de Patsy avec Byron Ferguson. Elle s'était dit que si quelque chose arrivait à Hope, tout le monde serait au courant. Archie serait alors si en colère contre sa femme qu'il se tournerait peut-être vers elle pour trouver du réconfort.

En conclusion, le policier leur avait fait cette révélation surprenante :

— Elle a reconnu devant une pièce bondée qu'elle était secrètement amoureuse d'Archie Minnow depuis qu'elle et Patsy avaient fait leurs études ensemble.

Mavis en avait parlé à son frère, qui avait commencé à sortir avec Sasha Roher et, ensemble, ils avaient mis au point un plan pour enlever Hope. Les choses étaient censées se dérouler après le retour des Minnow et le départ de Mack. Mais quand Mavis avait appris que ce dernier était parti à Washington, elle avait donné le feu vert.

— Je pensais que Sasha était mon amie, commenta Hope d'un air triste. Et Mavis ? Elle vit chez nous depuis des années.

— Elle était jalouse de ta mère, dit Mack. Et ce depuis toujours. Je crois que ce genre d'émotion finit par abîmer les gens et les pousse à faire des choses insensées.

— J'ai reconnu l'un des hommes. Je l'avais vu sur les photos de Sasha. Et je ne pouvais m'empêcher de penser que son visage avait quelque chose de familier. J'imagine que j'avais dû remarquer sa ressemblance avec Mavis.

— Il a entraîné son frère là-dedans. C'était une affaire de famille. Ils pourront peut-être avoir des cellules voisines en prison.

Il caressa les cheveux de Hope.

— A propos, tu lui as donné un sacré coup dans le hangar.

Elle sourit.

— Je me demande si je devrais appeler Wills pour le remercier.

— Hein ?

— Je me sentais tellement vulnérable après son accès de violence que j'ai pris des cours d'autodéfense pendant six mois. C'était l'un des mouvements que nous a appris le prof. Finalement, même les mauvaises choses finissent par avoir du bon.

— Je ne pense pas que tu rencontreras de nouveau ton ex. Quelque chose me dit qu'il ne va plus travailler très longtemps pour ton père.

— Tu sais quelque chose que j'ignore ?

Il haussa les épaules.

— Je crois qu'il faut que tu parles à tes parents.

— Je vais le faire. J'ai envie de les voir. J'ai… tellement de choses à leur raconter.

— Je serai à tes côtés, lui glissa-t-il.

— Mais tout d'abord, je dois te dire quelque chose, reprit-elle en se tournant vers lui.

— Je t'écoute…

— J'ai le boulot à Brooklyn.

Il sourit.

— C'est une bonne nouvelle, non ?

Il pouvait vivre à Brooklyn. Il pouvait vivre partout tant qu'il était avec elle.

— J'ai refusé.

— Pourquoi ?

— J'ai quelque chose d'autre à te confier.

Il attendit.

— Je suis enceinte.

Mack sentit le sang couler plus vite dans ses veines.

— Comment le sais-tu ?

— J'ai fait un test de grossesse. Deux, en fait. J'attends un bébé, c'est sûr.

A présent, il sentait son cœur gonfler dans sa poitrine. *Enceinte.* Il allait être père.

— Et j'ai encore quelque chose à te dire.

— Je commence à avoir la tête qui tourne, chérie, dit-il.

— Oui.

— Oui quoi ?

— Oui, je veux t'épouser. Je t'aime. Je te fais confiance. Je sais que je ne me trompe pas. Je veux vivre dans le Colorado avec toi. Je veux voir ces maisons dont tu m'as parlé. Je veux que notre enfant grandisse là-bas.

Mack se pencha et l'embrassa tendrement. Puis il se releva et lui tendit la main.

— Et moi, je veux raconter à notre enfant ce jour où je suis tombée amoureux de Hope Minnow, alias Hopeless Fish **Bait**. Une femme si belle, si gentille et si incroyablement courageuse qu'elle a fait de moi le plus heureux des hommes.

AIMÉE THURLO

Témoignage à haut risque

BLACK ROSE

HARLEQUIN

Titre original : UNDERCOVER WARRIOR

Traduction française de PHILIPPE DOUMENG

1

Kyle aimait vivre sur le fil du rasoir. Il arborait son insigne du NCIS avec fierté, se tenait toujours bien droit et appréhendait la vie avec pragmatisme. Il avait tout d'abord servi sa patrie en tant que marine et officiait désormais en qualité d'agent fédéral. L'affaire qui lui avait été confiée le ramenait sur les terres de ces ancêtres.

Il observait son frère, l'inspecteur Preston Bowman du Département de Police de Hartley, qui discutait au téléphone. L'expression de Preston était impassible et dure. Sa conversation terminée, il rangea son portable dans sa poche de chemise.

— Désolé pour cette interruption, Kyle. A présent, raconte-moi. Que se passe-t-il ? Cette fois, je pensais que tu rendrais ton insigne et rentrerais une bonne fois pour toutes au bercail.

Kyle ne cachait rien à son frère, mais de là à lui exposer les détails de sa mission…

— Tu connais la chanson. Prendre une telle décision, cela demande réflexion, surtout lorsque ton avenir est en jeu.

— Donc, tu ne veux pas te confier à moi.

Kyle émit un petit rire.

— Rien ne t'échappe, n'est-ce pas ? J'ai oublié un moment à qui j'avais affaire.

— On a toujours su lire en chacun de nous, rappela Preston. Je comprends que tu es en mission, mais tu es dans ma juridiction. Tu pourrais avoir besoin de mon aide et de l'appui des services de police de Hartley. Nous tenir à l'écart n'est pas une bonne idée.

— J'ai bien saisi le message.

L'avertissement de Preston était on ne peut plus clair. Il n'appréciait pas qu'un agent spécial vienne opérer sous son nez sans être informé de la teneur de sa mission. Cependant, songea Kyle, les ordres étaient les ordres.

— Je ferais mieux de laisser tomber, marmonna Preston.

Aussi changea-t-il de sujet :

— Où as-tu décidé de t'installer ? Tu peux utiliser le ranch de Cooper Canyon, si tu veux. Nous avons presque fini les travaux de rénovation et l'endroit est devenu très accueillant. Il y a aussi cette lettre de Hosteen Silver qui t'attend…

Preston le scrutait, attendant manifestement sa réaction.

— Pour l'instant, il n'est pas question que je la lise, tonna Kyle. Nos frères qui l'ont fait se sont retrouvés mariés dans la foulée. Je vais laisser cette enveloppe à sa place, dans le tiroir du bureau, en attendant le bon moment.

— Espèce de lâche.

— Touché, répondit Kyle en riant.

Preston poussa un profond soupir.

— Hosteen Silver était un très bon *hataalii*, commenta-t-il en employant le mot navajo pour désigner un guérisseur. Il avait, entre autres, le pouvoir de prédire l'avenir.

— Je sais, Preston. Mais parfois, il est préférable de ne pas savoir.

Son frère leva un index professoral.

— N'oublie jamais le dicton : un homme averti en vaut deux.

— Peut-être bien, maugréa Kyle. Mais mon travail, ma vie, se façonnent au jour le jour. Quant à mon avenir… eh bien, il m'attend au tournant et je finirai de toute façon par le croiser.

— Je comprends, acquiesça Preston.

Kyle allait l'en remercier quand son portable se mit à sonner. Il jeta un coup d'œil à l'écran, puis s'adressa à son frère.

— Je dois répondre.

Preston se leva.

— Alors je retourne travailler. Tu sais comment me joindre si tu as besoin.

Comme son frère s'éloignait, Kyle prit la communication.

— Nous avons du nouveau, annonça Martin Hamilton. Rappelle-moi sur un téléphone sécurisé.

La communication fut aussitôt coupée.

Enfilant son blouson de cuir — la rosée du petit matin étant particulièrement fraîche —, Kyle sortit du café et se dirigea vers son véhicule de service, un 4x4 noir aux vitres teintées.

La veille, Kyle était arrivé à Hartley avec trois heures d'avance sur l'homme qu'il filait et avait récupéré sur le parking de l'aéroport le véhicule qui l'attendait. Celui-ci était parfaitement équipé : vitres à l'épreuve des balles, blindage en composite céramique et kevlar, ordinateur central indétectable, téléphone satellite de dernière génération. L'engin devait coûter plus de deux cent mille dollars. Une puce GPS, intégrée au châssis, permettait de le localiser avec une précision de quelques mètres.

Sous le siège conducteur était dissimulé un fusil d'assaut de type M4 équipé d'une visée nocturne et de trois magasins de cinquante projectiles chacun. Le logement prévu pour la roue de secours contenait des gaz lacrymogènes, des grenades fumigènes détonantes ainsi qu'un kit de survie offrant une semaine d'eau potable et de nourriture pour deux personnes. Nul besoin de roue de secours pour ce véhicule dont les pneus étaient increvables et pouvaient résister à des projectiles de calibre 50 mm.

Kyle saisit le téléphone satellite et composa le numéro confidentiel de Martin. Il fut aussitôt accueilli par une charmante voix féminine qui ne lui était pas inconnue.

— Salut Kyle, fit la voix au timbre chaleureux. Déjà en place ?

— Bien vu. Le patron veut me parler.

— Je suis au courant. Je te le passe.

Après un instant, la voix de Martin Hamilton lui parvint distinctement.

— Pas d'activité suspecte, pas de contacts avec d'autres personnes de la part de Hank Leland ?

— Non, répondit Kyle. Ce matin, il s'est rendu à son

bureau, à Secure Construction. Je le surveille de près depuis son arrivée à l'aéroport.

— A moins que tu aies une bonne raison de continuer à le filer discrètement, j'aimerais que tu te présentes officiellement à lui. Il vient de joindre le NCIS pour demander notre aide. Il prétend être victime de chantage de la part d'un groupe de terroristes.

— Intéressant rebondissement. Quels sont les ordres ?

— Vérifie son histoire et ne le lâche plus d'une semelle, ordonna Martin. Tâche de découvrir ce qui se passe réellement et tiens-moi informé. Leland vient de passer trois semaines en Espagne, dans notre base navale, à travailler sur les protocoles de sécurité. La sécurité des Etats-Unis est peut-être en jeu.

— Bien compris.

Kyle démarra le moteur, sortit du parking et prit la route, attentif à tout détail inhabituel. Toutefois, rien de particulier n'attira son attention. Ce n'était qu'une matinée comme les autres à Hartley, Nouveau-Mexique, une petite ville proche de la réserve indienne du célèbre Four Corners.

Cette partie de la ville était dédiée à l'industrie et l'activité principale tournait autour de l'exploitation des gisements de pétrole et de gaz. Le paysage se composait de hangars à perte de vue et, de temps à autre, d'un incontournable fast-food ou d'une station essence.

Secure Construction s'étendait sur une surface de près de quatre hectares, ceinturée par un haut grillage sous haute tension. Ses bâtiments étaient alignés le long de la route pour un maximum de visibilité. Au-delà de l'imposant portail à double battant, un parking précédait les bureaux. Les bâtiments étaient construits dans un matériau composite à base de métal et de céramique qui avait fait la réputation de la prestigieuse société.

Kyle engagea son 4x4 à l'intérieur du périmètre. Deux véhicules stationnaient juste devant les bureaux. L'un était le pick-up Silverado de Hank Leland. A l'aéroport, la veille,

Kyle y avait installé un mouchard. L'autre était un van de couleur gris anthracite.

A cet instant, un homme coiffé d'une casquette de base-ball sortit du bâtiment principal, suivi de Leland. Un autre homme jouxtait Leland tandis qu'un troisième forçait une jeune femme à leur emboîter le pas.

Kyle la reconnut d'après les photos de son dossier. Il s'agissait d'Erin Barrett, la collaboratrice de Leland.

Aussitôt, Kyle envisagea deux options : soit ils venaient d'être arrêtés par les fédéraux, soit ils étaient en fâcheuse posture. D'instinct, Kyle choisit la seconde option.

Il fit décrire un demi-cercle à son 4x4 et se positionna de manière à leur barrer la route.

L'homme le plus proche de lui brandit soudainement un revolver et le braqua vers lui.

— Vous, restez dans votre véhicule !

— Au secours ! cria la jeune femme.

Kyle sauta immédiatement de son 4x4, se saisissant de son arme avant que ses pieds n'aient touché le sol.

Les hommes ouvrirent aussitôt le feu et Kyle se réfugia derrière le capot du moteur tandis que les balles rebondissaient contre le blindage de la portière passager. Il jeta un coup d'œil par-dessus le capot : les trois hommes avaient leurs armes au poing, pointées dans sa direction. Plusieurs projectiles sifflèrent au-dessus de sa tête, le forçant à se dissimuler derrière le capot.

Les ravisseurs longèrent le bâtiment par la droite en se protégeant derrière leurs otages. Ils se déplaçaient trop rapidement pour qu'il puisse ouvrir le feu, alors Kyle roula sous la portière côté conducteur et se glissa à l'intérieur de son véhicule. Rengainant son arme de poing, un 40 mm Glock, il fit sauter l'attache de son fusil d'assaut M4 sous son siège et s'en empara.

Puis il contourna le 4x4 par l'arrière, veillant à rester caché. Il engagea une cartouche dans la chambre et désengagea la sécurité, puis jaillit à découvert. Les ravisseurs, accompagnés des otages, avaient disparu derrière l'immeuble.

Ramassé sur lui-même, Kyle courut se poster au coin opposé du bâtiment. Avec un peu de chance, l'un des hommes commettrait l'imprudence de se montrer pour lui régler son compte.

Il s'agenouilla et attendit, le doigt sur la gâchette. Soudain, une silhouette apparut, se détachant de l'angle du mur. Mais Kyle retint son geste à temps : c'était la jeune femme. Les ravisseurs n'avaient pas hésité à l'utiliser comme appât.

— Plaquez-vous contre le mur, lui cria-t-il en faisant feu sur l'homme qui la tenait en respect.

Ce dernier vacilla et sortit à découvert, s'écroulant presque aussitôt au sol.

Kyle revint sur ses pas alors que l'un des hommes contournait le bâtiment pour regagner l'entrée principale. Il mit aussitôt Kyle en joue et tira.

Kyle esquiva les projectiles en se plaquant au sol. Puis il fit le tour du bâtiment pour porter secours à Erin. Elle était accroupie le long du mur, le regard épouvanté par la vue de l'homme gisant à ses pieds.

— Restez au sol, lui intima Kyle. Ils vont tenter de contourner le bâtiment pour s'enfuir.

Pour s'en assurer, Kyle jeta un rapide coup d'œil en arrière, mais aucun des assaillants n'était là. Il approcha alors d'Erin et fit écran de son corps, son M4 prêt à punir celui qui commettrait l'imprudence de se montrer.

— Ils ont Hank, chuchota-t-elle en récupérant l'arme du tireur abattu.

Elle tira la culasse, vérifia qu'une balle était bien engagée dans la chambre et désengagea la sécurité.

Kyle, surpris par son geste, la dévisagea.

— Vous savez vous en servir ?

— J'ai grandi au Nouveau-Mexique. Cela n'a rien d'étonnant.

Il lui adressa un petit sourire. Belle et courageuse ; elle lui plaisait déjà.

— Bien. Surveillez vos arrières, dit-il.

Longeant le mur, il en contourna l'angle. Les deux hommes tenaient Hank en respect. Kyle pointa son M4 vers eux. Ils regardaient tous deux dans des directions opposées, cherchant certainement un moyen de fuir.

— Jetez vos armes ou je vous abats, leur cria Kyle.

Tous deux firent volte-face et ouvrirent le feu. L'un des projectiles frôla l'épaule de Kyle mais sans le blesser.

Cette diversion permit à Hank de tenter sa chance. Il se libéra de l'étreinte de ses ravisseurs et s'enfuit en courant. Mais le van fonça vers lui dans un horrible crissement de pneus.

Kyle se plaqua au sol et roula sur lui-même.

— Hank, attention !

Le pare-chocs du van heurta Hank de plein fouet, le projetant dans les airs tel un pantin désarticulé. Il atterrit sur l'asphalte dans un bruit mat, à plusieurs mètres du point d'impact, aux pieds des ravisseurs qui tentaient de s'enfuir.

Kyle profita de l'arrêt du van pour s'agenouiller et viser sa cible. Mais alors le canon d'un fusil à répétition pointa par la vitre du conducteur. C'était Erin, et elle semblait très contrariée, nota Kyle.

Il eut juste le temps de plonger à couvert derrière un gros pot de fleurs tandis que les projectiles suivaient sa course.

Il put alors épauler son M4 et viser le van. Cependant, les deux ravisseurs avaient saisi Hank par les bras et traînaient son corps inerte en direction du véhicule.

Kyle tira par deux fois au-dessus du van afin de ralentir leur fuite sans risquer de toucher Hank.

La manœuvre porta ses fruits ; les hommes l'abandonnèrent et s'engouffrèrent dans le van.

La femme tira de nouveau et Kyle évita de justesse la salve de ses projectiles. Il roula sur sa gauche pour trouver refuge derrière le pot de fleurs suivant. Malheureusement, depuis cette position, son 4x4, désormais dans sa ligne de mire, lui masquait le van.

Se relevant d'un bond, il se décala de quelques mètres

afin d'ajuster son tir mais le van quittait le parking et un bus scolaire approchait sur la route. Il renonça à faire feu.

Un bruit de pas le fit alors se retourner : Erin courait dans sa direction, le canon de son arme abaissé.

Elle se précipita au secours de Hank.

— Tiens-bon, Hank. Accroche-toi à la vie !

Elle tourna la tête vers Kyle alors qu'il composait un numéro sur son portable.

— Qui êtes-vous ? demanda-t-elle. Et pourquoi vous n'êtes pas intervenu plus tôt ?

La dernière question le déstabilisa un instant.

— Je suis un agent des services fiscaux, rétorqua-t-il, utilisant sa couverture habituelle qui faisait taire les curieux. Les secours ne vont pas tarder. Monsieur Leland respire encore, il a donc une chance de s'en tirer. Veillez à ne pas le déplacer. Il ne saigne pas beaucoup, mais il doit souffrir de multiples fractures et de lésions internes.

Elle apposa les mains sur le corps de son employeur.

— Je suis là, Hank. Tiens bon.

Kyle la détaillait. Etait-elle de mèche avec les ravisseurs ou leur victime ? Tant que le doute subsisterait, il n'était pas question de lui accorder sa confiance.

2

Erin tapotait la main de Hank tout en prononçant des paroles réconfortantes. Elle avait lu dans un magazine qu'une personne, bien qu'inconsciente, pouvait percevoir les sons autour d'elle.

— Tu vas t'en tirer, ne cessait-elle de répéter d'un ton qu'elle voulait rassurant.

Elle lui caressa même le visage.

— Accroche-toi, Hank.

L'ambulance arriva enfin et Erin se releva, s'éloignant de quelques pas pour laisser le champ libre aux secouristes.

Kyle, l'indien navajo qui venait de lui sauver la vie, la rejoignit.

— Quel est votre nom ? demanda-t-elle.

Il la dépassait d'une bonne vingtaine de centimètres et ses yeux étaient d'un noir de jais. Ce regard perçant l'intimida un peu, bien qu'elle n'eût manifestement rien à craindre de lui. Sans sa présence au bon moment, elle serait morte.

— Agent Goodluck, des services fiscaux. Qui étaient ces personnes armées ? Avez-vous reconnu l'un d'eux ?

Goodluck..., se répéta Erin. Littéralement, Bonnechance... Elle était en vie, de même que Hank, du moins pour le moment. Aussi cet Indien portait-il bien son nom.

Encore sous le choc, elle esquissa un pâle sourire.

— Je ne les avais jamais vus auparavant.

— Hank les connaissait ?

— Je n'en sais rien.

Puis, comme il inspectait le sol du regard, elle ajouta :

— Vous avez perdu quelque chose ?

— J'espère retrouver un portable tombé pendant l'affrontement. Avez-vous toujours le vôtre ? Et Hank a-t-il le sien sur lui ?

— Non. Hank a laissé le sien chez lui et le mien est sur mon bureau. Ils m'ont forcée à le laisser là-bas.

Dopée par la frayeur qu'elle avait eue, Erin analysa rapidement les faits. Quelque chose chez ce Kyle Goodluck la dérangeait.

— Vous prétendez appartenir aux services fiscaux, mais vous êtes armé… et l'on sent que vous avez suivi un entraînement au combat.

Un soudain tremblement la fit presque bafouiller.

— Je ne savais pas que les agents des services fiscaux portaient une arme…

— Nous sommes armés quand nous nous déplaçons, répondit-il aussi sec. Hank ne vous a pas prévenue que je venais l'interroger ?

Elle écarquilla les yeux.

— Nous avons relevé certaines irrégularités dans vos transactions avec le Département de la Défense, poursuivit-il.

Il exhiba son insigne avec sa photographie et le replaça rapidement dans sa poche.

— Vous pouvez demander confirmation à la police locale si vous doutez de ma parole.

Elle voulait lui faire confiance — après tout, il lui avait sauvé la vie — mais d'instinct elle préférait rester sur ses gardes. D'autant qu'il s'approchait un peu trop près.

— Vous n'avez plus à me protéger, lui rappela-t-elle.

— Pour le moment… Vous avez vu ces hommes : à présent, vous êtes une menace pour eux. Attendez-vous au pire. C'est en suivant ce conseil que vous resterez en vie.

La rudesse de ces paroles lui fit froid dans le dos.

Bien campé sur ses jambes, dans une position de combattant aguerri, l'agent Kyle Goodluck la dévisageait. Son blouson de cuir noir, porté près du corps, soulignait sa carrure. Tout chez cet homme traduisait une assurance inébranlable.

Preston apparut alors à bord d'un véhicule de police.

— Voilà l'inspecteur Bowman, dit Erin. Hank avait sollicité son aide pour un transport de fonds. Son frère Daniel gère une entreprise de sécurité.

Un sourire se dessina sur le visage de Kyle.

— Je suis au courant. Ce sont mes frères.

Surprise par cette révélation, Erin le dévisagea. Mais comme il ne fit pas plus de commentaire, elle reporta son attention sur les ambulanciers : ils s'activaient autour de Hank. Au final, la situation était tragique, songea-t-elle. Des hommes qu'elle n'avait jamais vus auparavant avaient tenté de les tuer. L'un de ces hommes avait perdu la vie à ses pieds. Pire encore, elle était certainement leur prochaine cible.

Un vent de panique s'empara d'elle et elle croisa les bras autour de sa taille, comme pour se protéger.

Kyle ôta alors son blouson et lui en couvrit les épaules.

— Non merci, marmonna-t-elle. Je vais très bien.

— C'est ce que vous voulez montrer, mais je sais que ce n'est pas tout à fait vrai, répondit-il d'une voix douce.

Preston vint à leur rencontre. Il salua Erin d'un petit mouvement de la tête et s'adressa directement à son frère.

— Intéressant, n'est-ce pas, que je te retrouve ici juste après notre pause déjeuner ? Alors, de quoi s'agit-il ?

— Je peux te dire un mot en privé ?

Sans quitter Erin des yeux, Kyle s'éloigna avec son frère.

— Cette affaire relève du NCIS, murmura-t-il à son oreille. J'interviens sous couverture.

— Très bien, fit Preston. Maintenant, j'aimerais que tu m'en dises un peu plus.

— Tôt ce matin, Hank Leland a demandé de l'aide au NCIS, prétendant être menacé par un groupe de terroristes. Vu que j'étais de toute façon mandaté pour surveiller Leland, j'ai reçu l'ordre de venir prendre connaissance de la situation et l'interroger. Tout semblait normal quand je suis arrivé, mais soudain, les choses se sont emballées. C'est tout ce que je sais pour le moment, mais je vais avoir besoin de la pleine coopération de tes services pour mener mon enquête.

Preston approuva d'un bref signe de tête.

— Pourquoi s'en sont-ils pris à lui ?

— Je n'en ai aucune idée. Peut-être avaient-ils prévu cela de longue date. Tes suggestions sont les bienvenues, frérot.

— La société de Leland est spécialisée dans la fabrication de chambres fortes et de locaux sécurisés. Je ne vois pas le lien avec des terroristes.

— J'ai un début d'idée, confia Kyle. Leland entreposait-il des explosifs et des détonateurs sur le site ?

— Je vais me renseigner, répondit Preston.

— Encore un détail : j'aimerais que tu enregistres ce cas comme un simple cambriolage qui a mal tourné et non une tentative de kidnapping impliquant d'éventuels terroristes. S'il te faut l'approbation de ma hiérarchie, ce ne sera pas un souci. Je dois aussi garder Erin auprès de moi durant toute l'enquête.

— Tu te charges officiellement de l'affaire ? Dans ce cas, je dois en informer mes supérieurs.

— Fais comme bon te semble. Pour ma part, je me charge d'Erin.

Comme Preston s'éloignait, Kyle rejoignit Erin : l'un des infirmiers l'empêchait de monter dans l'ambulance.

— Madame, vous ne pouvez pas nous accompagner. Nous l'emmenons aux urgences de l'hôpital régional. En revanche, vous pouvez nous y rejoindre.

Kyle posa amicalement la main sur l'épaule de la jeune femme.

— Tout va bien, Erin. Détendez-vous et laissez les infirmiers faire leur travail. Hank est entre de bonnes mains. Vous et moi devons avoir une petite conversation.

Erin ne semblait pas de cet avis.

— Hank Leland a été le seul à me donner ma chance en m'offrant ce travail, et je tiens à m'assurer qu'il recevra les meilleurs soins. Je vais de ce pas le retrouver à l'hôpital.

— Hank bénéficie déjà des meilleurs soins. Vous lui serez bien plus utile en répondant à nos questions.

— Je vous dirai tout ce que vous voulez savoir, mais à l'hôpital, rétorqua Erin.

Preston les rejoignit et fit un signe entendu à Kyle.

— Mes supérieurs ont approuvé ta demande de coopération. J'ai envoyé deux inspecteurs au domicile de Leland pour sécuriser le périmètre. J'ai aussi dépêché un adjoint sur le chantier en cours de Secure Construction pour informer l'équipe sur place et assurer sa protection.

Puis, s'adressant à Erin, il reprit :

— A présent, madame, j'ai quelques questions à vous poser.

D'un geste brusque, Erin rejeta sa chevelure en arrière.

— J'ai bien compris que vous vouliez tous vous entretenir avec moi, mais au préalable, je dois m'assurer de l'état de santé de Hank. Je dois me rendre à l'hôpital. Vous pourrez me poser toutes vos questions là-bas.

Comme l'ambulance franchissait le portail, elle ajouta :

— Je dois y aller. Maintenant.

— Très bien, capitula Preston. Mon frère va vous y conduire. Mais avant tout, je tiens à vous poser une question. Pensez-vous qu'il puisse s'agir d'un braquage ? Détenez-vous des espèces destinées à la paie des employés ?

Erin remua énergiquement la tête.

— Certainement pas. Si vous les aviez vus à l'œuvre, vous ne poseriez pas la question. Ils ont agi avec calme et méthode, en vrais professionnels. Quelle que soit leur motivation, ce n'était certainement pas l'argent.

Kyle approuva d'un hochement de tête. Il avait déjà été confronté à ce genre d'individus.

— Venez, fit-il. Je vous conduis à l'hôpital.

Elle acquiesça avec un soupir et ils montèrent dans son 4x4 noir. Cependant, Kyle peina à suivre l'ambulance dans sa course folle pour l'hôpital. Fort heureusement, les gyrophares et la sirène du véhicule donnaient un point de repère, au loin. A cette vitesse, il ne pouvait que jeter de furtifs regards à Erin.

Elle avait un certain cran. Et à première vue, ce courage n'était pas le fruit d'une quelconque préparation ou d'un apprentissage. Il s'agissait d'un don.

— Donc Hank et vous êtes amis ? demanda-t-il en grillant un feu rouge pour rester dans le sillage de l'ambulance.

— Pas vraiment, mais nous avons tissé une véritable collaboration et c'est un bon patron.

Comme il effectuait un brusque virage, elle s'agrippa à la poignée de la voiture.

— Il m'a embauchée alors que je n'avais aucune expérience. Depuis le début, il m'a fait confiance.

Kyle était tout disposé à la croire. Visiblement, elle n'était pas du genre à faillir sous la pression.

— Hank va s'en sortir, ajouta-t-elle. Il est solide comme un roc.

Qui voulait-elle convaincre ? se demanda Kyle. Lui ou elle ?

— Vous êtes donc son assistante, c'est cela ?

— Officiellement, j'occupe le poste de vice-manager. Lorsqu'il s'absente pour signer un contrat, je gère l'entreprise au quotidien. Et lorsqu'il est présent, mon travail consiste à veiller à ce que tout se déroule comme il le souhaite.

— Leland a-t-il des ennemis ?

— Pas que je sache. Il a toujours traité ses employés et ses clients avec respect et humanité.

— J'ai le sentiment que vous l'aimez beaucoup, dit-il pour la provoquer.

Erin prit une grande inspiration tandis que le 4x4 faisait une nouvelle embardée.

— Je le *respecte* beaucoup.

Kyle avait les yeux rivés sur la route. Mais Erin lui cachait des choses, il le sentait. Il avait suffisamment d'expérience psychologique en la matière. S'il s'avérait qu'Erin jouait à un petit jeu, il s'en rendrait compte rapidement.

Instinctivement, il porta la main au fétiche qui pendait à son cou : un renard. Un animal toujours sur le qui-vive.

Ce fétiche lui avait été offert par Hosteen Silver. Selon la tradition navajo, il lui conférait certains pouvoirs, notamment celui de savoir observer.

La voix d'Erin le sortit de ses réflexions.

— Pour quelle raison votre frère a-t-il tenu à ce que vous me conduisiez à l'hôpital ? Est-ce pour vous permettre de me cuisiner tout au long du trajet, ou y a-t-il autre chose ?

Kyle continua de fixer la route. Il voulait être présent lorsque Hank Leland reprendrait conscience et serait confronté à la jeune femme. La réaction de Hank serait suffisamment explicite, elle permettrait de comprendre le rôle d'Erin dans cette affaire. Mais Kyle n'allait pas le dire à la jeune femme.

— Vous vouliez vous y rendre au plus vite, alors je me suis dévoué. Accrochez-vous, ajouta-t-il en écrasant la pédale de frein pour éviter de justesse un piéton coiffé d'un casque audio.

Celui-ci venait de s'engager sur la voie sans faire attention : il leva la tête à temps et regagna précipitamment le trottoir.

Erin poussa un soupir de soulagement.

— Tout à l'heure, vous m'avez sauvé la vie, agent Goodluck, et je ne crois pas vous avoir remercié.

— Ce n'est rien… Et appelez-moi Kyle.

Un instant, il croisa son regard aux iris couleur noisette : au-delà de la tristesse et de la peur y flottait une expression de vulnérabilité.

L'ambulance klaxonna, le ramenant à la réalité : un pick-up grillait le feu rouge et fonçait droit sur l'ambulance.

— Bon sang ! s'exclama Kyle en écrasant de nouveau la pédale de frein.

Le pick-up vint percuter le côté avant droit de l'ambulance dans un fracas de tôles froissées.

Le 4x4 de Kyle dérapa et manqua de s'encastrer dans le pick-up qui partit en tourbillonnant pour stopper à plusieurs mètres du point d'impact.

Kyle jeta alors un regard dans son rétroviseur : surgissant du trafic, un van s'arrêtait derrière le pick-up.

— Cet imbécile a grillé le feu ! s'écria Erin d'une voix tremblante.

— Ce n'était pas un accident. Plaquez-vous au sol. Maintenant ! ordonna-t-il en dégainant son arme.

Mais Erin se retourna à son tour.

— Le van ! Ce sont les ravisseurs. Ne me laissez pas sans défense.

— Tenez, dit Kyle en lui tendant son Glock. Défendez-vous, mais restez à couvert, bon sang. Appelez le 911.

Puis il s'adressa à son terminal informatique :

— Agent fédéral demande assistance. Position communiquée par GPS.

Il ouvrit la portière, glissa la main sous son siège pour attraper son fusil M4, puis bondit hors du véhicule. Il rechargea un magasin neuf dans le fusil et prit position. Cette fusillade en plein centre-ville le ramena à ses souvenirs d'Afghanistan. Cependant, il se trouvait à Hartley, Nouveau-Mexique…

Deux hommes portant des masques de ski avaient entre-temps jailli du van, arme au poing. Sous leurs vestes élimées, ils devaient certainement porter des gilets pare-balles, songea Kyle.

Prudemment, ils approchaient de l'ambulance accidentée. Un peu plus loin sur leur droite, le chauffeur du pick-up, son arme au poing, s'éloignait de son véhicule disloqué en boitant. L'impact l'avait apparemment bien sonné.

Kyle se faufila sur sa gauche, espérant ainsi surprendre les ravisseurs en jaillissant à revers. Ils tenteraient probablement le tout pour le tout afin de récupérer Hank, comptant sur l'effet de surprise et sur leur artillerie.

L'un d'eux se servit de la crosse de son fusil pour cogner violemment contre la porte arrière de l'ambulance.

— Ouvrez !

Son comparse, le conducteur du van, jeta un regard en

direction du 4x4 ; Kyle, craignant que la fusillade n'éclate dans les environs d'Erin, sortit brusquement à découvert.

— Jetez vos armes ! ordonna-t-il à voix haute.

Les deux hommes firent volte-face au même instant et commencèrent à l'arroser de projectiles.

En position d'infériorité, Kyle plongea au sol et roula sur lui-même tandis que les balles ricochaient à sa suite et arrachaient des portions d'asphalte. Il tira à son tour et reçut brusquement du secours. Il se retourna : Erin, plaquée au sol le long du 4x4, tirait sur les hommes par-dessous le châssis.

Les deux ravisseurs, dissimulés derrière le van, disparurent soudain.

Kyle pesta. Pour ne pas risquer d'atteindre l'ambulance, il dut se déplacer un peu plus sur sa gauche.

Le conducteur du pick-up tira aussitôt vers lui une rafale, mais dut battre en retraite sous les tirs provenant du 4x4. Kyle sourit intérieurement : il pouvait compter sur Erin pour le couvrir de manière efficace.

Cependant, ses assaillants étaient invisibles. Il avançait dans leur direction, l'arme au poing, lorsque le moteur du van démarra. Le véhicule fonça à reculons sur lui dans un crissement de pneus. Kyle tira à deux reprises, puis se jeta de côté, évitant le véhicule qui le frôla.

Roulant sur lui-même, il ajusta le van dans sa ligne de mire alors que ce dernier effectuait un virage à angle droit et fuyait pleins gaz dans l'avenue. Une balle provenant de derrière lui siffla à ses oreilles. Il s'agissait certainement du chauffeur du pick-up, comprit-il. Aussi, il se détourna du van et visa l'homme alors qu'il était à découvert, adossé à la portière de son véhicule.

L'homme fut pris d'un soubresaut, se tint l'abdomen et glissa en position assise à même le sol.

Kyle courut vers lui, le tenant en joue.

— Jette ton arme !

L'un des infirmiers risqua alors un œil par l'entrebâillement de la porte arrière de l'ambulance.

— Restez à l'intérieur ! hurla Kyle.

Il était à cinq mètres de l'homme lorsque celui-ci, le regardant droit dans les yeux, un petit rictus aux lèvres, plaça le canon de son arme sous sa mâchoire et appuya sur la gâchette.

3

Kyle abaissa le canon de son arme et détourna le regard, remuant la tête en signe de dégoût. Une vie venait de s'éteindre en une fraction de seconde. Jusqu'à ce jour, il n'avait assisté à ce type de réaction désespérée que lors de ses missions à l'étranger, dans des pays en guerre.

Sans perdre plus de temps, il gagna l'ambulance, saisit la poignée de la portière et cria aux infirmiers :

— Je suis un agent fédéral. Ouvrez !

L'un d'eux ouvrit précipitamment et leva aussitôt les mains.

— Nous ne sommes pas armés, inspecteur, et notre patient réclame toute notre attention. Il faut qu'on nous laisse travailler, d'accord ?

Kyle acquiesça d'un petit signe de tête.

Le son discontinu du moniteur attira son attention : le cœur de Leland avait cessé de battre. Tandis que les deux infirmiers bataillaient pour le ramener à la vie, leur collègue était en contact radio avec un médecin aux urgences de l'hôpital.

Erin les rejoignit et se tint près de Kyle, observant d'un air absent la terrible scène.

Les minutes passèrent, interminables... tandis que les infirmiers persévéraient courageusement. Après quatre tentatives de relancer le cœur de Leland à l'aide du défibrillateur, l'infirmier annonça par radio le décès à l'équipe de l'hôpital. Puis il tapota avec dépit sur l'épaule de son collègue.

— Note l'heure du décès.

L'infirmier prit des notes sur son bloc et recouvrit le corps de Hank à l'aide du drap.

— Qu'est-ce que vous faites ? s'indigna soudain Erin. Vous ne devez pas renoncer !

— Madame, sa pression sanguine était déjà très basse avant l'accident. Il devait souffrir d'une hémorragie interne. Il avait peu de chances d'arriver en vie à l'hôpital.

Erin se mordit la lèvre inférieure jusqu'à ce qu'elle vire au blanc et, lorsque Kyle voulut la réconforter, elle recula d'un pas, l'air sombre.

— Je vais bien, dit-elle d'une voix mal assurée.

— Nous avons tous fait de notre mieux pour le sauver, lui rappela Kyle avec calme. Il faut se faire une raison. Nous ferions aussi bien de retourner à Secure Construction. Nous ne sommes plus d'aucune utilité ici.

Erin poussa un profond soupir et le suivit jusqu'au 4x4 d'un pas chancelant.

— Il faut que je prévienne son frère… Que j'organise les obsèques…

— Cela attendra. Pour le moment, nous devons prendre un peu de recul et accepter ce qui vient de se passer.

Quand ils prirent place dans le 4x4, elle avait le regard perdu dans le vague.

— Ceinture, s'il vous plaît, lança Kyle.

Elle lui obéit d'un air absent.

— Ce dont j'ai été témoin aujourd'hui va me hanter le restant de mes jours, finit-elle par déclarer.

Ses paroles touchèrent Kyle. Il devait, lui aussi, composer avec ce type de souvenirs qui refusaient de s'effacer malgré les années.

— Vous avez raison, certaines choses ne peuvent être oubliées, dit-il avec sincérité. Mais vous apprendrez à les accepter et, peu à peu, elles s'établiront dans votre conscience.

Kyle démarra le moteur et appela son frère avec son portable. Après quelques minutes de conversation, il raccrocha et se tourna vers Erin.

— Nous retournons à Secure Construction. Mon frère

nous y attend pour vous interroger. Il veut être informé de tous les détails de cette affaire.

Environ dix minutes plus tard, ils arrivèrent devant le portail de la société : celui-ci était fermé, et ils attendirent à bord du 4x4.

Après de longues minutes, un officier de la police de Hartley vint enfin leur ouvrir.

— Avez-vous réfléchi à ce que cherchaient ces hommes, Erin ? reprit Kyle. Vous avez déclaré que la société ne détenait pas d'argent en espèces, mais peut-être entrepose-t-elle du matériel de valeur, comme des explosifs ou des produits chimiques dangereux ?

L'un des hommes que Hank avait rencontrés en Espagne était connu pour concevoir des bombes et entretenir des liens étroits avec des réseaux terroristes. Si les armes à feu étaient monnaie courante aux Etats-Unis, se procurer des explosifs était autrement plus compliqué.

Erin hocha la tête.

— Nous avons recours à des explosifs pour tester nos nouveaux modèles de chambres fortes, mais ces tests sont réalisés en dehors de l'enceinte de la société et nous nous approvisionnons au cas par cas chez un fournisseur. Nous n'avons aucune raison de stocker ces produits.

Kyle pénétra dans l'enceinte et se gara devant le cordon de sécurité délimité par un ruban jaune.

— Répondez-moi sans réfléchir : que détenez-vous ici qui pourrait expliquer l'acharnement de ces hommes ?

Erin lui lança un regard noir.

— Rien qui justifie la mort d'un homme.

Sur ce, elle descendit du 4x4 et rejoignit Preston qui les attendait.

Kyle la détailla de nouveau. Malgré sa détermination à se montrer courageuse, de petits signes, comme sa démarche mal assurée et le vide de son regard, trahissaient son émotion. En proie à de fortes sensations, l'être humain adoptait souvent un comportement calme et quasi indifférent, dans le seul but de survivre.

Si Erin était réellement innocente et embringuée malgré elle dans cette aventure, elle avait toute sa sympathie.

Erin luttait contre une vive douleur à l'estomac. Elle aurait tant voulu s'isoler et laisser s'exprimer sa peine. Toutefois, vu l'expression de l'inspecteur Bowman, elle devrait prendre sur elle et tenir bon encore un moment.

— Je sais que vous avez certaines questions à me poser, alors pourquoi ne pas nous installer dans mon bureau ? proposa-t-elle.

— Mes hommes inspectent l'intérieur du bâtiment, aussi devrons-nous rester à l'extérieur.

— Très bien. Je possède un petit bureau dans l'entrepôt. Nous pourrions peut-être nous y rendre.

Ses jambes menaçaient de se dérober sous elle : elle devait urgemment s'asseoir.

— Montrez-moi le chemin, répondit Preston.

Elle se dirigea vers son second bureau, une petite pièce cubique, tout juste à droite en pénétrant dans l'entrepôt. Kyle et Preston lui emboîtaient le pas.

— Inspecteur, agent Goodluck, asseyez-vous, je vous en prie, dit-elle en se laissant choir dans son fauteuil. Demandez-moi tout ce que vous voudrez, et je ferai de mon mieux pour répondre à vos questions.

— Comment tout ceci a-t-il commencé ? s'enquit Preston. Ces hommes ont simplement jailli de nulle part ?

— Je n'étais pas présente quand ils sont arrivés. J'étais ici, occupée à préparer notre dernier modèle de local sécurisé. Nous les équipons de meubles simples, d'un kit d'urgence et de quelques éléments de décoration afin de les présenter à nos prospects. Quand je suis revenue au bâtiment administratif, j'ai aperçu trois hommes en conversation avec Hank dans son bureau. Ils avaient l'allure classique d'hommes d'affaires. Donc, je n'ai pas sollicité l'aide de Joe.

— Joe ? demanda Preston. Le même Joe présent sur le site de construction ? Celui à qui j'ai mandaté un adjoint pour veiller à sa sécurité ?

— Oui, Joe Pacheco est notre contremaitre en chef pour la fabrication. Vous devez le connaître ; c'est un ancien policier.

Preston hocha la tête.

— Je connais effectivement Joe. A quelle heure exactement lui et son équipe ont-ils quitté les lieux ?

— Joe a pris le volant de l'un de nos véhicules de transport et je l'ai aperçu qui franchissait le portail quelques minutes après que j'ai regagné mon bureau.

— Qui d'autre se trouvait dans le périmètre à cet instant ? poursuivit Preston. Personne dans l'entrepôt, ou aux alentours ?

— Non. Après le départ de Joe et de son équipe, nous nous sommes retrouvés seuls, Hank et moi.

— A quel moment précis avez-vous pris conscience qu'il se passait quelque chose d'anormal ? intervint Kyle.

— Quelques instants plus tard, j'ai entendu Hank s'adresser à l'un des hommes en hurlant. Sachant que je sais être plus diplomate que lui avec les clients difficiles, je suis intervenue afin de calmer la situation. C'est alors que j'ai vu que ces hommes étaient armés.

Erin prit une grande inspiration et tenta de recouvrer son calme. Les deux hommes l'observaient en silence, mais le regard perçant de Kyle la mettait mal à l'aise. Un regard dur et menaçant. Pourtant, il lui avait sauvé la vie…

— A quel sujet se disputaient-ils ? insista Kyle.

— Ils prétendaient que Hank les avait doublés. L'un des hommes a pointé son arme sur Hank et lui a conseillé de respecter ses engagements. Faute de quoi, il l'abattrait sur-le-champ.

Elle frissonna et reprit :

— C'est ce à quoi j'ai assisté en pénétrant dans son bureau.

— Décrivez-nous ces hommes, dit Preston.

— Celui qui se tenait près de Hank mesurait plus d'un mètre quatre-vingt-cinq et était plutôt mince. Il avait la peau mate et portait une barbe. Je ne me souviens pas du visage des deux autres. J'étais effrayée, je ne pouvais détacher mes yeux de leurs armes.

— Est-ce que l'homme qui s'est suicidé faisait partie du groupe ? demanda Kyle.

Elle hésita un instant.

— Non, je ne crois pas, répondit-elle finalement. Son visage possédait des traits particuliers, même avant qu'il… se suicide.

— Bien, ils étaient donc au moins quatre. Que s'est-il passé ensuite ? pressa Preston.

— Ils nous ont ordonné de déposer nos portables et de les suivre à l'extérieur. Ils nous ont empoignés en nous pressant le canon de leurs armes dans le dos. A cet instant, j'ai acquis la certitude qu'ils allaient nous abattre, aussi lorsque je vous ai vu approcher dans votre 4x4, je me suis mise à crier tout en donnant un coup de coude à celui qui me tenait. Mais il m'a maintenue de force pour m'empêcher de m'échapper. Il m'a entraînée de l'autre côté du bâtiment, et vous connaissez la suite…

Erin tenta, sans succès, d'interpréter l'expression froide et impénétrable qu'affichaient les deux hommes.

— Retournons au bâtiment administratif, dit Preston. Mes hommes doivent avoir terminé leur première inspection des lieux.

Il sortit de sa poche une paire de gants en latex.

— Je vais vous demander de ne toucher à rien, Erin, mais mieux vaut que vous portiez ces gants par mesure de sécurité.

Le cœur d'Erin battait fort dans sa poitrine tandis qu'ils regagnaient le bâtiment principal. Elle s'adressa à Kyle pendant que Preston s'entretenait avec l'un de ses hommes.

— Ils ont pris l'affaire en main, et pourtant vous tenez un

rôle majeur dans cette enquête. Parce que vous êtes parent de l'inspecteur Bowman ?

— Non. Parce que je suis un agent fédéral très intéressé par cette affaire, répondit-il.

Erin baissa les yeux et tâcha de rassembler ses forces.

— Hank était très tendu ces derniers temps. J'aurais dû m'en inquiéter.

— Un incident est-il survenu dernièrement ?

— Hank n'avait pas l'habitude de se confier à moi, mais je reste convaincue qu'il avait des soucis. Tout a commencé une semaine environ avant son départ pour l'Espagne. Il était à cran et désagréable avec tout le monde. Et rien n'a changé dans son comportement à son retour.

— Vous ne lui avez pas demandé pourquoi ?

Elle approuva d'un petit signe de tête.

— J'ai bien essayé, mais il m'a répondu que c'était en rapport avec sa famille. C'était sa façon de me faire comprendre que le sujet était privé et que cela ne me regardait pas. Donc j'ai laissé tomber.

— Sa famille ? releva Kyle. Il n'était pas marié, n'est-ce pas ?

— Je pense qu'il faisait allusion à son frère, Bruce, lequel travaillait pour lui de temps à autre.

— Etaient-ils proches ?

— Non. Tout les différenciait et ils avaient du mal à se supporter. Hank était du genre à se tuer au travail tandis que son frère n'a jamais su garder le même emploi bien longtemps.

Preston les rejoignit et tendit à Kyle une paire de gants en latex.

— Bien. Nous sommes prêts à pénétrer à l'intérieur. Je voudrais que vous examiniez attentivement les lieux, Erin, et que vous me disiez si quelque chose a disparu, dit-il en enfilant sa paire de gants.

— Regardez aussi si vous ne voyez rien d'inhabituel, ajouta Kyle.

— Inhabituel ? Comment cela ? Un objet qu'il aurait rapporté de son séjour en Espagne ou dans le courrier du jour ?

— Les deux, répondirent en chœur les deux hommes.

Alors que l'un de ses enquêteurs l'appelait, Preston se pencha pour murmurer à l'oreille de Kyle.

— Vas-y. Je m'occupe de tout, répondit Kyle.

La première chose qu'Erin remarqua en pénétrant dans son bureau fut sa plante verte qui gisait sur la moquette, le terreau répandu autour de son pot.

Oubliant les recommandations de Preston, elle prit délicatement la plante et replaça la terre éparpillée dans le pot.

Elle se figea aussitôt.

— Oh ! Je suis désolée. J'ai oublié…

— Pas de souci. C'est pour ça qu'on vous a fait porter des gants. De toute façon, il est impossible de recueillir des empreintes dans la terre, la rassura Kyle avec un sourire.

— Quand l'homme m'a malmenée, je me suis cognée contre le coin de mon bureau et j'ai dû renverser la plante. Vu le tragique de la situation, il est certainement stupide de ma part d'attacher de l'importance à ce détail, mais si je la laisse par terre, elle risque de mourir… elle aussi.

Erin détourna le visage pour dissimuler ses larmes.

— A présent, vous allez vraiment penser que je suis folle, balbutia-t-elle. J'ai tenu le coup face à tous ces événements ; j'ai failli être kidnappée, j'ai dû tirer sur un homme pour sauver ma vie et j'ai assisté à la mort de trois hommes en l'espace de quelques instants. Et voilà que je craque à cause d'une plante…

Malgré les soins qu'elle apportait quotidiennement à sa rose du désert, la plante chétive ne comportait que quelques feuilles à moitié fanées.

— Tout va bien, dit Kyle en l'aidant à se relever avec douceur. Comment cette petite plante peut-elle représenter autant pour vous ? Je ne voudrais pas dire, mais… elle n'est pas en grande forme.

Erin eut un petit rire entre ses larmes.

— Un client en a fait cadeau à Hank, il y a plusieurs années de cela. Il tenait la plante originale de son arrièregrand-mère, et sa tradition familiale veut que l'on offre une bouture à celui qui vous a rendu un grand service. Dans ce cas précis, l'épouse du client venait de décéder et ce dernier traversait une période difficile du point de vue financier. Hank lui a fait une réduction conséquente sur l'acquisition d'une pièce de survie.

Elle marqua une pause et reporta son regard sur la plante.

— La légende veut que la rose du désert ne fleurit que pour ceux qui ont appris à laisser s'exprimer leur cœur.

— Qu'en est-il de votre cœur ?

— J'ai l'impression que le mien n'a pas su trouver les mots.

Elle esquissa un petit sourire, puis plaça la plante sur le rebord de la fenêtre, près de son bureau.

— Hank a failli la laisser mourir, mais je l'ai récupérée avant qu'il ne s'en débarrasse. A partir de ce jour, j'ai tout tenté pour la faire éclore, sans succès, malheureusement.

— Je vais en parler à mon frère et je suis sûr qu'il acceptera que vous la récupériez.

— Merci, dit-elle en essuyant ses larmes de sa main gantée et maculée de terre. Je ne parviens pas à arrêter de pleurer, mais je vais mieux.

Kyle sortit de sa poche un mouchoir qu'il lui tendit.

— Vous êtes forte, Erin, mais vous avez atteint vos limites. Cela arrive à chacun de nous.

— Même à vous ?

— Oui, une fois, répondit-il.

Erin tentait désespérément de contenir ses larmes, mais rien n'y faisait.

Dans un geste de réconfort, Kyle voulut lui poser la main sur l'épaule, mais elle se déroba.

— Remettons-nous au travail. Dites-moi ce que vous attendez de moi.

— Commençons par la liste des employés, en priorité ceux qui demeurent en ville.

— J'ai accès aux fiches de paie, mais je dois pour cela

consulter mon ordinateur. Vous me l'autorisez ? Ces hommes ne l'ont pas touché.

— D'accord, mais gardez vos gants, dit-il comme elle s'installait à son bureau. Certains de vos employés sont-ils payés en espèces ?

— Nous ne détenons pas d'espèces. La plupart sont réglés par virement, à part quelques-uns qui le sont par chèque. La paie s'effectue chaque quinzaine et la prochaine échéance est vendredi.

Elle repoussa son portable qui se trouvait sur la pile de feuilles vierges pour charger l'imprimante et leva les yeux vers lui.

— Puis-je récupérer mon portable ?

— Non, désolé. Vous devez le laisser ici. D'ailleurs, nous sommes toujours à la recherche de celui de Hank. Vous êtes certaine qu'il l'a oublié chez lui ?

Elle parcourut du regard le plateau de son bureau.

— C'est ce qu'il a dit à ces hommes, mais s'il se trouve dans nos locaux, il pourrait être n'importe où. La dernière fois qu'il l'a égaré, il a fini par le retrouver dans son panier à linge.

Elle réfléchit un instant.

— Peut-être qu'il ne s'est pas rendu directement chez lui, hier soir, en sortant de l'aéroport… Il a une petite amie.

— Quel est son nom ? demanda Kyle comme Preston les rejoignait.

— Frieda Martinez. Il a fait sa connaissance environ deux semaines avant son séjour à Rota, en Espagne. Cette rencontre lui a fait le plus grand bien. Alors qu'il était souvent à cran, son attitude changeait du tout au tout quand elle lui téléphonait. Je pense qu'il était tombé amoureux d'elle, même s'il ne l'aurait jamais avoué.

Elle imprima la liste complète des employés et la lui tendit.

— Dois-je inspecter le bureau de Hank au cas où quelque chose d'inhabituel attirerait mon attention ?

— Faites, répondit-il.

Pénétrant dans le bureau de Hank, deux objets attirèrent aussitôt son attention.

— Voilà qui est nouveau, dit-elle en approchant du bureau.

Sur le bureau de Hank se trouvaient deux boîtes en carton qu'il s'était manifestement envoyées depuis l'Espagne. Leur couvercle était entrouvert.

Tout en s'approchant pour en inspecter le contenu, Kyle se souvint avoir suivi Hank dans un bureau de poste de Rota. Cette démarche lui avait paru étrange, car la base navale disposait d'un service d'expédition très efficace.

— Savez-vous ce qu'ils contiennent ? demanda-t-il à Erin.

Elle fit non de la tête.

— Ces deux colis sont arrivés hier, mais comme ils étaient adressés à Hank, je ne m'en suis pas préoccupée. En arrivant ce matin, j'ai remarqué qu'ils étaient ouverts. Je n'ai pas eu l'occasion d'en parler avec lui.

Kyle sortit de sa poche un stylo pour écarter les battants et fouiller dans les granulés de polystyrène.

Erin vint regarder par-dessus son épaule.

— C'est étrange. Ce sont des voltmètres, mais…

— On dirait qu'il les a démontés, mais qu'a-t-il fait de leurs circuits électroniques ? s'interrogea Kyle en poursuivant sa fouille. Je ne vois là que les châssis et quelques vis en métal…

— Je n'en ai aucune idée, confessa Erin.

— Les hommes qui vont ont agressés ont-ils manifesté le moindre intérêt pour le contenu de ces boîtes?

— Non. Leur attention était dirigée sur Hank et moi.

En complément des voltmètres démontés, Kyle découvrit d'autres pièces détachées d'un usage commun, comme des détecteurs de chaleur et des condensateurs bas de gamme.

— L'emballage est bien soigné pour des composants de pacotille, commenta-t-il.

Tout en parlant, il prit un petit cylindre de métal dans l'une des boîtes et le glissa discrètement dans sa poche.

— Et cette enveloppe rembourrée ? fit Preston qui les avait rejoints et désignait l'objet posé sur un angle du bureau.

— Elle est arrivée ce matin, précisa Erin.

Preston ouvrit l'enveloppe et en répandit le contenu sur le bureau. Elle contenait plusieurs liasses de billets de cent dollars.

— Je me demande bien pourquoi il se serait envoyé des espèces, dit Erin. Il est possible qu'il ait rapporté de l'argent pour payer un sous-traitant ou s'acquitter d'une facture… Mais, dans ce cas, pourquoi par la poste ? Cela aurait été plus simple d'effectuer un virement depuis la base navale ou de voyager avec ces billets.

Preston sortit rapidement de la pièce pour répondre à un appel sur son portable.

Kyle se pencha vers Erin.

— Si cette somme avait été prélevée sur le compte de la société, vous l'auriez remarqué dans les livres de comptabilité, n'est-ce pas ?

— Cette somme ne provient d'aucun compte dont j'ai la responsabilité.

— J'ai la nette impression que votre patron vous tenait à l'écart de certaines de ses activités.

Elle haussa les épaules.

— Vous m'auriez dit cela il y a seulement quelques heures, je vous aurais traité de fou. A présent, je suis perdue… Comme ces hommes ne pouvaient récupérer ce qu'ils cherchaient, ils ont tué Hank. Qu'est-ce qui les empêchera de se retourner contre moi ?

— Moi, promit simplement Kyle.

Preston passa alors la tête par l'encadrement de la porte.

— Nous avons localisé le portable de Leland grâce à sa puce GPS. Allons-y.

Kyle s'élança à la suite de Preston.

— Dois-je vous attendre ici ? demanda Erin.

— Non. Vous restez avec nous. Vous serez plus en sécurité. Et puis, nous aurons besoin de vous pour nous aider à inspecter le domicile de Hank.

— Mais je ne m'y suis rendue qu'à deux ou trois reprises. Je ne connais pas les lieux.

— Vous avez quand même l'avantage sur nous, rétorqua Kyle. Nous n'y sommes jamais allés. En route.

4

— Je peux te parler en privé ?

La voix de Preston sonnait désagréablement, mais Kyle préféra feindre l'innocence.

— Pour quoi faire ? demanda-t-il en s'éloignant du 4x4.

— Ne me prends pas pour un imbécile, grogna Preston. Qu'as-tu découvert dans ces boîtes et pourquoi tu ne m'en as pas informé ? Le NCIS nous a demandé de récolter les indices sur la scène de crime, et il ne t'appartient pas de décider lesquels doivent être enregistrés. Nous travaillons ensemble, oui ou non ?

— La coopération de ton service est primordiale, mais certains indices doivent être classés défense nationale. Tu comprends ?

Preston acquiesça d'un signe de tête.

Enfilant ses gants en latex, Kyle sortit de sa poche le cylindre de métal qu'il avait prélevé dans l'une des boîtes.

— Je doute que cet objet recèle des empreintes, à part peut-être celles de Leland. D'après l'inscription, ceci est un détonateur électrique assemblé en Espagne. Il est impossible de se procurer un objet aussi sensible aux Etats-Unis sans autorisation spéciale du gouvernement. Et encore…

— C'est pour ça que tu as tenu à inspecter le domicile de Leland au plus vite ? Tu penses qu'il a importé des détonateurs en les dissimulant dans un lot de composants électroniques ? Et il aurait égaré celui-ci ?

— Exactement, répondit Kyle. Et nous devons à présent trouver les autres.

— Depuis quand Leland est-il sous ta surveillance ?

— Depuis que l'on a appris qu'il devait rencontrer ce terroriste à Rota, en Espagne. L'homme est connu de nos services comme un fabricant indépendant d'engins explosifs, il a tissé des liens avec plusieurs groupuscules terroristes espagnols. C'était il y a deux semaines. J'ai repris la filature hier soir, quand Leland a atterri et récupéré son pick-up à l'aéroport. Ensuite, je l'ai suivi jusqu'à son bureau. Il y est resté un court moment, le temps, certainement, d'ouvrir les boîtes pour récupérer les détonateurs.

— Où s'est-il rendu, ensuite ?

— A son domicile, à environ dix kilomètres au sud de l'autoroute 281. Vu qu'il a emprunté l'ancienne route, j'ai dû lui laisser pas mal d'avance pour ne pas être repéré. La route était plutôt déserte à cette heure tardive. Sa maison se trouve au milieu de nulle part, en pleine campagne.

— Je sais. Je m'y suis déjà rendu. On a vue sur des kilomètres à la ronde depuis là-bas.

— Leland a rangé son véhicule dans le garage, puis il est resté chez lui. Il n'a reçu aucune visite, du moins jusqu'à 3 h 30 du matin, heure à laquelle je suis rentré au motel Chamisa Lodge. J'ai dormi deux heures et je suis retourné chez lui à 6 heures. Il y avait de la lumière à l'intérieur, mais pas d'autre véhicule. L'absence de traces de pneus, à part celles laissées par son pick-up, indiquait qu'il n'avait pas reçu de visite durant mon absence. Leland s'est rendu à son travail à 7 heures et s'y trouvait encore quand je suis venu te rejoindre pour le petit déjeuner.

— Partons du principe que ces terroristes sont à la recherche de leurs détonateurs ; quelle est leur prochaine cible ?

— Je n'en ai aucune idée, et c'est cela qui m'inquiète, confia Kyle.

— Rendons-nous chez Leland et tâchons de retrouver son portable, intima Preston. Nous devons savoir qui il a appelé à son retour d'Espagne. Je vais aussi réclamer l'aide de Joe

Pacheco ; c'est un ancien inspecteur de police : il saura nous rapporter tout ce qu'il voit et entend autour de lui.

— Ne lui parle pas des détonateurs, conseilla Kyle.

Ils retournèrent près du 4x4, où Erin les attendait. Preston lui demanda le numéro de Joe puis s'éloigna pour appeler celui-ci.

— Nous avons encore de menus détails à régler, expliqua Kyle à Erin. Nous partons dans quelques minutes.

Preston raccrocha et fit signe à Kyle de le rejoindre.

— J'ai demandé à Joe de me décrire le type d'explosifs utilisés par Secure Construction. Il s'agit d'une formule à base de nitrate d'ammonium qu'ils se procurent chez Zia Limited, selon leurs besoins. Il m'a aussi appris qu'ils utilisent des mèches et des amorces, mais en aucun cas des détonateurs électriques.

— Bien, fit Kyle. Et sinon, rien de nouveau au sujet des kidnappeurs abattus ?

— Pas encore. Le légiste nous a communiqué leurs empreintes, mais elles n'apparaissent pas dans nos fichiers. Ces types n'existent pas officiellement. Nous avons scanné leurs visages pour les soumettre au logiciel de reconnaissance faciale et vérifier avec la base de données d'Interpol, mais cela va prendre du temps. J'ai la sensation qu'ils sont d'origine étrangère, espagnole, à vrai dire. Le pick-up qu'ils ont utilisé pour percuter l'ambulance était volé et ils ont tout fait pour éviter d'être filmés par les caméras de surveillance du trafic. Un détail, encore : les cicatrices sur le visage de celui qui s'est donné la mort datent de plus d'une semaine. C'est ce qui ressort du premier examen post-mortem.

— Demande à Daniel de voir ce point, suggéra Kyle. Il possède toutes les accréditations.

Daniel Hawk, leur frère adoptif, dirigeait l'une des plus importantes entreprises de sécurité du Four Corners. Level One Security était en contrat avec les hommes d'affaires les plus importants de la région et surveillait les installations gouvernementales du nord du Nouveau-Mexique.

— Quand nous aurons identifié ce groupe terroriste, anticipa

Kyle, Daniel pourra nous désigner des cibles potentielles dans la région, qu'elles soient logistiques ou humaines.

— C'est une bonne stratégie, commenta Preston.

— J'emmène Erin avec moi chez Leland. Je tenterai de lui soutirer de nouvelles informations en chemin.

Sur la route, Kyle garda les yeux fixés sur son itinéraire, mais son esprit était accaparé par Erin. A la vérité, elle l'intriguait profondément. Au lieu de dissimuler sa peur et ses émotions, elle les affichait sans retenue, tout en sachant puiser en elle la force d'affronter la situation.

Le bip caractéristique du terminal de son 4x4 retentit et le sortit de ses pensées : Preston tentait de le joindre.

— Mon adjoint qui surveille le domicile de Leland vient de m'appeler, lui annonça son frère. Quelqu'un s'est introduit chez Leland par la porte arrière. J'ai demandé à mon adjoint d'attendre les renforts pour intervenir, à moins que le suspect ne tente de s'enfuir.

Kyle écrasa la pédale d'accélérateur.

— Concentre-toi sur l'arrière de la maison et couvre ton adjoint. J'arrive par le devant et bloque l'entrée.

Il mit fin à la communication et se tourna vers Erin.

— Une fois sur place, restez à l'intérieur du 4x4. Il est blindé de toute part, tout comme vos pièces de survie. Personne ne peut vous en déloger quand il est verrouillé.

— Vous êtes vraiment des services fiscaux, hmm ? marmonna-t-elle. Je n'en crois pas un mot. Qui êtes-vous, réellement ?

— Votre meilleur ami, tant que durera cette enquête.

— Cela ne répond pas à ma question.

— Vous avez vu mon insigne et vous savez que le Département de Police de Hartley me soutient. Cela devrait vous suffire.

Il tourna brusquement sur la gauche, obligeant Erin à s'agripper à l'accoudoir.

— Depuis quand vivez-vous par ici ? demanda-t-il en ralentissant à cause d'un troupeau de bœufs éparpillé sur la route.

Ils paissaient tranquillement l'herbe grasse sur les bas-côtés tandis que deux fermiers s'activaient à leur faire regagner leur enclos.

— Depuis toujours, répondit Erin. Ces sociétés spécialisées dans le gaz et le pétrole fournissent beaucoup de travail dans la région. Je touche un bon salaire et, avec un peu de chance, j'aurai mis une jolie petite somme de côté d'ici quelques années.

— Dans quel but ?

Il contourna lentement le troupeau et put reprendre de la vitesse.

— Je compte acquérir un beau terrain et me lancer dans la culture de piments. J'ai la main verte, et j'adore sentir mes doigts fourrager dans la terre. Devenir fermière, c'est cela mon rêve. Tôt ou tard, il se réalisera.

Sa détermination semblait à toute épreuve, remarqua Kyle, et l'espace d'un instant, cette jeune femme lui rappela sa jeunesse. Lui aussi avait travaillé dur pour se forger un avenir. Il avait été confronté à bon nombre d'obstacles, mais s'était accroché à son rêve et l'avait concrétisé. Erin en ferait certainement de même, envers et contre tout.

— Accrochez-vous ! lança-t-il.

Il bifurqua brusquement sur la droite, quittant la route principale pour franchir une barrière et dévaler une pente recouverte de graviers.

Erin écarquilla les yeux.

— Vous voulez nous tuer ?

— Détendez-vous. Je contrôle la situation.

— Et vous pensez que je vais gober votre histoire d'inspecteur des finances ? Bien sûr… aussi vrai que ce ruisseau se transforme en glacier l'hiver, maugréa-t-elle.

Il s'abstint de lui répondre et, comme la route rétrécissait pour devenir un chemin cahoteux, il décéléra. Au loin, le véhicule de Preston laissait derrière lui une traînée de poussière.

Arrivé devant chez Leland, Kyle se gara en travers d'un pick-up Ford.

— Il est coincé, à présent. Otez les clés du contact et condamnez les portières, lança Kyle en sautant du 4x4.

Elle prit les clés comme il claquait la portière.

Son arme bien en main, il s'élança en direction du perron et inspecta l'intérieur de la demeure à travers les fenêtres. Si quelqu'un venait à ouvrir la porte du garage, il l'entendrait et agirait en conséquence.

Lentement, il ouvrit le grillage de protection et se saisit de son couteau multi-lames pour forcer la serrure.

Il y eut alors un déclic et la porte pivota sur ses gonds. Kyle se retrouva nez à nez avec un homme à la carrure imposante portant des lunettes de soleil et une casquette de base-ball.

Kyle glissa le pied avant que l'homme pût refermer le battant et poussa de toutes ses forces. L'homme, cédant à la pression, battit en retraite en traversant le salon. Dans sa précipitation, il buta sur une chaise et s'étala de tout son long, ses lunettes de soleil valsant à l'autre bout de la pièce.

Mais il se ressaisit aussitôt ; se relevant prestement, il courut vers la cuisine donnant sur l'arrière-cour.

La porte de celle-ci s'ouvrit avec fracas, laissant apparaître Preston suivi d'un de ses hommes.

— Bon sang ! s'exclama Kyle.

L'intrus fit demi-tour et s'élança dans le couloir.

Kyle plongea par-dessus la table et enserra l'homme à la taille. Tous deux roulèrent au sol, Kyle ayant le dessus.

— Police ! cria Preston en accourant. Rendez-vous !

Kyle priva l'homme de son arme et fit pression de son coude contre sa gorge. Privé de ses lunettes de soleil et de sa casquette qui avaient valsé pendant la lutte, l'intrus lui rappelait vaguement quelqu'un.

Preston lui lut ses droits tandis que son adjoint lui passait les menottes, puis lui prit son portefeuille, à la recherche de sa carte d'identité.

— Vous êtes Bruce Leland ? Le frère de Hank ?

— Oui, et j'ai tout à fait le droit de me trouver ici. Appelez Hank, il vous le confirmera. Enlevez-moi ces menottes avant que je décide de vous poursuivre en justice.

Preston ordonna à son adjoint de s'exécuter et, tandis que Bruce massait ses poignets endoloris, Kyle étudia son visage. Il apparaissait plus âgé que sur la photo de sa carte d'identité, mais c'était bien lui.

— Bruce ! s'exclama Erin.

Kyle se retourna et la dévisagea.

— Je vous avais demandé de rester dans le 4x4 !

— Dès que j'ai aperçu l'autocollant du casino sur le pare-brise de son pick-up, j'ai su à qui vous aviez affaire.

Elle s'adressa alors à Bruce :

— A quoi pensiez-vous en vous introduisant ainsi chez votre frère ?

— Je suis juste venu lui rapporter sa perceuse, se défendit-il en désignant l'outil posé sur un meuble en construction. J'ai oublié les clés, mais je me suis souvenu que Hank m'avait dit que la serrure de la porte arrière cédait facilement à l'aide d'une carte de crédit.

Kyle alla inspecter la perceuse : la poignée en était couverte de poussière. Personne n'avait dû l'utiliser depuis des lustres.

Bruce regarda Erin d'un air interloqué.

— Que faites-vous là, Erin ? Ne me dites pas que vous avez appelé la police en voyant mon pick-up...

— Non..., commença-t-elle.

Mais Kyle l'interrompit.

— Nous devons parler, monsieur Leland.

— Qui, *nous* ? demanda Bruce d'une voix dans laquelle perçait une soudaine appréhension.

Kyle exhiba son insigne en même temps que Preston.

— Vous êtes du FBI ? demanda Bruce.

Kyle éluda la question.

— Nous devons procéder à la fouille de votre véhicule. Soit vous acceptez, soit nous vous plaçons en état d'arrestation le temps d'obtenir un mandat. C'est à vous de voir...

— Allez-y. Fouillez tout ce que vous voulez.

Puis il s'adressa à Erin :

— Que se passe-t-il ?

— Monsieur Leland, intervint Preston, nous avons une mauvaise nouvelle à vous annoncer concernant votre frère.

Bruce adressa à Erin un regard paniqué, nota Kyle ; peut-être étaient-ils tous deux impliqués dans les derniers événements. Après tout, n'avait-elle pas mentionné son besoin d'argent pour réaliser ses projets ?

5

Bruce vacilla à l'annonce de la terrible nouvelle, remarqua Kyle.

— Assassiné ? Ce n'est pas possible…, dit-il en remuant la tête, incrédule.

Preston lui fit le récit des dernières heures.

Bruce serrait si fort les lèvres qu'elles devinrent affreusement pâles.

— Vous êtes mêlée à tout ceci, n'est-ce pas ? demanda-t-il à Erin en lui adressant un regard lourd de reproches. Mon frère avait confiance en vous, et à présent il est mort, et moi, vous êtes encore en vie. Dans quelle histoire l'avez-vous entraîné ?

— Je ne suis aucunement responsable de la mort de votre frère, trancha-t-elle.

Il la toisa avec dégoût, puis reporta son regard sur Preston et Kyle.

— Regardez-là, c'est une très belle femme. Elle a usé de son influence sur mon frère. Hank était un homme bien. Personne n'aurait jamais songé à lui faire du mal. Ce n'est pas le cas d'Erin. Elle décidait qui devait recevoir ou non une promotion dans la société. Elle faisait la pluie et le beau temps. Si quelqu'un a des ennemis, c'est bien elle.

Kyle observait Bruce et Erin avec un vif intérêt ; les deux étaient-ils de mèche ?

Lorsque Bruce se tut, il prit la parole :

— Aviez-vous un tel pouvoir dans la société, Erin ?

— En aucune façon je ne suis responsable de ce qui est arrivé, s'exclama-t-elle en regardant Bruce dans les yeux.

Puis elle se tourna vers Kyle et Preston.

— Il faut me croire ! Je vous ai expliqué qu'ils en avaient après Hank. Moi, je... me suis retrouvée impliquée malgré moi.

— Et votre présence n'a fait qu'empirer les choses, c'est certain, compléta Bruce. Qu'avez-vous fait ? Vous les avez énervés un peu plus ?

— Vous pensez que mademoiselle Barrett est impliquée dans cette affaire ? insista Preston. Si tel est le cas, comment expliquez-vous la seconde tentative de kidnapping contre l'ambulance qui emmenait Hank à l'hôpital ?

Bruce s'écroula sur le canapé.

— Je ne sais pas. Ils voulaient certainement terminer ce qu'ils avaient commencé.

Il les regarda tour à tour, l'air hagard.

— Vous êtes un agent fédéral, reprit-il en s'adressant à Kyle. Mon frère rentrait tout juste d'un séjour de deux mois en Espagne. A quel département appartenez-vous réellement ? A la CIA ?

— Non, je ne suis pas de la CIA, répondit Kyle. La CIA n'est pas habilitée à intervenir dans ce genre d'affaire.

— Alors vous êtes du FBI.

— Je suis un agent fédéral, chargée d'enquêter sur certaines irrégularités commises par votre frère, entre autres choses, rétorqua Kyle.

Erin le dévisageait avec scepticisme, nota-t-il.

— L'agent Goodluck conduit son enquête avec la pleine collaboration des services de police de Hartley, renchérit Preston.

— Alors, quoi ? Je suis en état d'arrestation ? demanda Bruce d'un ton pathétique.

— Vous serez libre quand nous aurons pris votre déposition, répondit Kyle. En plus des raisons qui motivent votre présence ici, vous devrez nous fournir votre emploi du temps pour les dernières vingt-quatre heures.

— Et moi ? s'enquit Erin. Suis-je libre ?

— Non, désolé. Vous allez devoir rester auprès de moi encore quelque temps.

Elle hocha la tête de dépit, tandis que l'adjoint emmenait Bruce dehors.

— Hank était totalement différent de son frère, reprit Erin. J'ai l'impression que Bruce ne me porte pas dans son cœur.

— Pour quelle raison, d'après vous ? demanda Kyle.

— Hank avait mis en place une procédure qui obligeait Bruce à passer par moi pour le voir. Bruce n'avait aucune confiance en moi, aussi devais-je sans cesse batailler avec lui lorsqu'il venait rendre visite à son frère.

— Très bien, conclut Kyle. Asseyez-vous là et attendez mon retour.

Il alla retrouver Preston dans le hall et se plaça de façon à garder Erin dans son champ de vision. Il murmura à l'oreille de son frère :

— Le NCIS a obtenu un mandat pour truffer sa maison de mouchards. Une équipe s'est chargée de la mission quelques jours avant notre retour d'Espagne.

— As-tu pu écouter les fichiers audio ?

— Non, pas encore. Mais des collègues l'ont fait. Je vais appeler mon supérieur de ce pas, et j'aimerais que tu gardes un œil sur Erin.

Kyle sortit de la maison et prit son téléphone satellite dans la poche de son blouson. Il appela Martin Hamilton, son superviseur, lequel semblait à cran.

— Tout ce que je viens d'entendre ne présage rien de bon. Qu'est-ce que vous avez de nouveau, agent Goodluck ?

Kyle lui fit un résumé de la situation.

— Je suis la piste, monsieur, mais je ne suis de retour que depuis vingt-quatre heures à peine.

— Et l'on compte déjà trois cadavres, parmi lesquels un réserviste des forces navales. J'ai besoin de réponses dans les meilleurs délais.

— Bien, monsieur. Je vous tiendrai informé.

Kyle jura entre ses dents et regagna la maison.

Preston, les bras ballants, y secouait la tête de dépit.

— Nous ne trouvons rien d'intéressant, ici, à part un collier de perles de forte valeur. Il était destiné à Frieda Martinez, si on se réfère à la carte qui l'accompagne.

— Frieda avait manifesté le désir de posséder un collier de perles, alors Hank le lui a acheté, expliqua Erin en approchant. J'ai trouvé que c'était un peu tôt pour un cadeau de cette valeur.

— J'ai l'impression que vous n'aimiez pas beaucoup Frieda, observa Kyle.

— Non, ce n'est pas cela. Tout comme Hank, je la connaissais à peine.

Elle marqua une petite pause, puis reprit :

— Il y a une chose que vous devez savoir au sujet de Hank. Les affaires marchaient bien, pour la première fois depuis des années, mais Hank semblait s'ennuyer et il était extrêmement agité. Lorsqu'il a fait la connaissance de Frieda, son comportement a changé du tout au tout. Il était fou d'elle alors que, comme je l'ai dit, ils ne se fréquentaient que depuis quelque temps.

Kyle écoutait avec attention. Manifestement, Hank faisait sa crise de la cinquantaine et cherchait un nouveau souffle. L'argent ne résolvait pas tous les problèmes.

— Avez-vous déjà vu Frieda ? demanda Kyle.

— Oui, quelques fois, quand elle venait chercher Hank pour déjeuner.

— Et ? insista-t-il.

— Elle était polie, mais pas vraiment amicale.

— Y a-t-il une possibilité qu'elle soit espagnole ?

— Je n'en sais rien. Elle s'exprime avec une pointe d'accent étranger, comme quelqu'un pour qui l'anglais ne serait pas la langue maternelle.

Kyle se tourna vers son frère.

— Preston, tâche de dénicher son adresse afin que nous allions la cuisiner un peu. Erin, j'aimerais que vous nous accompagniez. Il serait bénéfique qu'elle voie un visage familier, une personne en qui Hank avait confiance.

— D'accord.

Kyle marcha vers la porte à son côté en l'observant discrètement. Tant qu'il ne serait pas fixé sur le rôle qu'elle tenait dans cette affaire, sur son honnêteté ou non, il resterait sur ses gardes.

Erin contemplait le paysage qui défilait au-delà du pare-brise. Ils roulaient tranquillement sur une route au trafic fluide.

— C'est agréable de ne pas rouler à toute allure, dit-elle. Je commençais à me demander si vous étiez capable de conduire à moins de cent-vingt kilomètres à l'heure.

Kyle tourna la tête et lui sourit.

— Il y a quelque chose que je ne comprends pas, confia-t-elle. Vous avez débarqué chez Secure Construction à l'instant même où ces hommes tentaient de nous kidnapper ; ce n'était pas par hasard. Je pense que vous étiez informé de ce qui se tramait, mais si c'était exact, pourquoi n'êtes-vous pas intervenu plus tôt, avant que la situation ne dégénère ?

— Je suis intervenu dès que j'ai reçu l'ordre d'interroger Hank. Je n'avais aucun moyen de deviner ce qui allait se passer. A mon avis, la seule personne qui n'a pas été prise au dépourvu était Hank.

— Peut-être bien, murmura-t-elle. Je pensais connaître Hank, mais à présent… Peut-être ne connaît-on jamais la véritable personnalité des gens, ajouta-t-elle en scrutant Kyle.

Il y avait dans son regard de flic comme une réserve, une limite au-delà de laquelle toute tentative de lire ses émotions se solderait par un échec. Kyle était un type bien, à n'en pas douter, mais elle peinait à accorder sa confiance à un homme qui doutait d'elle.

— Nous avons un problème, tous les deux ? demanda Kyle, comme s'il devinait ses pensées.

— Cela se pourrait. J'aimerais vous faire confiance, Kyle,

mais vous me cachez des choses. Lorsque quelqu'un décide à ma place de ce que je dois savoir et ignorer, cela me rend nerveuse.

— Cela ne devrait pas. Je suis de votre côté. Vous le savez bien.

— Vous prétendez me garder auprès de vous pour ma sécurité, mais si le danger est réellement présent, pourquoi ne pas nous cacher dans un endroit sûr ?

— Votre meilleure stratégie est de vous déplacer sans cesse, et près de moi. Concernant votre protection, je n'ai confiance qu'en mes frères, et ils sont suffisamment occupés pour le moment. En restant avec moi, il se pourrait qu'un événement, un détail, ravive votre mémoire. Cela fait un bon moment que vous travaillez pour Hank.

— Je ne suis en rien concernée par les éventuelles magouilles de Hank Leland. Je travaille dur, et mon objectif dans la vie est aux antipodes du pouvoir que recherchent ces terroristes assoiffés de violence. J'aspire à une existence paisible, sur mes terres. Prenez le temps de vérifier mes antécédents, et vous verrez que je suis telle que je le prétends.

— Que vous le vouliez ou non, vous êtes impliquée dans cette affaire. Et vous ne pouvez affronter, seule, ces gens, pas plus que vous ne pourrez les raisonner. Vous avez besoin de moi. Je suis plutôt doué dans mon travail ; vous êtes en sécurité avec moi.

— Qu'arrivera-t-il ce soir ? Une fois que vous m'aurez déposée chez moi, je me retrouverai seule, de toute façon.

— Vous ne pouvez pas rentrer chez vous. Pas pour le moment. Je ne peux me permettre de vous allouer un agent de police et prier pour que tout se passe pour le mieux.

— Vous pensez que les hommes qui ont tué Hank ont une taupe au sein de la police ? s'étonna-t-elle.

— Ne sachant pas ce qu'il en est, je ne préfère pas tenter le diable. Le b.a.-ba de mon travail consiste à appréhender tous les aspects d'une affaire, les plus évidents comme les plus improbables.

— C'est la raison pour laquelle vous avez prélevé un objet dans la boîte sur le bureau de Hank sans en informer quiconque, pas même la police.

Bien qu'elle connût la nature de l'objet, elle n'en dit mot.

— Vous m'avez vu le prendre ? demanda-t-il, l'air surpris. Il se reprit presque aussitôt.

— Oui. Je l'ai confié à Preston afin qu'il le transmette à notre frère Daniel pour l'analyser. Daniel possède une accréditation spéciale émanant du gouvernement pour mener ce type de recherches. J'ai aussi pris un cliché de l'objet pour l'envoyer à mon supérieur.

Erin poussa un soupir.

— Il y a de nombreuses zones d'ombre au sujet de cette affaire, mais je me contenterai de vos explications. Pour le moment.

— Croyez-moi sur parole, rétorqua Kyle en lui offrant un sourire dévastateur. Considérez-moi à présent comme votre garde du corps attitré.

Un frisson parcourut aussitôt Erin. Kyle dégageait une énergie hors du commun. Il était une force de la nature, sans cesse en quête d'action, d'un nouveau rebondissement.

Après tout, songea Erin, puisqu'elle était embringuée dans une aventure qui risquait de lui coûter la vie, mieux valait qu'elle s'en remette à son protecteur.

— Je ne suis pas aussi désagréable à vivre qu'il y paraît, déclara-t-il, une petite flamme dansant dans son regard.

Elle trembla de nouveau.

— Oh ! Je ne doute pas qu'il y ait une ribambelle de femmes qui rêvent de votre compagnie. Vous êtes ce type d'homme dont la présence suffit à déclencher des catastrophes. Vous me faites penser à cette attraction de fête foraine, les montagnes russes, où chaque période de calme précède un looping vertigineux.

— Je prends cela comme un compliment.

— Je déteste les montagnes russes. Je préfère les promenades en bateau.

— Jusqu'à preuve du contraire, releva-t-il dans un sourire ravageur.

Il se gara le long de la route, aux abords d'un ravissant petit chalet niché dans la nature.

— Voilà. Nous y sommes.

— Quel bel endroit ! Frieda a vraiment bon goût, commenta Erin.

De magnifiques petits rosiers, aux fleurs rouges et jaunes à peine écloses, bordaient le sentier menant au perron et étincelaient sous la lumière rasante de la fin d'après-midi. Après une journée aussi abominable, cela faisait du bien, pensa Erin.

Elle se tourna vers Kyle : il paraissait tendu à l'extrême, observant tour à tour chaque fenêtre de la maisonnette, la main posée sur la crosse de son arme. Son attitude semblait hors de contexte.

— Comme Frieda m'a déjà rencontrée, pourquoi ne me laisseriez-vous pas faire les présentations ?

— Parfait, répondit-il d'une voix monocorde.

— Frieda, c'est moi, Erin ! appela-t-elle en atteignant le perron.

Lorsqu'elle frappa à la porte, cette dernière pivota sur ses gonds en émettant un petit grincement lugubre.

Kyle saisit Erin par la taille pour la repousser de côté.

— Restez derrière moi, ordonna-t-il. Et ne touchez à *rien* !

6

— Vous pensez qu'il y a un cambrioleur ? chuchota Erin, le souffle court.

— Non, je pense plutôt à un piège. Vous voyez ce fil tendu attaché à la poignée ?

Kyle examina le mécanisme de la serrure et, se penchant en avant, renifla l'odeur qui s'échappait de l'intérieur de la maison.

— Ça sent l'acide sulfurique. Allez vous réfugier derrière le 4x4 et restez à couvert. Il y a une bombe à l'intérieur.

— Dois-je appeler le service de déminage ?

— Surtout pas. Ne passez aucun appel téléphonique. Cela pourrait déclencher l'explosion. Tenez-vous sur vos gardes, je vais contourner la maison, dit-il en disparaissant derrière l'angle de la maison.

Erin attendit, tapie derrière le 4x4, durant de longues minutes. Elle observait la maison à travers les vitres du véhicule lorsque la porte d'entrée s'ouvrit lentement.

— L'endroit est sécurisé, cria Kyle. J'ai neutralisé l'engin explosif en séparant les composants chimiques, mais je préfère que vous passiez par la porte de derrière.

Les mains tremblantes, enfoncées dans les poches de son pantalon, elle avança d'un pas hésitant sur la terre détrempée. Etrangement, cette sensation de fraîcheur et d'humidité lui fit le plus grand bien, la ramenant aux réalités de la vie. Tout son monde s'écroulait et, à chaque instant, un événement fâcheux semblait devoir se produire.

Kyle l'attendait sur le pas de la porte de derrière et la fit entrer dans une cuisine de taille modeste.

Elle parcourut l'endroit du regard. La pièce était exagérément propre et chaque chose était à sa place, faisant plutôt penser à une maison témoin qu'à un lieu habité.

Elle poussa un long soupir.

— Hier encore, ma vie était tout à fait normale. Arroser les plantes en me levant, prendre mon petit déjeuner, faire le ménage, aller au travail, rentrer et me préparer à dîner… Je suivais mes petites habitudes et tout se déroulait à la perfection.

Kyle la dévisagea comme si elle s'était exprimée dans une langue inconnue.

— C'est *cela*, votre conception de la perfection ?

— Oui, et cela me convient. La vie est suffisamment compliquée, avec ses embûches et ses tracas quotidiens qui vous empêchent d'atteindre votre but. C'est pourquoi je tente de toujours tout anticiper. A présent, chaque heure qui passe me place dans une situation insensée. Comme ceci, dit-elle en désignant la porte d'entrée. Quelqu'un avait l'intention de réduire en cendres cette jolie résidence. Pensez-vous que cela ait un lien avec les hommes qui en voulaient à Hank ?

— A mon avis, oui, répondit-il en la précédant dans le salon. Donnez-moi une minute. Je dois appeler mon frère Preston.

Elle se tint immobile et tendit l'oreille.

— La maison de Frieda était piégée, expliqua Kyle au téléphone. J'ai trouvé un récipient contenant du chlorure de potassium mélangé à du sucre et un flacon d'acide sulfurique. Ces composants, une fois mélangés, auraient dégagé une intense chaleur, relayée par la bouteille de gaz toute proche. Ça aurait fait un joli feu d'artifice. Il suffisait que je pousse la porte un peu trop, alors l'acide se serait répandu et l'endroit se serait embrasé en un millième de seconde. Un véritable enfer.

Kyle échangea avec Erin un regard qui se voulait rassurant.

— D'après ce que je constate, reprit-il, quelqu'un, probablement Frieda, a brûlé des documents dans la cheminée.

A l'odeur qui s'en dégage, il semblerait qu'on ait utilisé de l'essence comme accélérateur.

Enfilant ses gants en latex, il se mit à fouiller dans les cendres froides.

— Je vois là un permis de conduire à demi calciné, mais je peux encore lire le numéro, dit Kyle en l'épelant. La photo n'est que partiellement brûlée ; attends une seconde…

Il scanna la photo à l'aide de son portable et l'envoya.

— Tu devrais recevoir sa photo d'un instant à l'autre. Rappelle-moi dès que tu en sauras plus à son sujet. J'ai pu l'apercevoir pendant le kidnapping. Elle porte aujourd'hui les cheveux beaucoup plus courts que sur la photo, mais la ressemblance est tout de même flagrante. Je parierais que c'est elle qui conduisait le van pendant l'attaque de l'ambulance.

Preston rappela Kyle quelques minutes plus tard. Ce dernier déposa son portable sur la table du salon et activa le haut-parleur.

— J'ai de mauvaises nouvelles, annonça Preston. A part son adresse, toutes les informations figurant sur son permis de conduire sont falsifiées. Comme tu ne souhaites pas que cette affaire s'ébruite, j'ai mis Daniel sur le coup. Paul, lui aussi, va nous prêter main-forte. Il est féru d'informatique et je te garantis que tu auras des informations sous peu.

— Parfait. Vous êtes les seuls en qui je peux avoir confiance.

— Gene est disponible, lui aussi, au cas où nous aurions besoin d'un coup de main. Mais, en ce moment, il est au ranch. Par ailleurs, tu n'aurais pas dû désamorcer toi-même la bombe. Nous avons une équipe de spécialistes dont c'est le métier.

— On m'a entraîné à désamorcer des engins explosifs d'une complexité telle que la brigade de déminage n'en a certainement jamais approchés, rétorqua-t-il.

Puis il s'arrêta devant un bureau.

— Je pense que Frieda a emporté son ordinateur portable ; j'aperçois une surface rectangulaire exempte de poussière sur le dessus de son bureau.

Erin suivit Kyle à travers le couloir menant aux chambres. Il avait pris son portable mais coupé le haut-parleur.

Elle entra dans la chambre de Frieda et la parcourut du regard. L'absence de touche personnelle était de nouveau manifeste. La personnalité de Frieda demeurait un pur mystère.

Kyle raccrocha enfin.

— Je sais que vous avez un plan, lui lança-t-elle, et j'aimerais que vous me l'exposiez.

— Mon plan dépend de ce que je vais trouver. Pour l'instant, je tente de récolter des indices. Tâchez de vous détendre, dit-il en poursuivant ses recherches.

— Me détendre ? Avez-vous perdu la raison ? On a tenté de me kidnapper, mon patron a été assassiné, et bien que cela paraisse hors sujet, il est presque 18 heures et je n'ai rien avalé de toute la journée.

Un frisson la glaça.

— Je n'en reviens pas de me plaindre ainsi…

Kyle la gratifia d'un sourire.

— Je vous ai mis la pression et je ne vous ai pas permis de prendre du recul sur les événements de la journée. Je suis désolé, Erin. Restez sagement auprès de moi encore un peu, ensuite nous prendrons le temps de manger un morceau.

— S'il vous plaît, laissez-moi rentrer chez moi, même pour quelques minutes. C'est là où je me sens vraiment moi-même et où je peux mettre de l'ordre dans mes pensées.

— C'est beaucoup trop risqué. Je vais vous mener en lieu sûr et nous prendrons un repas à emporter en route. Un estomac bien rempli et une bonne nuit de sommeil vous feront le plus grand bien.

— Je ne pourrai jamais fermer l'œil. Je suis bien trop sur les nerfs.

— Quand nous serons au refuge, vous pourrez vous détendre, et le sommeil vous gagnera naturellement.

— Vous avez peut-être raison, concéda-t-elle finalement.

Il fit une dernière fois le tour de la chambre, puis ils retournèrent au 4x4.

— Nous savons que Frieda a modifié son apparence physique, récapitula-t-il. Elle s'est coupé les cheveux et il est probable qu'elle ait décidé de les teindre ou de porter une perruque. Je n'ai pu que l'apercevoir et je ne suis pas certain de pouvoir la désigner parmi d'autres femmes dans une séance d'identification. Vous pourriez la reconnaître, vous ?

— Sans hésiter. Il y a un détail de son visage qu'elle ne peut dissimuler : une légère bosse sur l'arête de son nez, certainement due à une fracture.

— C'est bon à savoir, dit-il en lui souriant. Vous voyez ? Vous avez déjà capté les astuces du métier. Il se pourrait que vous décidiez d'ouvrir votre propre agence d'investigation avant l'issue de cette affaire.

Erin le dévisagea : avait-il perdu la raison ?

Kyle éclata de rire.

— Votre problème, c'est que vous tentez d'appliquer une procédure bien définie, alors qu'une enquête criminelle ne fonctionne pas ainsi.

— J'aime ce qui est défini, reconnut-elle. J'ai besoin d'une structure, d'un cadre précis. Si vous travaillez réellement pour le gouvernement, alors vous devez, vous aussi, respecter certaines règles. Privé d'un cap, d'une direction dans laquelle concentrer vos efforts, vous êtes condamné à errer.

— J'ai effectivement une façon de procéder, mais ce n'est pas gravé dans le marbre. Lorsque je suis sur le terrain, je m'attache au premier indice qui s'offre à moi. A cet instant précis, je me concentre sur Frieda Martinez. J'ai vu un tablier de serveuse dans sa salle de bains et une pochette d'allumettes du Quarter Horse Bar sur sa table de nuit.

— Je suis passée à côté, admit-elle.

— Dans ce cas, essayons de nous concentrer sur ce que vous avez vu.

— Je ne cherchais rien de particulier. Je vous regardais

en attendant que vous terminiez votre conversation avec votre frère.

— Vous étiez avec moi et je vous ai vue observer les lieux. Tâchez de vous souvenir.

— Le lit était défait, la porte de la salle de bains était entrouverte et il y avait du linge sale au pied de la baignoire, ainsi que des chaussures. Deux paires ? Aucune femme ne se contenterait de deux paires de chaussures. J'ai aussi remarqué qu'il n'y avait aucune plante verte, aucun accessoire de décoration. J'ai trouvé cela étrange. La plupart des femmes aiment apporter leur touche personnelle à leur intérieur.

— Bien observé, approuva Kyle. Quoi d'autre ?

— Le calendrier. Certains jours ont été surlignés. Le premier lundi du mois, et le jeudi qui suit.

— Vous voyez ? Vous avez enregistré plus d'informations que vous ne le supposez.

— Peut-être bien, mais cela ne nous mène nulle part. J'aimerais tellement me souvenir d'un fait crucial qui vous permettrait d'appréhender ces hommes.

— Les choses ne sont jamais aussi simples. Restez concentrée. Le moindre détail, comme ces dates sur le calendrier, peut nous être très utile.

Erin ne put retenir un soupir. Aussi loin que remontaient ses souvenirs, elle avait toujours détesté le changement. Encore plus cette fois-ci.

Kyle se pencha alors vers elle et posa la main sur les siennes. Sa peau était ferme et légèrement calleuse, mais son geste était empreint de tendresse.

— Vous allez vous en sortir, Erin. Je suis doué pour jauger le mental des gens. Vous êtes plus forte que vous ne le supposez.

— Il est vrai que je suis forte et assez indépendante, mais cette histoire…

— Je suis là pour vous, Erin.

Elle reporta son attention sur l'extérieur. Il semblait si sûr de lui qu'il était tentant de se laisser aller et de s'en remettre totalement à lui. Elle l'avait vu combattre : il était de toute évidence un dangereux adversaire. Mais cela ne la rassurait pas complètement.

En outre, une attirance insensée la poussait vers lui. C'en était troublant.

Kyle était semblable à cette plante sauvage qui était apparue dans son jardin quelques mois plus tôt et dont les graines avaient certainement été apportées par le vent. Elle lui avait prodigué des soins, mais la plante n'avait pu développer ses racines, et la première bourrasque l'avait emporté.

Dès que Kyle aurait bouclé son enquête, lui aussi disparaîtrait à jamais. C'était ainsi.

Tout en conduisant, Kyle réfléchissait. Preston ne tarderait pas à se rendre chez Frieda pour y relever les empreintes et chercher des indices. Avec l'aide de Daniel, il parviendrait certainement à découvrir la véritable identité de la jeune femme.

— Nous allons au Quarter Horse Bar ? demanda soudain Erin, le tirant de ses pensées.

— Oui. Je souhaite interroger le responsable au sujet de Frieda. J'aimerais que vous soyez vigilante pendant que je ne m'entretiendrai avec lui. Si vous apercevez Frieda, ou toute autre personne nous observant, prévenez-moi aussitôt.

Il gara son 4x4 devant l'entrée de l'établissement. Le parking était pratiquement désert.

— Nous arrivons au bon moment. Il n'y a pas trop de clients, le responsable aura bien quelques minutes à nous consacrer. Mais je veux que vous restiez derrière moi.

Ils traversèrent l'établissement chichement éclairé. Kyle exhiba son insigne et demanda à parler au responsable.

— Je recherche l'une des employés, Frieda Martinez.

— Elle devrait être là depuis une heure. Si vous la voyez, dites-lui qu'elle est virée, graillonna l'homme.

— Etes-vous le propriétaire ?

— Non, je suis juste le gérant. Je m'appelle Ed Huff, inspecteur.

Kyle ne jugea pas opportun de le reprendre. Si Huff le prenait pour un policier local, tant mieux.

— Parlez-moi de Frieda. Elle fréquente un homme en particulier ? Un client ou un membre du personnel ?

— Comme tout un chacun, elle a ses préférés. Pourquoi la police s'intéresse-t-elle soudainement à elle ?

— Nous avons quelques questions à lui poser, voilà tout.

Kyle sortit de sa poche une photographie de Bruce et une autre de Hank Leland.

— Vous reconnaissez l'un ou l'autre de ces hommes ?

— Celui-ci est Bruce Leland, et l'autre, son frère, Hank Leland. Ce sont tous les deux des habitués du bar. Bruce vient plus souvent que Hank. Hank s'est absenté un bon moment, à l'étranger pour ses affaires, paraît-il, mais Bruce vient à peu près tous les soirs. En fait, c'est Bruce qui a présenté Frieda à Hank. On peut dire que Frieda et Hank ont eu le coup de foudre l'un pour l'autre.

Ed se tourna vers l'un de ses employés.

— Alex, remplace-moi !

Puis, s'adressant à Kyle :

— On va aller dans mon bureau.

Plutôt que de les suivre, Erin désigna un distributeur automatique à l'entrée du bar.

— Vous m'excusez un moment ? J'ai besoin de reprendre des forces.

— Allez-y, répondit Kyle.

Ed le conduisit dans une pièce exiguë et poussiéreuse.

— Le fichier des employés se trouve ici, mais vu que nous embauchons pas mal de saisonniers, on ne tient pas toujours les registres à jour. Aucun de nous n'est vraiment à l'aise avec la paperasse.

Ed sortit un dossier du classeur et le posa sur le bureau.

— Voilà tout ce qu'on a, Inspecteur.

Kyle parcourut le dossier. Ainsi qu'Ed l'avait dit, il ne contenait qu'une seule page d'informations concernant la jeune femme. Y figuraient son adresse connue et son dernier emploi en qualité de technicienne, chez Zia Limited. Intéressant, songea Kyle.

— J'en ai marre de me disputer sans cesse avec elle. Frieda va devoir se trouver un nouvel emploi, grinça Ed.

— Je ne veux pas que vous me teniez pour responsable de cette décision. Je ne la recherche que pour lui poser certaines questions. Hank Leland est décédé ce matin.

Ed écarquilla les yeux.

— C'est une terrible nouvelle. Hank est mort ?

Il réfléchit un instant.

— C'est probablement la raison pour laquelle Frieda n'est pas venue travailler aujourd'hui. Comment cela est-il arrivé ? Si vous enquêtez, c'est qu'il ne s'agit pas d'un accident, n'est-ce pas ?

— J'ai bien peur que non, répondit Kyle. Je souhaite juste demander à Frieda ce qu'elle sait à propos des frères Leland.

— Son témoignage pourrait s'avérer utile, approuva Ed. Elle est très proche des clients, surtout des hommes.

— Je ne l'ai jamais rencontrée, alors racontez-moi. Qu'est-ce qui la rend si… sociable ?

— Frieda a le don de vous mettre dans sa poche. Elle a des yeux verts magnifiques et une chevelure cuivrée qui brille comme de la soie. Vous voyez ce que je veux dire ?

— Oui, elle est chaude.

— Brûlante, et elle en est pleinement consciente. Frieda n'aurait jamais approché Bruce à moins d'avoir une idée derrière la tête. Bruce est un perdant, et je pense qu'elle s'est servie de lui pour rencontrer Hank. Frieda est le genre de personne partie de rien, mais qui entend bien devenir un jour très riche.

Il y eut soudain un bruit sourd en provenance du couloir et Kyle se retourna : un homme à la carrure imposante, vêtu d'un ample pantalon et d'un T-shirt vert fluo, plaquait Erin contre le mur.

Kyle s'élança et franchit la distance qui les séparait en une fraction de seconde. Il saisit l'homme par le bras, le lui tordit dans le dos et lui écrasa le visage contre le mur.

— Si vous avez un problème avec elle, alors vous avez un problème avec moi.

Ed se précipita pour les séparer.

— Bubba, qu'est-ce que tu fiches ici ? Tu sais que cet endroit est réservé aux employés.

Une femme à la chevelure d'un roux éclatant fit son apparition.

— C'est ma faute, Ed. Je suis venue récupérer mon chèque et Bubba a tenu à m'accompagner. Quand il a vu cette femme m'attraper par le bras, il a cru qu'elle tentait de me dérober mon sac à main.

— Je suis désolée, dit Erin en reprenant son souffle. Je vous ai prise pour quelqu'un d'autre.

Kyle relâcha son étreinte et fit se retourner Bubba.

— Je vais te laisser partir, mon gars, mais ne pose plus jamais les mains sur une dame ou je te passe les menottes.

Bubba le dévisagea, une lueur de haine dans ses petits yeux noirs.

— Vous avez cru que j'étais Frieda, n'est-ce pas ? demanda la femme avec un sourire narquois. Je m'appelle Rosalie et je suis serveuse. Bubba assure mes arrières depuis qu'un type a tenté de m'agresser sur le parking, la semaine dernière. Lui aussi a cru que j'étais Frieda jusqu'à ce qu'il voie nettement mon visage. De dos, on nous confond tout le temps.

— Avez-vous vu le visage de l'homme qui vous a agressée ? demanda Kyle.

— Je l'avais déjà aperçu dans les environs. Ce doit être un client. Il était fou de rage après Frieda, se plaignant qu'elle ne jouait pas le jeu, ou quelque chose dans le genre. Au moment où il a compris que je n'étais pas Frieda, Bubba a surgi et l'a roué de coups.

— Je suis sincèrement désolée de vous avoir importunée, déclara Erin.

La femme lui sourit.

— N'en parlons plus. Je suis désolée, et Bubba aussi.

Elle s'adressa à son ami :

— Excuse-toi, Bubba.

— Oui, bien sûr. C'est un malentendu, marmonna le jeune homme.

— Quittons cet endroit, fit Kyle.

Une fois à l'extérieur du bar, il se planta devant Erin.

— Vous avez décidé d'interpeller, seule, une femme que vous pensiez être Frieda ? Qu'est-ce qui vous est passé par la tête ? Et si elle avait sorti un revolver ?

— Je craignais qu'elle s'enfuie en m'entendant vous appeler.

— Ne refaites jamais cela, grogna-t-il. Je vous garde auprès de moi parce que vous avez vu le visage d'un des kidnappeurs et que les autres doivent penser que vous pouvez remonter jusqu'à eux. Du coup, vous êtes en plein dans leur ligne de mire.

— C'est justement parce que je reste avec vous qu'ils risquent de penser que j'en sais long sur eux.

— Peut-être bien, mais je suis là pour les empêcher de vous atteindre. Réfléchissez bien ; vous avez tout intérêt à suivre mes directives.

— Ça, je l'ai bien compris, mais je ne veux pas non plus être un boulet. En vous aidant, je m'aide aussi. Je vais m'impliquer un peu plus dans votre enquête, Agent Goodluck.

— Ah, oui ? Et comment comptez-vous vous y prendre ? demanda-t-il en martelant chaque syllabe.

— Premièrement, je vais renforcer ma vigilance, tout comme je l'ai fait au Quarter Horse Bar, et agir si nécessaire… sans prendre de risques, cela va de soi. Vous devriez songer à adapter votre tactique et utiliser mon aide de manière plus efficace. Si vous refusez, je devrais faire preuve de créativité.

— Vous tenez vraiment à mourir ?

— C'est tout le contraire. Plus tôt vous trouverez les réponses à vos questions, plus tôt je retrouverai…

Elle se tut brusquement et détourna le regard.

— Quoi ?

— Une vie normale… qui ne sera, d'ailleurs, plus jamais celle que j'ai connue, dit-elle d'un ton peiné. En premier lieu, je suis sans emploi. Hank était l'unique propriétaire de Secure

Construction et je dois entrer en contact avec son avocat pour connaître les statuts de la société. L'activité va-t-elle se poursuivre le temps de tout mettre au clair ? Nous avons des sous-traitants et des employés à payer...

— Je vous autoriserai à appeler l'avocat dès que nous serons en lieu sûr et quand cet appel ne pourra être retracé.

— Hank avait toute confiance en moi. Je ne peux tout simplement pas laisser la société dans le chaos. Je dois assumer mes responsabilités.

Kyle analysa son point de vue. Bien que la responsabilité de l'entreprise ne lui incombe plus, elle tenait néanmoins à ce que les choses fussent en ordre. Elle avait besoin de règles pour s'épanouir, quitte à se les imposer à elle-même. Dans le contexte actuel, cela rendait son attitude prévisible et risquait de provoquer sa chute.

— Je vous comprends, dit-il tandis qu'il montait dans le 4x4.

Il se rappela alors l'enseignement que lui avait dispensé Hosteen Silver. Avant de vouloir restaurer l'ordre, il faut retrouver l'équilibre. La première étape consiste à identifier le déséquilibre au sein de son âme.

A tout bien considérer, songea Kyle, il avait fait fausse route. Pour trouver les réponses, il devait se concentrer sur le cœur du problème : Erin Barrett.

7

En sortant du parking, Kyle remarqua un van blanc : le véhicule effectuait un demi-tour au beau milieu de la circulation et manqua de percuter une voiture venant en sens inverse. Son conducteur, qui avait dû écraser la pédale de frein, klaxonna avec fureur.

— Cet imbécile de chauffard aurait pu tuer quelqu'un ! s'exclama Erin. Ce type est certainement soûl. Nous connaissons trop d'accidents mortels dans la région.

Ou bien le type est tout à fait sobre, mais déterminé à nous suivre...

Kyle, sur ses gardes, décida de jouer franc-jeu.

— Il y a de grandes chances que nous soyons suivis, dit-il en jetant un coup d'œil dans le rétroviseur.

— Vous parlez de ce van avec le sigle d'une société d'électricité sur les portières ?

— Nos suspects ont l'air d'apprécier les vans, et ce sigle magnétique est facile à apposer.

S'adressant à la console électronique de son 4x4, il s'exprima à haute voix :

— Rechercher Consolidated Electric.

Il attendit que l'ordinateur compulse sa mémoire.

— Aucune société de ce nom enregistrée à Hartley, répondit la voix synthétique. Autre localisation : Denver, Colorado.

— Votre instinct ne vous a pas trahi, commenta Erin. Ne pouvons-nous inverser la filature ?

Décidément, elle possédait une surprenante faculté d'adaptation, conclut Kyle.

— Ça doit être jouable, mais je dois au préalable appeler des renforts.

Il se pencha vers la console.

— Appeler Preston.

Puis il vérifia la présence du van dans son rétroviseur.

Le véhicule avait changé de file et s'était rapproché. Il était manifeste qu'il les suivait.

— Preston, nous sommes suivis par un van blanc avec une inscription Consolidated Electric sur les portières. Peux-tu le prendre à ton tour en filature ?

— Quelle est votre position ?

— Nous nous dirigeons vers l'est, sur Crestview Avenue. Nous approchons du carrefour de la vingt et unième rue.

— Bien. Prenez la Vingt et Unième vers le sud et tâchez d'arriver quand le feu passera au rouge afin que je puisse vous rejoindre. Je suis dans un snack de la Quatorzième Rue et je devrais pouvoir arriver d'ici à cinq minutes. Prévenez-moi si le van abandonne la filature.

— Compris, répondit Kyle.

— Il est toujours à nos trousses, dit Erin en regardant dans le rétroviseur latéral.

Kyle réduisit l'allure de façon à s'arrêter au feu rouge.

De l'autre côté de l'intersection, l'activité du centre commercial de Crestview battait son plein.

Comme il tournait à droite pour s'engager dans la Vingt et Unième Rue, le van toujours à quelques véhicules de distance derrière eux, les gyrophares d'un véhicule de police approchèrent.

— Est-ce Preston ? s'étonna Erin. Ce n'est pas très malin de sa part.

— Bon sang ! cria Preston. Ce n'est pas moi. C'est un officier qui se rend sur les lieux d'un braquage. Comportez-vous normalement et espérons que le conducteur ne panique pas.

Le van accéléra brusquement. Il traversa l'intersection et s'engagea dans le parking du centre commercial.

— Il s'enfuit ! s'écria Erin en pivotant sur son siège.

— Il vient d'entrer dans le parking du centre commercial, annonça Kyle à son frère. Accrochez-vous, Erin !

Il changea de file d'un savant coup de volant et se lança à la poursuite du van.

— Le voilà ! dit-elle en le désignant. Il se dirige vers l'aire de stationnement du cinéma.

— Je le vois, répondit Kyle en décrivant une courbe pour contourner le bâtiment. Côté est, Preston.

— Je m'engage à présent sur la Vingt et Unième, répondit ce dernier. Je me rends directement vers le cinéma pour lui barrer la route.

Kyle dut ralentir pour éviter une bande de jeunes en skateboard et, du coup, le véhicule disparut.

— Il est là ! s'écria Erin en montrant du doigt le van garé le long du centre commercial. Le conducteur est descendu et s'enfuit vers l'entrée principale.

— Vous avez un sacré coup d'œil ! la félicita Kyle.

Contournant une rangée de véhicules stationnés, il s'arrêta le long du van.

Erin sauta du 4x4 dès que celui-ci s'immobilisa.

— Dépêchez-vous avant qu'on le perde dans la foule.

— Attendez ! cria Kyle en jaillissant du 4x4.

Il approcha du van et regarda à l'intérieur. Le véhicule était vide, et les clés n'étaient pas sur le contact. A l'aide de son couteau de poche, il creva les pneus avant.

Puis il se redressa : Erin avait pris de l'avance et s'apprêtait à entrer dans le centre commercial.

— Dépêchez-vous ! lança-t-elle en disparaissant au milieu des badauds.

Kyle sortit son portable de sa poche et s'élança à sa suite.

— Erin et le suspect se trouvent dans le centre commercial, expliqua-t-il à Preston. Ils ont emprunté le hall sud et se dirigent vers la Vingt et Unième. Tâche de les intercepter.

Erin courait au loin et Kyle devait se faufiler parmi la foule pour ne pas être semé.

Elle s'arrêta enfin et, effectuant un tour complet sur elle-même, lui adressa un regard exprimant la frustration.

Il la rejoignit et la saisit par les épaules.

— Vous êtes folle ? Vous auriez pu vous faire tuer…

Comme une jeune femme portant deux jeunes enfants dans ses bras le dévisageait, Kyle comprit : elle avait aperçu son arme accrochée à sa ceinture.

— Je suis officier de police, madame, dit-il calmement en exhibant son insigne. Vous n'êtes pas en danger.

Erin offrit à la jeune femme son plus beau sourire.

— Avez-vous vu passer en courant un homme en chemise grise, avec une casquette de base-ball et un pantalon noir ?

La jeune femme hocha la tête.

— Il est entré par-là, répondit-elle en désignant un supermarché.

— Merci, madame, fit Kyle. Savez-vous si l'endroit possède une sortie de secours ?

— Non, je ne crois pas. La plupart des commerces ici n'en ont pas.

Preston approchait au loin et Kyle lui fit signe de la main. Puis il entra dans le supermarché accompagné d'Erin.

— Ne vous éloignez pas de moi, lui dit-il.

— Je comprends votre intention, mais il serait plus efficace que nous nous séparions, rétorqua-t-elle.

— Hors de question. Vous n'êtes pas armée.

Ils parcoururent chaque rayon du supermarché, chaque allée, puis, avec la permission du gérant, visitèrent le local technique. Ce dernier offrait une sortie de secours.

— Il a peut-être regagné son van, supposa Erin alors que Preston les rejoignait.

— J'ai placé un employé de la sécurité et un officier de police auprès du van, annonça-t-il. Si le suspect tente de regagner son véhicule, il est cuit.

— J'ai crevé les pneus, indiqua Kyle. Le véhicule est immobilisé.

Ils se hâtèrent de revenir au parking. Seul l'officier de police se tenait près du van.

— Aucun homme correspondant à la description que je vous ai fournie ne s'est présenté ? demanda Preston.

— Négatif. J'ai regardé à l'intérieur du véhicule au cas où un complice s'y serait caché, mais il n'y a personne, répondit l'officier.

Kyle jura.

— On le tenait presque.

— Fouillons le van et voyons ce qu'on peut récolter, proposa Preston. Je parie qu'il est volé, mais nous pourrons peut-être y relever des empreintes.

Il enfila une paire de gants en latex, tendit une seconde paire à Kyle et ouvrit la porte latérale.

Les hommes s'engouffrèrent à l'intérieur tandis qu'Erin approchait pour assister à leur manœuvre. Des fibres plastiques de couleur bleu foncé se détachaient sur le tapis.

— Regardez ces fibres et les petits cristaux blancs qui les entourent, dit Erin. Cela me fait penser aux sacs de nitrate d'ammonium que Hank se procurait chez Zia Limited.

Preston se pencha pour les examiner.

— Je vais demander au labo de les analyser au plus vite.

— Vous avez bien dit Zia Limited ? demanda Kyle.

— Oui. Il s'agit d'une société réputée qui commercialise différents types d'explosifs pour l'industrie du bâtiment, répondit Erin.

— C'est là que travaillait Frieda avant d'être embauchée au Quarter Horse Bar.

— Je vais vérifier cela, annonça Preston.

— Non, trancha Kyle. Tant que nous ne connaîtrons pas leur rôle précis dans cette affaire, il est préférable qu'ils ne sachent pas que nous les surveillons.

— Comment veux-tu alors que nous procédions ? demanda Preston. On demande du renfort aux fédéraux ?

— Non, c'est la dernière chose à faire. Mets Daniel sur le coup. Je suis persuadé qu'il a été en contact avec cette société lors de ses cessions d'entraînement militaire. Et regarde ce que tu peux dégotter à propos de Frieda.

— C'est une bonne idée, reconnut Preston. Daniel est ami avec Clark Ducan, le propriétaire de Zia Limited.

— Mais Daniel ne doit pas l'informer du motif de ses recherches, prévint Kyle.

— Ne t'en fais pas. Je le lui expliquerai, promit Preston. As-tu songé où vous allez passer la nuit ?

Kyle se frotta la nuque, embarrassé.

— Non, et je n'ai pas de solution. Il nous faut un lieu sécurisé auquel personne ne songera.

— J'ai l'endroit idéal, le rassura Preston.

— Je peux passer rapidement chez moi récupérer quelques affaires ? demanda Erin.

— Non, on ne peut pas courir le risque d'être repérés, contra Kyle.

— Je ne vais quand même pas continuer à porter les mêmes vêtements ! protesta Erin.

— Vous trouverez de quoi vous changer au refuge, intervint Preston.

— Combien de temps allons-nous y rester ? demanda-t-elle.

— Une nuit, pas plus, répondit Kyle. Nous devons toujours être en mouvement.

Erin se renfrogna aussitôt, nota-t-il. Mais elle devrait s'en accommoder.

Il se pencha vers Preston.

— Où se trouve ce refuge ?

— Je vais t'envoyer les coordonnées par GPS. Je vous suivrai de loin afin de m'assurer que vous n'êtes pas filés. En route, j'appellerai Daniel pour lui demander de mettre deux de ses hommes sur l'affaire. Solliciter l'aide de mon équipe laisserait une trace dans nos fichiers.

— Bien vu, dit Kyle. Faisons confiance à Dan.

— Puis-je vous demander une faveur ? insista Erin.

Kyle se tourna vers elle, mais elle s'adressait en fait à Preston.

— De quoi s'agit-il ? s'enquit celui-ci.

— De la plante en pot qui se trouve sur le rebord de la fenêtre, dans mon bureau. Pourriez-vous la placer au soleil et l'arroser régulièrement ?

— Vous vous faites du souci au sujet d'une *plante* ? demanda Preston en levant les sourcils.

— C'est une variété de rose du désert extrêmement rare et je ne voudrais pas qu'elle meure.

Kyle haussa les épaules, tandis que Preston semblait hésiter.

— Bien sûr, répondit-il finalement. Je vais l'amener dans mon bureau ; il est plein sud et il a une fenêtre ensoleillée en permanence. Quand tout sera fini, vous pourrez la récupérer.

— Ce sera parfait. Merci beaucoup, Preston. Sa floraison prendra peut-être des années, mais quelque chose me dit qu'elle sera magnifique et que je serai récompensée pour ma patience.

— La patience est toujours récompensée, marmonna Kyle.

Il reprit la route avec elle, tandis que Preston les suivait. Mais Erin ne cessait de regarder derrière eux.

— Cessez votre petit jeu, s'énerva-t-il au bout d'un moment.

— Je ne vois pas votre frère. Nous l'avons peut-être semé.

— Il n'est pas loin. Parvenir à semer Preston n'est pas une mince affaire.

Après quoi, Erin ne dit plus un mot. Comme la route contraignait le 4x4 à virer de droite et de gauche, elle s'agrippait à la poignée de la portière.

— N'avez-vous jamais peur ? reprit-elle finalement.

— Ça m'arrive, mais dans ce cas, je fais confiance à mon expérience et laisse mon instinct me guider. La peur aiguise mes sens, et la montée d'adrénaline qui l'accompagne décuple mes facultés.

— Le danger est donc votre meilleur allié. Depuis toujours.

Au ton de sa voix, cette idée lui semblait aussi peu séduisante que de ramper dans un nid de crotales. Il lui sourit.

— C'est mon style de vie.

— Faute de mieux ?

Sa question le prit de court.

— Je ne fais jamais de projets à long terme, répondit-il.

J'ai appris qu'il est plus sage de vivre au jour le jour. Cela me préserve aussi de toute déception.

Erin en sembla choquée. Mais il s'était toujours senti destiné à cette vie de guerrier. Pour tout foyer entre deux missions, il ne connaissait que motels ou refuges.

Cet aveu ne portait pas à conséquence, il venait néanmoins de baisser sa garde, ce qu'il ne pouvait se permettre s'il voulait rester en vie. Il décida de se taire, reportant ses pensées sur le joli visage d'Erin et son corps aux formes désirables.

Tous deux n'échangèrent pas une parole pendant un bon moment.

Puis, lorsque Kyle ralentit pour engager le 4x4 sur une piste qui s'ouvrait sur leur droite, Erin se releva sur son siège.

— Oh ! Comme c'est beau ! fit-elle en regardant en direction du mobile home. J'adore la petite barrière de bois et les rosiers plantés tout du long.

Kyle se gara et, tandis qu'ils descendaient du 4x4, le véhicule de Preston apparut dans un nuage de poussière.

— Vous serez confortablement installés, dit-il en sortant de sa voiture.

— J'adore cet endroit, commenta Erin en souriant.

Preston suivit son regard.

— Non, vous n'allez pas emménager ici. Ça, c'est juste du décorum, pour tromper l'ennemi.

— Mais alors…

Preston désigna un réservoir d'eau à une cinquante de mètres de là.

— Il suffit d'emprunter l'échelle, puis de se glisser par la trappe.

— Dans quelle tenue ? En maillot de bain ? ironisa-t-elle.

Kyle lui sourit et acquiesça d'un petit signe de tête.

— Il faut s'attendre à tout ; j'adore ce job !

Puis, la prenant par la main, il ajouta :

— Allez, suivez-moi.

8

Erin descendit la longue échelle de métal à la suite de Preston. Un faible rayon de lumière peinait à en éclairer les barreaux. Mais peu à peu, ses yeux s'habituèrent à la pénombre. Elle qui adorait les grands espaces ensoleillés ! L'endroit ne présageait rien de folichon.

Elle chassa ces sombres pensées et se força à suivre le mouvement. En dessous d'eux, le conduit s'élargissait. Il y eut soudain un déclic, et l'endroit s'illumina d'une douce lumière tamisée. Ils se retrouvèrent dans une grande pièce en demi-cercle.

— Que c'est beau ! s'exclama-t-elle.

L'endroit comportait deux canapés en cuir fauve, une bibliothèque garnie de livres et de magnifiques tapis en laine tissée. A l'opposé de la pièce se trouvait une autre trappe.

— Sommes-nous vraiment à l'abri dans ce réservoir d'eau ?

— Il n'y a pas d'endroit plus sûr dans tout l'Etat, répondit Preston. L'air que nous respirons y est filtré et régénéré en permanence. L'eau provient d'une nappe phréatique juste en dessous et elle est potable. L'électricité est produite par un groupe électrogène qui peut fonctionner de façon autonome pendant deux semaines.

Preston fit quelques pas et se retourna.

— Au troisième niveau, vous trouverez un local technique équipé d'un ordinateur et d'un système de monitoring permettant de surveiller les environs sur trois cent soixante degrés. Ton téléphone satellite y fonctionne aussi, Kyle. Il te suffit de l'approcher d'un mur conducteur, lequel agit comme une formidable antenne.

— Le système informatique est… encrypté ? demanda Kyle.

— Absolument. Il suffit d'entrer le même code qui permet d'ouvrir la trappe. Les seules personnes en possession de ce code sont le gouverneur, le maire et l'officier de police désigné pour cette mission, en l'occurrence, moi. Il est pratiquement impossible de déjouer les systèmes de sécurité.

— Paul m'a parlé de cet endroit quand nous nous sommes vus à Washington, il y a un an de cela, confia Kyle. Je pensais qu'il se moquait de moi.

— Pas du tout. J'ai entendu dire que chaque Etat possède un refuge de ce type situé à bonne distance de la capitale. Ils ont été conçus pour protéger le gouverneur en cas de guerre civile ou d'attaque terroriste. Près du réservoir se trouve une zone balisée avec des réflecteurs infrarouges pour guider l'atterrissage de nuit d'un hélicoptère.

— On dirait une version high-tech d'Alice au pays des merveilles, plaisanta Erin.

— Le Nouveau-Mexique a opté pour un design se rapprochant d'un banal réservoir d'eau, mais l'endroit est très sophistiqué, insista Preston. La coque extérieure est blindée contre tout projectile excepté les missiles perforants. L'abri comporte trois niveaux et deux issues : celle par laquelle nous sommes entrés et la sortie de secours, un tunnel partant du niveau inférieur et débouchant sur l'autre versant de la colline.

— Nous sommes en parfaite sécurité, conclut Kyle en regardant Preston. Merci, frère.

— Un dernier point : vous n'êtes pas censés vous trouver ici. Aussi, à moins que l'on décrète l'état d'urgence, personne ne viendra vous importuner.

— Bien. Tout s'annonce à la perfection, ajouta Kyle.

— La présence des hommes de Daniel dans les environs est superflue, mais je vais quand même solliciter son aide. Si la situation tournait mal, il veillerait à faciliter votre fuite et couvrir vos arrières, dit Preston en regardant sa montre. Il se fait tard. Je vais vous laisser vous reposer.

Après le départ de Preston, Erin inspecta les lieux avec Kyle. Ils firent halte au niveau intermédiaire où se trouvait une chambre équipée d'un lit deux places et d'une imposante armoire.

— Il n'y a qu'un lit ? demanda-t-elle.

La perspective de dormir avec Kyle était terriblement excitante, mais dangereuse.

— Le canapé au niveau supérieur est un convertible, rectifia Kyle. Et j'ai remarqué des sacs de couchage dans la salle informatique.

— Qui prendra le lit ? On le joue à pile ou face ? demanda-t-elle en s'asseyant dessus.

Il semblait particulièrement confortable.

— Prenez-le. Cette nuit, je pourrai dormir à même le sol sans ressentir le moindre désagrément.

Elle poussa un petit soupir.

— Oui, je suis moi-même éreintée, mais je n'ai pas sommeil. Cette journée infernale m'a mise sur les nerfs.

— Il existe de nombreuses façons de se détendre, dit-il en la gratifiant d'un regard lourd de sous-entendus.

— J'apprécie l'attention, mais non merci, répondit-elle, amusée.

— Seriez-vous un peu vieux jeu ?

— Je ne dirais pas cela. Pour moi, il ne s'agit pas seulement d'une occasion de s'envoyer en l'air. Si je ne ressens aucun sentiment pour la personne, au bout du compte, je risque d'être profondément déçue.

— Je n'ai jamais déçu une femme, assura-t-il en soutenant son regard.

Un léger frisson parcourut la peau d'Erin, et son cœur se mit à cogner si fort dans sa poitrine qu'elle craignit qu'il l'entendît.

— Peu importent vos talents ; je ne saurais me contenter d'une aventure d'une nuit.

— Je peux comprendre cela.

Elle marqua une petite pause, puis reprit :

— Avez-vous déjà été marié ? Vécu en couple ?

— Moi ? fit-il, l'air surpris. Au grand jamais. Quelle femme voudrait d'un homme toujours loin de son foyer et pour qui son travail compte plus que tout ?

Avant qu'elle ait pu répondre, il ouvrit l'armoire.

— Vous trouverez de quoi vous vêtir sur les deux premières étagères. Prenez tout ce dont vous aurez besoin. Je vais dormir dans un sac de couchage, en salle informatique. Si vous avez besoin de moi, vous savez où me trouver.

— Vous avez l'art de changer de sujet, répliqua-t-elle en lui souriant. Voyons si je vous comprends bien : vous ne voulez pas parler de votre vie privée, mais vous espérez coucher avec moi. Vous êtes un homme étrange.

— Au contraire, je me considère comme tout à fait normal.

Tandis qu'il descendait au niveau inférieur, Erin parcourut la chambre du regard. Son existence avait toujours été paisible. Et voilà qu'elle se retrouvait dans ce refuge en compagnie d'un homme au charme dévastateur.

Elle se saisit de son sac à main et en sortit le petit kaléidoscope que sa mère lui avait offert avant de décéder. Ce souvenir de jeunesse la fit sourire.

Sa mère, au tempérament artiste, avait toujours suivi ses sentiments, quels qu'ils fussent. George Barrett, son père, était tout le contraire, un homme qui planifiait chacun de ses actes.

Lors d'un rare moment de complicité avec sa mère, Erin lui avait demandé ce qui l'avait menée à aimer cet homme. Deux pièces d'un puzzle doivent être différentes pour s'emboîter à la perfection, avait répondu Rita Barrett. Les opposés s'attirent donc avec force.

Erin ressemblait plutôt à son père. Elle voulait organiser les choses et anticiper leurs conséquences. Avec un homme aussi troublant que Kyle, cela s'annonçait difficile.

Un coup frappé contre la trappe de communication la sortit de ses pensées.

— Entrez.

Kyle apparut, son sac de couchage sous le bras.

— Je ne fais que passer. Je dois envoyer mon rapport à mes supérieurs.

— Allez-y, ne vous gênez pas pour moi.

Il remarqua l'objet qu'elle tenait dans sa main.

— Qu'est-ce que c'est ?

— Un ancien kaléidoscope, un cadeau de ma mère. Je le garde toujours avec moi pour me rappeler que si le changement est déstabilisant, il est parfois constructif.

— Vous ne voyez donc pas le changement comme fatalement mauvais. Vous n'y êtes pas habituée, c'est tout.

Elle approuva d'un signe de tête.

— Mon expérience m'a enseigné que le changement pouvait être très douloureux. Je me suis mariée en quittant l'université et, quand nous avons divorcé un an plus tard, j'ai dû reprendre ma vie en main, sans aucune expérience. J'ai finalement décidé de reprendre les cours et je m'en suis sortie. Ce changement radical m'a permis d'évoluer, mais ce fut une rude épreuve.

— Ainsi, vous vous protégez des aléas de la vie en tentant de tout planifier, résuma-t-il. Je comprends, mais pour une raison que j'ignore, cela ne fonctionne pas ainsi pour moi. Chaque fois que je tente de prévoir les choses, cela se termine mal. Ma vie est semée d'imprévus.

— Ce qui nous différencie, c'est que vous avez une famille sur laquelle vous pouvez compter en cas de coup dur. Pour ma part, je ne peux compter que sur moi-même.

— Je pourrai toujours compter sur mes frères, c'est exact.

— Vous voulez bien m'en dire plus à leur sujet, ou est-ce trop personnel ?

Il fit non de la tête.

— Nous sommes six en tout. Nous avons tous grandi dans des familles d'accueil et étions sur la mauvaise pente, jusqu'à ce que nous rencontrions Hosteen Silver. Monsieur Silver — *hosteen* signifiant *monsieur* en navajo — était le genre d'homme à vous faire perdre vos moyens d'un seul regard. Il ne s'est jamais permis de nous juger, mais ne nous laissait rien passer. C'était un homme bon et juste. Le genre « qui aime bien, châtie bien ». Il nous a pris comme ses fils et a fait de nous une vraie fratrie.

— Vous avez eu la chance de pouvoir fonder une famille, commenta Erin.

— C'est certain. Je vous en dirai plus au sujet de Hosteen Silver une autre fois, mais à présent, je ferais mieux de me mettre au travail. J'ai connecté mon portable au système de surveillance et tout est calme à l'extérieur. Le réfrigérateur est vide, mais nous avons plein de rations de survie et de barres énergétiques. En voici une, dit-il en la lui tendant.

— Merci. J'ai tellement faim que je pourrais l'avaler avec l'emballage.

— Nous partirons dès le lever du jour. Si vous le voulez, nous pourrons nous arrêter à Pancake Heaven en nous rendant à Hartley.

— Au lever du jour ? Pourquoi si tôt ? Je pensais que nous étions en sécurité ici.

— Aucun endroit n'est totalement sûr. Les choses ont une fâcheuse tendance à tourner mal quand on baisse sa garde.

— Votre profession vous a appris à toujours craindre le pire, n'est-ce pas ? demanda-t-elle d'une voix douce.

L'expression de Kyle se durcit aussitôt.

— Disons que je suis votre meilleur allié si vous souhaitez rester en vie.

— Qu'est-ce que cela fait d'être un agent fédéral ?

Elle précisa dans la foulée :

— Je ne parle pas de votre pseudo-poste d'inspecteur des impôts. Je parle de cette chasse aux criminels et aux terroristes.

Il lui sourit.

— Seriez-vous terriblement déçue si j'étais inspecteur des impôts ?

— Amusée serait plus approprié. J'ai beaucoup de mal à croire qu'un inspecteur des impôts soit aussi expérimenté dans le désamorçage de bombes et aussi bon tireur. Vu que nous sommes tous deux embringués dans cette aventure, pourquoi ne pas faire preuve de sincérité envers moi ?

Il parut étudier la question, puis hocha lentement la tête.

— Je suis un agent du NCIS, le service d'enquêtes criminelles de la marine. Si je suis sur cette affaire, c'est que Hank Leland était sous contrat avec la marine lorsqu'il est entré en contact avec des terroristes. Hank était aussi officier de réserve de la marine, ce qui signifie que son cas relève de notre juridiction.

Erin n'en revenait pas.

— Hank, travaillant pour des terroristes ? Impossible. Hank aimait son pays. Jamais il ne l'aurait trahi.

— C'est aussi ce que je pense. Il nous a demandé notre aide ce matin. Je me suis rendu à Secure Construction dès que j'ai eu connaissance de son appel, mais il était trop tard.

— Donc, en plus de ses assassins, vous recherchez les détonateurs identiques à celui que vous avez trouvé dans le colis sur le bureau de Hank ?

— Oui.

— Mais pourquoi Hank se serait-il envoyé un seul détonateur ?

Il ne répondit pas et elle comprit.

— Parce qu'il est extrêmement difficile de s'en procurer aux Etats-Unis, ce qui n'est peut-être pas le cas en Espagne.

— Exactement, confirma Kyle.

— Partant du principe qu'il ne s'est pas envoyé un seul exemplaire, il a dû cacher les autres. C'est que ces hommes voulaient récupérer. Vous devez à présent trouver ces détonateurs avant qu'ils s'en emparent.

— C'est cela, en résumé. Très bien raisonné. A présent, profitez de ce moment d'accalmie pour vous reposer.

Kyle monta l'échelle conduisant au niveau supérieur et referma la trappe derrière lui.

Erin prit une grande inspiration et tâcha de recouvrer son calme. Kyle était un homme imprévisible et dangereux, ce qui faisait de lui un excellent garde du corps.

En réalité, le problème venait d'elle. Lorsque ses yeux se posaient sur lui, elle perdait toute lucidité. Kyle était un homme sexy et déterminé. Il avait éveillé en elle des sensations et des désirs jusqu'alors inconnus ; une caresse dans l'obscurité, la chaleur de son corps, la soif de plaisir…

Elle s'était juré de résister à la tentation. Mais cette volonté qui avait nourri son orgueil semblait fondre comme neige au soleil. On perdait parfois gros à ne vouloir prendre aucun risque, se rappela-t-elle en sombrant dans le sommeil.

Un choc mat provenant du niveau supérieur la réveilla en sursaut. L'obscurité était si profonde qu'une horrible angoisse la saisit. Elle avait pour habitude que les rideaux de sa chambre soient entrouverts et laissent passer un peu de lumière. Elle aimait apercevoir le clair de lune jeter ses reflets argentés sur les feuilles du cotonnier situé juste devant sa fenêtre.

Aussi, elle demeura immobile, tâchant d'identifier la provenance de ce bruit. Ce pouvait être Kyle se déplaçant, ou un quelconque mécanisme du refuge se mettant en action.

De longues minutes passèrent dans le silence le plus total. Finalement, convaincue d'être le jouet de son imagination, elle décida de se rendormir lorsqu'un autre bruit, plus faible cette fois, troubla de nouveau la nuit. Dans le calme absolu de leur retraite, ces deux sons distincts et espacés de plusieurs minutes l'inquiétèrent au plus haut point.

Elle repoussa les couvertures et cligna des yeux, espérant ainsi adapter sa vision au noir total qui baignait la pièce. En vain. Tâtonnant à la recherche de son sac à main, elle y prit la petite lampe torche qu'elle transportait en cas d'urgence.

Elle promena le faisceau tout autour d'elle : personne ne se trouvait dans la pièce et les trappes d'accès aux niveaux inférieur et supérieur étaient fermées.

Elle devait réveiller Kyle afin que tous deux inspectent les lieux ensemble.

Elle songea à allumer l'éclairage, mais s'en abstint ; la lumière pouvait alerter un intrus s'étant introduit dans le refuge.

Elle ouvrit la trappe et descendit l'échelle de métal. Les écrans informatiques et les moniteurs de contrôle dispensaient une lueur bleutée qui lui permit de se repérer. Kyle, qui avait prétendu dormir dans ce local, devait se trouver là, quelque part.

Comme elle dépassait la cloison de séparation, une main surgit derrière elle et se plaqua contre sa bouche. Prise au dépourvu, elle se figea un instant puis, recouvrant rapidement ses esprits, elle donna un coup de coude dans l'estomac de son agresseur. Ce dernier ne broncha pas.

— C'est moi, Kyle, lui chuchota-t-il à l'oreille. Pourquoi rôdez-vous par ici ? Qu'est-ce qui ne va pas ?

— J'ai entendu un bruit au niveau supérieur, répondit-elle lorsqu'il ôta sa main de sa bouche. Puis un autre, venant de je ne sais où. J'ai cru que quelqu'un tentait d'entrer.

Il se détendit et la relâcha.

— Désolé, c'était moi. Je suis monté prendre une barre énergétique et j'ai malencontreusement laissé retomber la trappe. Cela a fait un sacré bruit. Comme vous n'avez pas réagi, j'ai pensé que vous ne vous étiez pas réveillée. Ensuite, quand j'ai entendu la trappe s'ouvrir et des pas sur l'échelle, j'ai cru que nous étions faits.

— J'ai pensé la même chose, et je n'ai pas voulu appeler de peur de donner ma position, confia-t-elle.

Malgré le faible éclairage de la pièce, elle pouvait détailler Kyle. Simplement vêtu de son jean, son arme fichée à la ceinture, il était irrésistiblement attirant. Son torse nu et musclé, son bassin étroit… Une fine ligne de toison brune courait depuis sa poitrine jusque sous la ceinture de son jean.

Erin, le cœur battant la chamade, haletait.

— Je suis sincèrement désolé de vous avoir effrayée, dit-il en lui caressant la joue du revers de la main et en s'approchant d'elle.

Elle devait s'éloigner, elle le savait, mais n'en fit rien. Kyle avait dans les yeux une puissante lueur, éveillant en elle une incroyable sensation de féminité.

Il pencha la tête et, doucement, ses lèvres vinrent se poser sur les siennes. Au début, son baiser se fit léger et elle l'accueillit avec soulagement, appréciant sa chaleur et sa tendresse. Elle fit taire sa conscience et laissa ses sensations prendre le dessus.

Kyle appuya son baiser, se faisant plus insistant et déterminé. Elle pressa son corps contre le sien, savourant la fermeté de ses muscles, envoûtée par cet élan de pur désir.

Elle fut rapidement entraînée par le flux de ses sensations, telle une noyée aspirée par le courant. Son plaisir s'accrut lorsqu'il prit possession de son sein.

Tout, en elle, l'invitait à s'abandonner, à se laisser guider par ses émotions. Elle désirait plus que tout se donner à lui.

Mais la situation lui apparut soudain clairement et, reprenant son souffle, elle se libéra de son étreinte.

— Non.

Après un instant d'hésitation, il la relâcha.

— C'est à cause de la pénombre, expliqua-t-elle. Il est tellement facile... de perdre la tête.

— Je peux allumer la lumière.

Pendant qu'il traversait la pièce, elle tenta d'analyser ce qui venait de se produire. Quel était ce brusque accès de désir ? Elle n'avait pas ressenti un tel trouble depuis l'université et cela l'avait conduite à un mariage raté qui lui avait brisé le cœur.

Elle tenta de se rassurer : elle n'était alors qu'une adolescente, sans aucune expérience de la vie. Là, elle était femme et bien déterminée à ne jamais plus revivre un tel drame.

Kyle alluma la lumière et, quand il lui fit face, il avait manifestement repris le contrôle de lui-même.

— Vous devriez regagner votre chambre. Je vais rester éveillé un moment. Je dois travailler, dit-il d'un ton froid et impersonnel.

Il la raccompagna jusqu'à l'échelle et ouvrit la trappe pour elle.

— Vous n'avez rien à craindre, Erin.

Puis, tandis qu'elle grimpait à l'échelle, il ajouta dans un murmure :

— Rien à craindre de moi…

Il avait prononcé ces mots dans un souffle alors qu'elle refermait la trappe. Le cœur battant, elle ralluma sa lampe torche pour éclairer ses pas jusqu'à son lit.

Notre pire ennemi était parfois tapi en nous-même.

Kyle Goodluck lui avait sauvé la vie ; elle devait désormais sauver son cœur.

9

Kyle se dirigea vers son sac de couchage déployé sur un vague matelas en mousse. Durant les derniers jours, ses heures de sommeil se comptaient sur les doigts d'une seule main. Lorsqu'il était en mission, il se couchait rarement avant 3 ou 4 heures du matin. Ce faisant, il était tellement exténué qu'il tombait littéralement comme une masse. Lorsqu'il était de repos, il trouvait toujours une occupation lui permettant d'évacuer son énergie, faute de quoi, il restait des heures allongé dans son lit à contempler le plafond, l'esprit hanté par le souvenir désagréable de précédentes missions.

Un peu plus d'une année auparavant, il en avait effectué une qui avait ébranlé ses convictions à propos de lui-même et de son travail. Il s'était engagé à faire respecter la loi sans jamais se douter du prix qu'il aurait à payer au bout du compte.

Son portable se mit à vibrer et il s'en saisit. Non seulement son téléphone était crypté, mais il envoyait une fausse position GPS afin de prévenir toute tentative de le localiser.

Il consulta l'écran et sourit. Tout comme lui, son frère Daniel ne comptait pas ses heures de travail et était un véritable oiseau de nuit. C'était la raison pour laquelle il avait mis du temps à trouver une compagne. Cependant, Daniel semblait heureux en ménage et en paix avec le reste du monde.

— Salut, frère. Quoi de neuf ? demanda Kyle.

— Je savais que tu serais éveillé, répondit Dan. J'ai parlé à Clark Duncan de Zia Limited, et il m'a donné accès à tous ses registres. Je vais t'envoyer la liste des produits qu'ils sont censés détenir de façon à ce que tu la compares avec leur stock. J'aurai toutes ces informations dans la matinée. Clark va s'absenter avec son équipe jusque tard dans l'après-midi, mais il a laissé la consigne à son gardien de te laisser entrer.

— Merci, c'est super.

— Quand tu en auras terminé là-bas, retrouve-moi à mon bureau. Je donne un coup de main à la police de Hartley pour analyser les mails présents sur le serveur de Secure Construction. Erin t'a dit qu'elle envoyait un mail chaque jour à son patron lorsqu'il était en Espagne ?

— Non. Quelque chose d'intéressant dans ces mails ?

— A première vue, pas grand-chose, mais j'ai prévu de les analyser en détail au cas où ils dissimuleraient des messages codés.

— Mon instinct me dit que c'est peine perdue. Erin n'a pas le profil d'une personne impliquée dans une organisation terroriste.

— Ce qui ferait d'elle un agent au-dessus de tout soupçon, rétorqua Dan. Ne baisse pas ta garde.

— Nous nous remettrons en route au petit matin. Je te rappellerai.

Il sombra ensuite dans le sommeil jusqu'à ce qu'un bruit sourd le réveille en sursaut. Les sens brusquement en éveil, il s'assit dans son lit, son arme au poing. Erin se tenait non loin, les yeux écarquillés de surprise, tremblante avec une tasse de café dans la main.

Kyle abaissa aussitôt le canon de son arme.

— Désolé. J'ai réagi par réflexe.

Elle lui tendit la tasse.

— Merci, fit-il.

— C'est de l'instantané, mais je l'ai passé au micro-ondes, alors il est bien chaud.

Kyle consulta sa montre : il était 7 heures.

— Vous êtes prête à lever le camp ?

— Oui. Notre prochaine destination ne pourrait-elle offrir un escalier plutôt que des échelles et un restaurant préparant des cheeseburgers au piment vert ?

— On dirait que vous mourez de faim.

— Nous n'avons pas pris un seul vrai repas en vingt-quatre heures. Et je ne parle pas des barres énergétiques et autres sucreries. J'ai lu les étiquettes des plats cuisinés qui se trouvent dans le coin cuisine et leur contenu me paraît dégoûtant. J'ai besoin d'un bon repas. Je ne sais pas ce qu'il en est pour vous, mais j'aime manger. Cela me détend.

— Vous voulez donc un cheeseburger au piment ?

— Tout juste, et je connais l'endroit parfait pour cela. En plus, ils préparent l'un des meilleurs milk-shakes de tout le Nouveau-Mexique. Comme je n'ai pas stocké de calories ces derniers temps, je peux me lâcher.

Il la détailla des pieds à la tête.

— Vous ne donnez pas l'impression de devoir surveiller votre ligne.

— Parce que je fais attention à ce que je mange. D'ailleurs, un cheeseburger au piment vert serait un excellent mets pour vous : de la viande et des légumes.

— Vous avez vraiment envie d'un burger comme petit déjeuner ?

— Kyle, les gens normaux observent trois repas par jour. Nous pouvons prendre un petit déjeuner, et plus tard un déjeuner.

Elle lui offrit un sourire étincelant.

— Si vous me permettez de passer chez moi, je prendrai une part de mon éminçé de piments. Cela s'accommode avec à peu près tous les plats. Je vous promets que vous n'avez jamais rien goûté d'aussi bon.

— Désolé, mais il est hors de question de nous rendre chez vous. C'est beaucoup trop risqué. Si vous avez besoin de plus de vêtements qu'il n'y en a ici, communiquez-moi votre taille et j'irai faire des emplettes pour vous.

— Je me suis changée et j'ai pris des vêtements de rechange. J'espérais juste que…

— Je sais, dit-il en lui souriant. Quand tout sera terminé, je vous ramènerai volontiers chez vous.

Ils prirent la route moins de dix minutes plus tard.

— Je suis soulagée de quitter cet endroit, confia-t-elle. C'est comme habiter un silo à missiles.

— Pour une femme qui se prétend active, vous n'êtes apparemment pas du genre à crapahuter, plaisanta-t-il.

— Je n'ai jamais campé de ma vie et ça ne me manque pas du tout. Ce que j'aime, c'est jardiner.

Kyle acquiesça.

— Mon père adoptif pensait que nous devions tous apprendre à respecter Mère Nature. Un homme qui sait travailler la terre sera toujours à même de nourrir sa famille. Une année, mes frères et moi nous nous sommes lancé un défi : lequel d'entre nous parviendrait à faire pousser le plus grand nombre d'épis de maïs.

— Qui a gagné ?

— Daniel a trop arrosé ses plants et ils ont pourri. J'ai décidé de m'inspirer du savoir-faire des habitants des pueblos en plantant mes graines dans le lit d'un petit cours d'eau asséché mais dont le sol retenait une quantité d'eau suffisante. Malheureusement, mon maïs n'a jamais voulu pousser. Preston a eu une approche très technique en arrosant chaque matin ses plants avec la juste quantité d'eau. Il est parvenu à faire grandir une vingtaine de plants.

Il marqua une petite pause, puis reprit :

— Gene a suivi les conseils dispensés par *L'Almanach du fermier* et a obtenu un résultat bien supérieur à celui de Preston. Rick et Paul avaient décidé d'unir leurs forces. L'un semait tandis que l'autre arrosait. Leur récolte aurait dû être la plus belle, mais ce ne fut pas le cas. Finalement, c'est Gene qui a gagné.

— Intéressant, commenta-t-elle.

— Hosteen Silver a déclaré que Gene avait gagné parce qu'il avait su collaborer avec Mère Nature plutôt que de la combattre.

Kyle rit à l'évocation de ce souvenir.

— Sachant que Gene est l'heureux papa de deux enfants

nés à un an d'intervalle, on peut dire qu'il comprend parfaitement la nature, ajouta-t-il en faisant un clin d'œil à Erin.

— Est-il un père de famille heureux ?

— Oh que oui ! Gene était le seul d'entre nous prédestiné à mener une vie rangée.

— Et Daniel et Preston ?

— Preston s'est marié le mois dernier. Daniel, il y a environ deux ans. Tous deux adorent leurs femmes et leurs enfants.

— Et les autres ?

— Vous ferez la connaissance de Paul plus tôt que vous ne le pensez. Il est l'associé de Daniel. Lui aussi est marié et ils ont adopté un petit garçon de quatre ans.

— Et votre dernier frère ?

— Rick ? Il est célibataire, tout comme moi. Actuellement, il est en mission à l'étranger. En fait, je crois bien que nous sommes tous deux mariés à notre travail.

— Cela ne vous déprime pas de passer votre vie à voyager sans jamais rester longtemps au même endroit ?

— Je suis trop occupé pour me poser cette question.

Cependant, il retint un soupir. Lorsqu'il peinait à trouver le sommeil, il s'était souvent retrouvé à faire le bilan de sa vie. Son travail ne lui convenait plus autant qu'à ses débuts, et il devait donner un nouveau sens à son existence. Bien entendu, il serait toujours un enquêteur hors pair. C'était l'activité qui lui convenait le mieux, et fort heureusement, elle offrait de nombreux débouchés.

Pour le plus grand plaisir d'Erin, ils firent halte dans un snack au bord de l'autoroute et prirent un petit déjeuner. Erin savoura son cheeseburger au piment jusqu'à la dernière bouchée, mais le drame de la veille revint ensuite la tourmenter.

— Je sais que Hank nous a quittés, mais je ne parviens pas à m'en persuader, dit-elle en buvant une gorgée de son café.

Kyle lui offrit un sourire compréhensif.

— Il est particulièrement difficile d'accepter la mort d'un proche, surtout lorsqu'il décède brusquement.

Elle hocha doucement la tête.

— Hank était un bon patron. Il était loin d'être parfait, mais nous avions du respect l'un pour l'autre. Je suppose que son frère va vouloir s'occuper des obsèques.

— Nous allons rendre une petite visite à Joe Pacheco, ce matin, indiqua Kyle. Peut-être aura-t-il des informations sur le sujet. Ensuite, nous nous rendrons à Zia Limited.

— Voulez-vous que j'appelle Joe afin de s'assurer qu'il est bien chez lui ?

— Surtout pas. Je ne veux pas lui fournir l'occasion de réfléchir à ce qu'il va nous dire. J'attends de lui des réponses claires, et non des tergiversations.

Kyle conduisait en suivant les indications d'Erin.

— La maison de Joe est la troisième sur la droite, précisa-t-elle alors qu'ils roulaient dans un quartier résidentiel.

Un petit groupe d'enfants portant des sacs à dos bavardaient sur le trottoir.

— Vous êtes déjà venue ? s'enquit-il.

— Je ne suis jamais entrée chez lui, mais je l'ai déposé une fois, le jour où sa voiture n'a pas voulu démarrer, répondit-elle.

Kyle rangea le 4x4 contre le bas-côté.

— Voilà son grand garçon, Joe Junior, qui sort de chez eux, ajouta Erin.

Joe apparut à son tour sur le perron, inspecta du regard les environs et, repérant le 4x4, ordonna à son fils de rentrer à l'intérieur. Kyle descendit du véhicule.

— Mais, Papa, je vais rater le bus ! cria le garçon.

— Ne t'en fais pas, Junior. Ta mère te déposera à l'école. Rentre maintenant.

Le jeune garçon s'exécuta en traînant les pieds et en profita pour jeter un regard dans la direction d'Erin et Kyle.

— Je me demandais si vous alliez vous décider à me rendre visite un jour, lança Joe en venant à la rencontre de Kyle.

Puis, apercevant Erin qui sortait du 4x4, il ajouta :

— Je ne m'attendais pas à vous trouver là.

— C'est une longue histoire, répondit-elle.

Kyle lui montra rapidement son insigne et le rangea aussitôt, mais Joe ne fut manifestement pas dupe.

— Vous êtes un agent fédéral, mais vous n'êtes pas du FBI. Vous n'avez pas une pièce d'identité avec une photo ?

— Si vous voulez plus de renseignements, appelez le Central de police de Hartley, répliqua Kyle.

— Ça ne vous dérange pas que je vérifie ?

Joe s'éloigna de quelques pas, sortit son portable de sa poche et composa un numéro. Il échangea des propos rapides avec son interlocuteur, attendit quelques instants, puis raccrocha et revint vers eux.

— Si je comprends bien, l'affaire a été confiée aux fédéraux, mais appartenant à une cellule spéciale du FBI. Quel est le véritable enjeu ? La drogue ? De la contrebande ?

— Nous espérions que vous auriez la réponse, intervint Erin.

Joe la dévisagea.

— Il vous emmène partout ? Vous êtes sa protégée ou son appât ?

La question se voulait provocante, songea Kyle, et Joe le fixait droit dans les yeux. Mieux valait ne pas relever.

— On pourrait en parler à l'intérieur ? proposa-t-il plutôt.

— Dès que ma femme s'en ira avec mon fils, répliqua Joe. Je ne veux pas les mêler à tout cela.

— Vous vous méfiez de quelque chose ?

— Tout juste ! Et j'ai un permis de port d'arme tout ce qu'il y a de plus légal. Je flaire un mauvais coup, et il est hors de question que ma famille soit impliquée.

— Qu'est-ce qui vous a alerté ? insista Kyle.

— Un article dans les journaux, il y a plusieurs semaines. Secure Construction y était cité comme l'une des sociétés connaissant la plus grande expansion. Le journaliste mentionnait que Hank avait obtenu un contrat avec le gouvernement pour construire des locaux de survie pour la base navale américaine située en Espagne. Ensuite, moins de vingt-quatre heures après son retour au pays, on tente de le kidnapper, et il se fait tuer. Il est évident que ces faits sont reliés.

Joe avait à peine fini de parler qu'un 4x4 sortit du garage, avec son épouse et son fils. Alors seulement, il proposa à Kyle et à Erin de s'installer dans le salon.

— Sincèrement, je suis content de vous voir, Erin, dit-il en s'asseyant. Je me demandais ce qui allait advenir de nous au sein de la société. Et il n'y a pas que ça : mon équipe doit-elle poursuivre le chantier en cours ou laisser tomber ?

— Je ne sais pas, confessa Erin. Je n'ai pas eu l'occasion de croiser Moe Jenner et lui demander quelle attitude adopter.

Joe hocha la tête.

— J'ai tenté de joindre Moe, ce matin. Il a pris quelques jours de congé pour aller pêcher dans le Golfe de Californie. Ron Mora, son conseiller, m'a avoué ne pas savoir comment le joindre. Il a laissé plusieurs messages sur son répondeur et attend que Moe le rappelle.

— Moe avait l'habitude de fournir à Ron un code d'urgence lorsqu'il s'absentait, confia Erin. Il me l'a dit lui-même.

Joe eut l'air étonné.

— Pourquoi ne pas vous adresser directement à Ron, dans ce cas ? Vous êtes plus proche de ce type que je ne le serai jamais. C'est une véritable anguille ; impossible de savoir ce qu'il pense. Je l'ai informé du décès de Hank et il a répondu que cela pouvait attendre.

— Ron est nouveau dans la société, et je pense qu'il est intimidé par Moe. Il vous craint, vous aussi, expliqua Erin. Peut-être parce que vous êtes un ancien policier. Je vais l'appeler, mais je préfère le faire seule à seul.

— Utilisez le téléphone de la cuisine, proposa Joe.

Il lui indiqua le chemin.

— Merci, répondit-elle en quittant le salon.

*
* *

Dès qu'elle fut partie, Joe plongea son regard dans celui de Kyle.

— Bien, maintenant, vous allez m'expliquer de quoi il retourne et pourquoi un agent du NCIS enquête dans l'Etat du Nouveau-Mexique.

10

Kyle dissimula sa surprise.

— Vous me prenez pour un agent du NCIS ?

— Soyez franc, répondit Joe. Vous avez sorti votre insigne tel un magicien effectuant son tour de cartes, mais je sais ce que j'ai vu. Je ne vous demande pas de divulguer votre couverture, mais j'aimerais savoir de quoi il retourne.

— Quand on a été flic, on l'est pour toujours, n'est-ce pas, Joe ?

— En effet… Je vous offre un café ?

— Non merci, répondit Kyle. Nous n'avons pas beaucoup de temps devant nous.

— Allez, dites-moi ce qui se passe, insista Joe. Vous vous êtes mis la police de Hartley dans la poche en obtenant leur coopération, mais le commissaire Sevilla ne vous aurait pas offert une telle marge de manœuvre si les consignes ne venaient pas de tout en haut. Vous pensez que tout ceci est en rapport avec la façon dont Hank s'est comporté hier ?

Voilà qui était intéressant, songea Kyle.

— Comment s'est comporté Hank *hier* ?

— Il était bizarre, commença Joe. Mais il fallait connaître le personnage pour le remarquer. Il est arrivé très tôt au travail, alors je suis allé le saluer et l'informer de l'avancement de notre dernier chantier. Habituellement, Hank m'écoute avec attention, mais hier, il était distrait et tout excité, comme s'il avait bu le contenu de la machine à café. Il m'a demandé de m'asseoir tandis qu'il fouillait dans une boîte en carton contenant divers appareils électroniques. Il m'écoutait d'une oreille distraite, ce qui ne lui ressemble pas. Un bon moment s'est écoulé avant qu'il aille déposer la boîte dans un coin de son bureau. J'ai pensé qu'il était enfin disposé à me prêter attention, mais il s'est mis à fouiller tout autour de lui.

— Vous lui avez demandé ce qui n'allait pas ?

— Bien sûr, et je lui ai proposé de l'aider dans ses recherches mais il a décliné mon offre. Si j'avais su ce qui allait arriver, j'aurais insisté. Tout ce que je sais, c'est que quelque chose le tarabustait.

— Aucune idée de ce que cela pouvait être ?

— Non. Mais si Hank avait des soucis, c'était certainement à cause de son frère. Bruce a la folie du jeu. Hank a plusieurs fois tenté de l'aider, mais il a fini par le laisser se débrouiller seul avec son addiction. Un jour, Hank l'a même envoyé promener dans l'entrepôt, devant plusieurs employés. Nous étions sacrément embarrassés, mais Bruce n'a eu que ce qu'il méritait.

— Bruce travaille pour son frère, n'est-ce pas ?

— Il effectue certaines tâches mineures, rien de plus.

Kyle se leva et approcha de la porte de la cuisine derrière laquelle Erin était en conversation téléphonique.

— Tout ça ne me dit pas ce qu'il y a entre Erin et vous, fit Joe.

Surpris, Kyle le dévisagea.

— Si elle était sous haute protection en qualité de témoin, elle ne serait pas là avec vous, mais à l'abri en lieu sûr, reprit Joe.

Kyle ne fit aucun commentaire et décida de tenter le tout pour le tout.

— Pensez-vous qu'elle ait pu saboter le travail de Hank pendant qu'il était en mission à l'étranger ?

Joe répondit d'un ton neutre :

— Vous avez tout faux à son sujet.

— Qu'est-ce qui vous rend si sûr de vous, Joe ?

— Je connais bien Erin. Je l'ai rencontrée il y a huit ans, alors que j'étais encore dans la police. Son mari était un véritable héros pour la population locale ; le meilleur joueur de football du comté, à tel point que l'on pensait tous qu'il passerait un jour professionnel. Au lieu de cela, il a sombré dans la drogue. Il a commencé avec des antalgiques et a terminé en se shootant à l'héroïne. Il a fait une overdose et on l'a retrouvé mort, dans la rue. Erin l'avait déjà quitté à cette époque, mais la vie ne l'a pas gâtée. Son père se mourait d'un cancer, et tout ce qu'elle possédait était un diplôme universitaire. Malgré cela, elle est parvenue à s'en sortir. Je l'ai retrouvée chez Secure Construction des années plus tard, et sa carrière semblait en bonne voie.

Erin réapparut dans le salon, les interrompant.

— Ron vient de m'apprendre qu'il est parvenu à joindre Moe juste après votre appel, Joe, annonça-t-elle. Moe lui a indiqué où se trouvait un double du testament de Hank concernant Secure Construction et lui a demandé de le remettre à la police.

— Il vous en a communiqué le contenu ? demanda Joe.

— Oui, en résumé. Secure Construction doit poursuivre son activité jusqu'à la livraison des chantiers en cours. Ensuite, la société sera cédée au plus offrant. Une fois les salaires payés, le solde du compte courant sera partagé entre les employés. Hank et Moe ont dressé une liste déterminant des pourcentages en fonction de l'ancienneté de chacun.

— Ceci répond à ma question, commenta Joe. Nous devons terminer ce qui a été commencé. J'espère que Mike Bewley ne figure pas sur cette liste.

— Non, il ne fait plus partie des salariés, répondit Erin.

— Qui est Mike Bewley ? intervint Kyle.

— Un de nos contremaîtres, répondit Joe. Hank l'a fichu à la porte quand il s'est aperçu qu'il détournait des matériaux pour son propre usage.

— Et quand a-t-il été viré ?

— Il y a environ deux mois, répondit Joe en interrogeant Erin du regard.

— C'est cela, confirma-t-elle.

— J'ai entendu dire qu'il en avait bavé pour retrouver une place, ajouta Joe. On dirait que l'information a très vite circulé.

— Je vérifierai cela, indiqua Kyle. Par la même occasion, je vais demander à la police de Hartley de vous dépêcher un officier de garde au cas où vous seriez inquiété, Joe.

— Non merci. Je vais envoyer ma famille chez ma belle-sœur pour un moment. Ils seront en sécurité là-bas. En ce qui me concerne, je reste dans le secteur, bien entendu, mais je peux veiller à ma propre sécurité.

— Vous ne pouvez être tout le temps sur vos gardes, déclara Kyle.

— J'ai un équipement de surveillance à domicile. Je peux me défendre face à un agresseur et je sais composer le numéro des urgences.

— Comme vous voudrez. Si vous vous souvenez d'un fait qui pourrait faire avancer l'enquête, appelez-moi, dit Kyle en lui tendant une petite carte sur laquelle ne figuraient que son numéro de portable et un nom d'emprunt.

— Vous, les fédéraux, constituez une véritable mine de renseignements, marmonna Joe en retournant la carte entre ses doigts.

— Je suis du côté des gentils, répondit Kyle en le regardant droit dans les yeux. C'est ce que vous devez retenir à mon sujet.

Une fois de retour dans le 4x4 avec Erin, Kyle appela son frère. Il lui fit le compte rendu de leur entretien avec Joe.

— Je n'ai pas connaissance de ce Mike Bewley, reconnut Preston. Je vais me renseigner à son sujet.

— Moi aussi, j'ai travaillé sur l'affaire, fit une voix familière à l'autre bout de la ligne, et j'ai ce que tu m'as demandé.

— J'apprécie ton aide, Dan, répondit Kyle.

— Ça roule, petit frère.

Daniel le dépassait de cinq centimètres à peine et ne manquait jamais une occasion de le lui rappeler. Kyle eut un petit sourire.

— J'ai obtenu le listing des différents explosifs en stock chez Zia Limited, poursuivit Dan. Je te l'envoie sur-le-champ.

— J'aimerais tout de même vérifier ; le patron nous ouvre les portes de la société ? demanda Kyle.

— Oui, et vu qu'il me fait entièrement confiance, tâche de ne rien déplacer, l'enjoignit Dan. Clark est un maniaque de l'ordre. C'est compulsif. Tu t'en apercevras en visitant son entrepôt. Si un objet venait à disparaître, il le remarquerait tout de suite.

— Merci de me prévenir. Nous sommes en route pour Zia Limited.

— Encore une chose, petit frère. J'ai découvert qu'une des tâches de Frieda était l'inventaire des stocks.

Kyle réfléchit un instant.

— Pour quelle raison a-t-elle quitté l'entreprise ?

— Clark l'a virée car elle n'était pas assez méticuleuse à son goût, ce qui, venant de lui, n'est pas surprenant. D'après Clark, personne n'est assez impliqué dans son travail. Il change souvent de personnel.

Kyle remercia Dan, puis entra les coordonnées de Zia Limited dans son ordinateur de bord et laissa le GPS les guider à travers les faubourgs de Hartley.

— A part vos frères, vous n'avez confiance en personne, fit remarquer Erin.

— Est-ce une question ?

— Je n'apprécie pas de faire équipe avec un partenaire qui n'a pas confiance en *moi*.

Il la considéra un instant, puis se concentra sur la route.

— Vous avez écouté ma conversation avec Joe ?

— En partie, répondit-elle. Ce que je n'arrive pas à comprendre, c'est pourquoi vous me protégez si vous me croyez dans le camp adverse ?

— Je ne sais pas quel rôle vous tenez dans cette affaire, et tant que je ne serai pas fixé, je ne peux me permettre de baisser ma garde. Dans ma profession, c'est ainsi que l'on se comporte lorsqu'on veut rester en vie.

— Mais la façon dont vous m'avez embrassée…

— Vous n'avez pas aimé ? l'interrompit-il, émoustillé à ce souvenir.

— Ce n'est pas ce que je voulais dire… Si vous doutez de moi, comment pouvez-vous…

— Parfois, une petite dose de danger ajoute un peu de piment à la vie.

Erin poussa un profond soupir.

— Voilà ce qui nous différencie. Le danger est synonyme de peur, et la peur est ennemie de l'amour.

Kyle, le regard rivé dans son rétroviseur, ne répondit pas.

— Tout va bien ? s'enquit-elle.

— Oui, répondit-il. Je suis vigilant, c'est tout.

Kyle Goodluck était vraiment un cas à part, songea Erin. Il avait une façon incroyable de réduire les choses à leur plus simple expression, qu'il s'agisse d'embrasser une femme ou de combattre un ennemi.

Discrètement, son regard se posa sur les mains de Kyle qui agrippaient le volant. Larges et puissantes, elles savaient aussi être douces…

— Je vois un petit sourire sur vos lèvres, Erin. A quoi songez-vous ?

— A rien, mentit-elle.

— Faites un petit effort, insista-t-il.

— Vous savez charmer les femmes, et je ne doute pas que vous arriviez toujours à vos fins, mais je ne corresponds pas à vos critères. Vous vous ennuieriez à mourir en ma compagnie.

— Il est vrai que nous sommes différents, mais chaque être humain a besoin d'équilibre pour s'épanouir. C'est ce que Hosteen Silver nous a enseigné, et ce saint homme avait toujours raison.

— Où voulez-vous en venir ?

— Le yin et le yang, le blanc et le noir, le jour et la nuit… l'un est le complément de l'autre. De même, un homme et une femme deviennent plus forts lorsqu'ils parviennent à trouver, ensemble, l'équilibre.

— Ainsi, il vous a fait don de ses pensées profondes. C'est un bel héritage, commenta-t-elle d'une voix posée.

— Je l'apprécie, aujourd'hui, mais au début, ce fut difficile. J'étais persuadé que les adultes se servaient de ces balivernes pseudo-spirituelles pour influencer leurs semblables. Hosteen Silver savait cela, mais n'a jamais tenté de me faire la leçon. Il se disait certainement que je finirai par comprendre que ce sont les actes qui comptent, et non les paroles.

— Et vous avez suivi ses conseils.

Il acquiesça d'un signe de tête.

— Plus le temps passait, plus je comprenais ce qu'il tentait de nous inculquer. Il vivait en communion avec tout ce qui l'entourait. Tout, chez lui, évoquait ce que nous appelons *àlil*, un pouvoir complémentaire à nos cinq sens.

— Je suis convaincue que chacun de nous aurait aimé croiser la route d'un homme tel que Hosteen Silver.

— Vivre à ses côtés n'était pas tous les jours évident, confia-t-il, mais cet homme nous a aidés à trouver notre place dans ce monde. Sans lui, je suis sûr que j'aurais fini mes jours en prison. Je cherchais la bagarre à tout bout de champ, pour éprouver mon courage, pour dépasser mes limites…

— Vous n'avez pas changé.

Il partit d'un petit rire amusé.

— C'est probable, mais aujourd'hui mes actes ont un sens. Je sais que j'œuvre pour le bien.

— Vous voyez ! Nous ne sommes pas si différents l'un de l'autre, déclara Erin.

— Euh… Je ne comprends pas, là.

— A première vue, nos personnalités sont totalement opposées, mais ce n'est pas le cas. Vous, vous servez la loi, et moi, j'aspire à travailler la terre, mais notre but est le même : améliorer le quotidien de nos semblables.

Il leva les sourcils.

— C'est une façon de voir les choses.

Il ralentit l'allure du 4x4 et tourna à droite, quittant la route pour s'engager dans une voie bordée d'entrepôts aux structures métalliques. Puis il prit à gauche, suivit une petite route goudronnée et se gara sur un parking couvert de vieux camping-cars.

— Qu'est-ce que vous faites ? s'étonna Erin. A force de faire des détours, le GPS ne sait plus où il en est. Si vous ne voulez pas l'utiliser, éteignez-le.

Kyle se retourna sur son siège et scruta les environs.

— J'ai la sensation que nous avons été suivis. J'ai remarqué une berline gris métallisé quand nous sommes partis de chez Joe. Je l'ai vue de nouveau il y a quelques minutes. Si cette voiture nous suit réellement, on ne devrait pas tarder à l'apercevoir… La voilà !

11

Erin suivit le regard de Kyle : une berline grise avançait en effet au ralenti.

— Il cherche à nous localiser, expliqua Kyle. Inversons les rôles et prenons-le en filature.

Il fit demi-tour et s'engagea à la suite de la berline en laissant plusieurs véhicules s'intercaler entre eux. La berline possédait une plaque minéralogique du Nouveau-Mexique, remarqua Erin, et le conducteur était l'unique personne à son bord.

— Vous aviez raison, chuchota-t-elle. Il regarde dans toutes les directions pour nous retrouver.

La berline fit halte à l'intersection suivante et son conducteur tourna la tête de droite et de gauche.

Kyle stoppa son 4x4 dans la même file et, dissimulé par plusieurs voitures, attendit.

— On devrait…, commença Erin.

La berline démarra brutalement et franchit l'intersection dans un crissement de pneus. Un camion déboulant sur sa droite dut freiner brutalement pour éviter la collision.

Kyle fit hurler son Klaxon et s'élança à la poursuite de la berline, contournant le camion immobilisé.

— Accrochez-vous !

Ils s'engagèrent dans une avenue le long de laquelle se trouvait un grand garage automobile. Toutes sortes de véhicules étaient alignées de chaque côté de la route qui allait en se rétrécissant et finissait, au loin, en deux voies. La berline, ne possédant pas la puissance du 4x4 de Kyle, fut rapidement rattrapée.

Les feux stop de la berline s'illuminèrent soudain comme le conducteur virait brusquement sur la droite, puis à angle droit sur la gauche. Cette fois, il manqua de percuter un semi-remorque qui venait en sens inverse. Le chauffeur du poids lourd fit une embardée et sa remorque alla s'encastrer dans une file de voitures en stationnement.

Kyle accéléra pour éviter le camion.

— Nous allons tenter de lui couper la route un peu plus loin, annonça-t-il en jetant un regard à l'écran du GPS.

Ignorant un panneau de stop, il traversa l'intersection suivante et vira sur sa gauche, empruntant ainsi une voie parallèle à celle de la berline.

— Il est contraint de suivre cette direction ; la rue dans laquelle il s'est engagé est un cul-de-sac.

Erin observa l'écran du GPS.

— S'il fait demi-tour, nous le perdons.

— Je sais.

— A sa place, que feriez-vous ?

— Je ferais demi-tour... Bon, d'accord, concéda-t-il. Je vais prendre la prochaine rue à gauche et essayer de l'intercepter.

Kyle ralentit son allure tandis qu'il remontait la petite rue.

— Je surveille de mon côté, dit Erin.

Après quelques minutes, ils atteignirent la rue dans laquelle la berline s'était engagée. Kyle jura entre ses dents.

— Il nous a semés. On ferait mieux de se rendre à Zia Limited. Au moins, il ne sait pas où nous comptons aller.

— Et s'il venait à nous repérer ? demanda Erin. On le prendrait de nouveau en chasse, c'est cela ?

— Oui, mais ça n'arrivera pas. A mon avis, il est loin, maintenant.

— Vous pensez qu'il surveillait la maison de Joe et qu'il a décidé de rompre sa surveillance pour nous suivre ?

— Non, répondit Kyle. J'ai inspecté les environs et je n'ai remarqué aucune berline avec un conducteur à son bord. A moins qu'il se soit servi d'un matériel de surveillance à distance, ce qui est peu probable.

— Alors, comment expliquez-vous ce qui vient d'arriver ?

— Voici comment je vois les choses : ils nous ont repérés *après* que nous sommes arrivés chez Joe. Ils avaient peut-être placé un homme dans la rue pour surveiller la maison de Joe et je ne l'ai pas vu.

Erin se tut un moment, puis déclara :

— Ces gens sont bien entraînés et persévérants, ce qui les rend d'autant plus dangereux. Vous croyez vraiment que je suis de mèche avec ces criminels ?

— Comment se fait-il que vous soyez si habile avec un revolver ?

— Mon père voulait un fils, mais il m'a eue. Il m'a appris à pêcher, à réparer les voitures, à conduire un tracteur. Il m'a aussi appris à manier les armes et à tirer. C'est plutôt un avantage, non ?

— Vous et votre père étiez proches ?

— Très proches. Mon père était un homme bon qui a travaillé dur pour réaliser ses rêves, mais le temps lui a manqué. Il est tombé malade et a dû vendre son champ qui bordait la rivière. C'était une excellente terre sur laquelle il avait prévu de faire pousser son piment *Encanto*, une variété qu'il avait développée avec passion. *Encanto* traduit une sensation de plénitude, de bonheur, et c'est ce qu'il voulait que les gens ressentent en dégustant ses piments.

Elle réfléchit un instant et ajouta :

— La fin de son rêve a marqué le commencement du mien.

— Que voulez-vous dire ?

— Je me suis juré de poursuivre ce qu'il a commencé.

— Vous le regrettez, aujourd'hui ?

— Non, pas le moins du monde. Tout comme mon père, c'est la terre qui m'a nourrie.

Elle se tut brusquement et plongea son regard dans celui de Kyle.

— Je suis désolée. Je bavarde, je bavarde… Mais j'ai besoin d'exprimer mes sentiments.

— Ce n'est rien. Je me félicite d'avoir enfin la chance de vous connaître mieux.

— Alors, vous devez à présent avoir une opinion à mon sujet ; sommes-nous amis ou ennemis ?

— Ça se pourrait, répondit-il laconiquement. J'admire votre respect pour la nature et le Peuple Planteur.

— Le… Peuple Planteur ? Les fermiers, vous voulez dire ?

— Pas tout à fait. C'est une expression navajo qui fait référence à la naissance de notre peuple. Nos traditionnalistes appréhendent les plantes comme des personnes à part entière, se déplaçant au gré de leur destin. Les plantes peuvent vous blesser ou vous soigner, tout dépend de votre attitude.

— C'est tout à fait cela, et plus particulièrement dans le cas du piment, renchérit-elle. Vous ne vous êtes jamais enflammé le palais avec du piment ? C'est le parfait exemple d'une plante dotée d'une véritable personnalité.

Kyle éclata de rire.

— Je vous apprécie, Erin Barrett.

— Vous ne me faites pas confiance, mais je parviens néanmoins à vous faire rire, c'est cela ?

Il rit de nouveau.

— Touché. Heureusement que vous ne rêvez pas d'un poste diplomatique.

— Les gens dépensent trop d'énergie à raconter des histoires pour berner les autres au lieu de désigner les choses par leur nom.

— Vous avez raison sur ce point, dit-il en ralentissant.

Kyle s'arrêta devant un grand portail grillagé et approcha de la guérite. L'homme, d'origine navajo, le reconnut immédiatement et lui sourit.

— Hé, frère, où étais-tu passé ? Je ne t'ai pas revu depuis la fac ! J'ai appris que tu étais devenu agent fédéral.

Tout en parlant, il scrutait l'intérieur du 4x4.

Kyle acquiesça :

— C'est exact, Justin. Tu veux voir ma carte d'identité ?

— Ce ne sera pas nécessaire. Daniel a joint mon patron, et celui-ci m'a demandé de vous donner accès à l'entrepôt de stockage. Prévenez-moi si vous avez besoin de quoi que ce soit, dit-il en lui tendant un trousseau de clés. Bâtiment C, le deuxième sur votre droite. Il n'y a que toi et la dame, n'est-ce pas ?

— Oui, et nous allons prendre notre temps.

— Aucun souci, le rassura Justin. Assurez-vous de bien refermer et rapportez-moi les clés.

Puis il leur fit signe d'entrer.

Kyle le remercia d'un geste amical et engagea son 4x4 dans l'enceinte de Zia Limited. Ils dépassèrent les bâtiments A et B, posés de part et d'autre de la voie, et Erin signala à Kyle l'entrepôt. Situé à une centaine de mètres plus loin, ses cloisons en acier brillaient sous les rayons du soleil. Une énorme conduite d'eau, peinte en rouge, s'étirait à l'extrémité de l'édifice, lequel possédait un quai de déchargement et un petit parking attenant.

— Je m'attendais à quelque chose de plus imposant, reconnut Kyle en garant son 4x4 sur le parking.

— Pourtant ce bâtiment correspond parfaitement à leur activité, commenta Erin. Il est ignifugé et à l'épreuve des intempéries.

— Vous êtes déjà venue ?

— Une fois, il y a longtemps, au cours de ma formation. Hank voulait que je me familiarise avec tous les aspects de notre activité. Clark m'a fait visiter l'intégralité de ses installations.

L'intérieur de l'entrepôt était frais, nota Kyle. Une batterie de ventilateurs régulait la température depuis des poutrelles suspendues à la structure du toit. Une légère odeur de produits chimiques nimbait les lieux.

Parcourant les rayonnages, ils dépassèrent nombre de sacs contenant divers produits corrosifs. Aux quatre coins du bâtiment se trouvaient un container en métal, du même type que ceux que l'on transportait par voie ferrée et que l'on rencontrait dans les ports. Ils recelaient différentes catégories d'explosifs, plus ou moins puissants selon l'usage, et portaient une large étiquette informant de leur contenu.

— Je ne pensais pas trouver un tel stock, fit remarquer Kyle en promenant son regard tout autour de lui. Commençons par les palettes de nitrate d'ammonium. En le combinant avec bon nombre de substances disponibles dans le commerce, on obtient l'un des explosifs les plus puissants, à un coût dérisoire.

Repérant les trois palettes du nitrate en question, il en fit rapidement l'inventaire.

— Dix sacs sur la hauteur, multipliés par quinze sacs sur la largeur, ce qui donne cent cinquante sacs au total. C'est conforme à l'inventaire, conclut-il.

Il contourna la pile pour en inspecter l'arrière.

— Une face du stock est plaquée au mur, ce qui m'empêche de tous les compter.

— Cela me rappelle un certain fermier qui rangeait ses bottes de foin de manière à ce que ses clients ne s'aperçoivent pas qu'il les volait, commenta Erin. C'est à cela que vous pensez ?

— Exactement, et quand je prends un peu de recul, j'ai l'impression que cette pile n'est pas tout à fait d'aplomb.

— Il n'y a qu'une façon de vérifier.

— Oui, il faut grimper sur le dessus et déplacer quelques sacs, répondit Kyle, et c'est exactement ce que je vais faire.

— Je peux vous aider ?

— Vous êtes capable de soulever un tel poids ?

— J'ai porté des sacs de sable et de mortier pour aider mon père à construire sa grange. Laissez-moi aller à mon rythme, d'accord ?

Dix minutes plus tard, après avoir déplacé trois épaisseurs de sacs, ils découvrirent l'astuce : plusieurs exemplaires manquaient au centre.

Kyle appela aussitôt Preston.

— J'ai découvert que trois sacs de nitrate d'ammonium

ont disparu. Mélangé aux bons adjuvants, cela fait une sacrée charge explosive. As-tu des informations sur le détonateur que j'ai trouvé dans le bureau de Leland ?

— Daniel est sur le coup. Je suis avec lui ; pourquoi ne viendrais-tu pas nous rejoindre ?

— Je serai là d'ici vingt minutes. Rien de nouveau concernant Frieda Martinez ?

— Nous avons diffusé son signalement et lancé un mandat de recherche à son encontre, même si elle a certainement modifié son apparence.

— Très bien. N'oubliez pas qu'elle a eu le nez fracturé. Ce détail peut permettre de l'identifier plus facilement.

Kyle raccrocha et s'adressa à Erin :

— Dites-m'en plus à propos de Frieda.

— Elle ne cessait de papillonner autour de Hank, l'air heureuse, ce qui semblait le ravir au plus haut point. Mais à mon avis, tout cela était feint, calculé. Je me suis alors demandé si je n'étais pas un peu jalouse d'elle, mais j'ai vite compris qu'il n'en était rien. Son sourire était figé et ne se reflétait jamais dans son regard, si vous voyez ce que je veux dire. J'ai toujours eu la sensation qu'elle jouait un rôle, dans le but de le séduire.

— Avez-vous fait part à Hank de votre ressenti ?

— Non, cela ne me regardait pas. Hank était mon patron, et nous n'abordions jamais nos vies privées.

— Etait-ce sa volonté ou la vôtre ?

Elle le fusilla du regard, puis parut se radoucir.

— J'ai institué cette règle dès mon premier jour d'embauche, non seulement avec Hank, mais avec tous les employés. Je voulais éviter toute complication ou malentendu. Ce travail était toute ma vie.

— Dites-moi une chose : avez-vous les fonds nécessaires pour racheter le champ de votre père ?

— Je mets chaque mois de l'argent de côté, et je pense être en mesure de payer l'intégralité de la somme d'ici quatre ans.

Ensuite, si je parviens à continuer à économiser, je pourrai démarrer Encanto Limited quatre ou cinq années plus tard.

— De tels projets impliquent de lourds investissements.

— J'en suis consciente, et j'ai dû me priver de beaucoup de choses pour garder le cap. Je n'ai jamais cru que ce serait facile.

Après avoir remis les clés à Justin, ils quittèrent Zia Limited et prirent la route en direction de chez Daniel.

— Son bureau est hautement sécurisé, rappela Kyle. Sa femme et lui y ont habité quelque temps après leur mariage.

— Ils ont déménagé ?

— Oui. Dan s'y sentait bien, mais Holly a exigé que leur foyer soit séparé de leur lieu de travail. Dan lui a alors proposé de construire une maison sur le même emplacement, mais elle n'a pas accepté.

L'œil rivé à son rétroviseur, Kyle effectuait de nombreux détours.

— Serions-nous suivis ? demanda Erin en regardant par la vitre arrière.

— A priori non, mais je tiens à m'en assurer.

Erin se tint silencieuse un moment.

— Je pense que les types qui ont tué Hank me soupçonnent de détenir les détonateurs et je crois savoir pourquoi. Hank avait une totale confiance en moi. Quelque chose me dit que je dois *forcément* savoir où ils se trouvent. Malheureusement, pour le moment, je ne vois pas.

Elle poussa un long soupir.

— J'ai tenté à maintes reprises de me mettre à la place de Hank afin d'imaginer à quel endroit il aurait bien pu les dissimuler, mais cela ne me mène nulle part.

— On se creuse parfois la tête en vain, alors qu'il suffit de laisser les pensées venir spontanément à soi. Nous serons bientôt chez Dan. Vous allez aussi faire la connaissance de Paul. Détendez-vous, et tâchez d'apprécier ce moment avec ma famille. Peut-être qu'un petit break vous fera le plus grand bien ?

— Et si jamais ces types surveillaient le domicile de Daniel ?

Kyle eut un petit rire.

— Si tel est le cas, je ne donne pas cher de leur peau.

12

Kyle arriva devant chez Daniel. L'enceinte de la maison était ceinturée d'une haute clôture sur laquelle étaient disposées des caméras de surveillance. Le portail s'ouvrit automatiquement pour laisser entrer le 4x4.

— Eh bien, ce n'est pas très rassurant, commenta Erin.

— Dan possède tout un matériel pour surveiller les environs. Il nous a identifiés dès que nous nous sommes engagés dans sa rue. Le véhicule qui tenterait de forcer le portail serait aussitôt immobilisé par un puissant choc électromagnétique. Ensuite, ses occupants seraient tout bonnement abattus sur place.

Erin ouvrit de grands yeux.

— Mais je ne vois aucun garde armé.

— Faites-moi confiance, la société de Dan est l'une des plus performantes de la région en matière de sécurité.

Comme il approchait du bâtiment principal, deux hommes navajos à la carrure imposante sortirent sur le pas de la porte.

— Celui qui porte un jean et un coupe-vent est Daniel, précisa Kyle à l'intention d'Erin. L'autre, en costume cravate, c'est Paul. Vu sa tenue vestimentaire, il a dû rencontrer un client aujourd'hui. Venez, entrons.

Une massive porte d'acier s'ouvrit avec un bruit sourd, puis claqua derrière eux, telle la porte blindée d'un coffre-fort.

Les présentations faites, Kyle suivit ses frères dans le bureau principal. Un grand écran informatique trônait à l'horizontale, sur une table au centre de la pièce, tandis que quatre moniteurs étaient alignés au mur. Daniel pianota sur l'écran horizontal et une photographie du détonateur récupéré dans le bureau de Hank s'afficha. D'un geste souple de la main, il fit glisser l'image sur l'un des moniteurs fixé au mur.

— Je ne sais pas à qui nous avons affaire, Kyle, mais ce ne sont pas des amateurs. Cet engin est très sophistiqué. Il peut être déclenché à distance quand bien même tout signal hautes fréquences serait brouillé. Ces détonateurs sont réservés à une unité spéciale de l'armée espagnole, l'équivalent de nos forces spéciales. Ils ont certainement été volés. J'ai interrogé la base de données d'Interpol pour savoir si le numéro de série était enregistré. Aucun résultat pour l'instant. Ces engins sont proches de la perfection.

— Peux-tu transmettre ces informations à mon bureau de Washington ? demanda Kyle.

— Bien sûr. Ma connexion est sécurisée. Veux-tu tout de même que je crypte les données ?

Kyle approuva d'un signe de tête.

— Adresse-les directement à Martin Hamilton, mon supérieur. Je vais te communiquer son adresse mail.

Le téléphone satellite de Kyle se mit alors à sonner. La transmission étant perturbée, Kyle préféra utiliser le téléphone de Daniel plutôt que de devoir sortir de la maison.

— Oui, la connexion est sécurisée, répondit-il à son supérieur.

Erin fut entraînée par Daniel vers la cuisine. Paul les suivit également.

— Laissons Kyle faire son rapport en toute tranquillité, expliqua Daniel.

— Tous ces protocoles finiront par l'étouffer, marmonna Paul. Kyle devrait venir travailler avec nous.

— Il le fera quand il sera prêt, trancha Daniel.

Puis, il s'adressa à Erin en lui souriant :

— Vous devez vous croire sur une autre planète, ici.

— En effet… J'ai l'impression de me trouver dans le sous-sol d'un célibataire qui passe son temps entouré de ses gadgets. J'ai cru comprendre que vous avez vécu un temps ici ?

Daniel égrena un petit rire satisfait.

— Je trouve l'endroit intime et confortable, mais Holly, mon épouse, n'était pas de cet avis.

Paul servit une tasse de café à Erin.

— Du sucre ?

— Non merci, je le préfère noir, répondit-elle en acceptant la tasse qu'il lui tendait.

Paul reprit le cours de leur conversation :

— Il y a quelques semaines de cela, j'ai remarqué un article dans notre journal local : il traitait du contrat que Hank Leland a passé avec le gouvernement pour la construction de locaux sécurisés dans une base navale en Espagne. Cet article révélait ainsi où se trouvait monsieur Leland et quelles étaient les particularités de sa mission. Je suppose que c'est lui qui a fourni l'information au journaliste. Pourquoi une telle publicité ?

— Hank avait de grands projets de développement pour Secure Construction, répondit Erin. Il lui fallait faire parler de son entreprise afin de rentrer de nouveaux marchés.

— Que va devenir la société à présent que Hank est décédé ? poursuivit Paul.

Elle lui fit part des propos que Ron tenait de Moe.

— Attendez une seconde, intervint Daniel. Moe Jenner est l'avocat de Leland ?

— Oui, quelque chose vous choque ?

Kyle entra dans la cuisine et, voyant leurs expressions, demanda :

— Il y a un souci ?

— Ça se pourrait, répondit Daniel. Retournons au poste de commande, il y a un détail que j'aimerais vérifier.

Daniel entra des informations dans son ordinateur, puis s'adressa à Kyle :

— J'ai bien fait. Après que tu m'as montré ce détonateur, j'ai placé le Central de police de Hartley sur écoute. Tôt ce matin, madame Jenner a déclaré la disparition de son ex-mari, Moe Jenner.

— Preston s'est bien gardé de m'en parler, commenta Kyle.

— Il n'en sait peut-être rien, avança Daniel. Moe devait rencontrer son ex-femme pour lui remettre un chèque afin de payer le crédit de leur maison, mais il n'est jamais venu. Elle a tenté de le joindre à son domicile et sur son portable. En vain. Elle a aussi appelé à son bureau et est tombée sur son répondeur. Un inspecteur de police est parvenu à joindre Ron Mora, le conseiller de Moe, qui lui a appris que Moe avait agi ainsi pour faire enrager son ex-femme.

— Donc, la police ne le considère pas comme une personne disparue, conclut Kyle.

— Ron a peut-être dit la vérité, supposa Erin. Les relations entre Moe et sa femme étaient plutôt tendues.

— Comment le savez-vous ? demanda Paul.

— Moe avait l'habitude de venir prendre un verre avec Hank et, bien que la porte de son bureau soit toujours fermée, il m'est arrivé d'entendre des bribes de leurs conversations.

A cet instant, une jolie brunette entra dans la pièce en tenant deux sacs en papier marqués du logo d'un restaurant. Les mets dégageaient un fumet délicieux qui mit l'eau à la bouche d'Erin.

— Bonjour Holly, lança Daniel en allant embrasser son épouse.

— J'ai acheté à déjeuner pour chacun de nous, dit-elle en souriant à Erin. Je suppose que vous avez dû vous contenter de fast-food et encore fallait-il que Kyle accepte de faire une pause.

— Oui, c'est à peu près cela, répondit Erin en lui rendant son sourire.

— Quand Dan m'a appris que Kyle et vous veniez nous rejoindre, j'ai décidé de passer chez Cuatro Hombres.

Holly sortit des sacs des assiettes en carton et tendit aux hommes leur repas.

Elle s'adressa à Erin :

— Les hommes peuvent déjeuner ici tout en continuant à

travailler, mais vous et moi allons prendre notre repas entre gens civilisés, dans la cuisine.

— Avez-vous encore besoin de moi ? demanda Erin en s'adressant aux trois frères.

— Non, allez-y, répondit Kyle. Nous allons en profiter pour faire le point.

— Très bien.

Elle se tourna vers Holly et lui sourit de nouveau.

— Dites-moi : quel genre de piment ajoutent-ils à leurs plats ?

A l'autre bout de la pièce, Kyle éclata de rire.

Une fois qu'elles furent toutes deux dans la cuisine, Holly sortit du placard deux assiettes en terre cuite aux teintes jaune orangé et bleu de Prusse.

— Ces assiettes sont ma-gni-fiques ! s'exclama Erin. J'adore ces motifs et ces couleurs.

— Je les ai dénichées dans une brocante.

Les voix des hommes leur parvinrent à travers la cloison et Holly eut un petit sourire.

— C'est ainsi qu'ils abordent leurs affaires. Chacun lance une idée, argumente, et au final, ils font le tri et se mettent d'accord.

— Vous êtes au courant de ce qui se passe ?

Holly fit non de la tête.

— Je ne préfère pas. Dan a tendance à s'investir à fond dans son travail, mais je l'oblige à respecter notre vie privée.

Erin acquiesça.

— Kyle m'a dit que son frère souhaitait que vous vous installiez ici après votre mariage, mais que vous, vous aviez d'autres projets.

Holly poussa un soupir.

— Avec le temps, il s'est rendu compte que j'avais raison. Dan n'aurait pas apprécié que notre fils répande son lait ou son jus de fruits sur ses claviers d'ordinateurs. Junior est chez la baby-sitter aujourd'hui. Comme ça, j'ai un peu de temps pour faire du shopping et me reposer.

Erin mordit à pleines dents dans sa tortilla.

— Hmm, délicieux ! C'est frais et riche en goût.

— Je connais le patron de ce restaurant et tout ce qu'il prépare est savoureux, renchérit Holly.

Elle prit à son tour une bonne bouchée.

— Un de ces jours, il faudra que je leur demande leur recette.

— Vous aimez cuisiner ? s'enquit Erin.

— J'adore ça. Quand j'étais célibataire, je ne cuisinais pas souvent. Mais dès que j'ai connu Daniel, je m'y suis mise et j'aime préparer des plats traditionnels du Nouveau-Mexique.

— Vous donnez l'impression d'être pleinement heureuse, fit Erin, presque envieuse.

— Je le suis, aujourd'hui. Mais lorsque j'ai rencontré Daniel, je me suis posé énormément de questions. J'étais effrayée à l'idée de tomber amoureuse. C'est un peu votre cas, n'est-ce pas ?

— Je l'avoue, répondit Erin en prenant une nouvelle bouchée. Ce repas me fait le plus grand bien.

Holly se pencha vers Erin.

— Vous pouvez avoir totale confiance en Kyle. Lui et ses frères sont aussi différents les uns des autres que le jour et la nuit, mais ils ont une qualité en commun. Ils ont un caractère bien trempé, sont intraitables avec leurs ennemis et extrêmement fidèles en amitié.

Erin retint un soupir.

— J'aimerais faire confiance à Kyle, mais c'est difficile car ce n'est pas réciproque.

— J'ai bien peur qu'ils aient aussi cela en commun. Leur passé les rend méfiants et les empêche de baisser leur garde facilement. Mais lorsque cela se produira enfin, vous ne serez pas déçue.

— Je veux juste que…

Holly lui sourit.

— Vous avez Kyle dans la peau, n'est-ce pas ?

Erin voulut protester, mais n'en eut pas le cœur.

— C'est bien possible, mais Kyle et moi ne sommes pas faits pour nous entendre. J'aime la campagne et j'ai besoin d'un endroit où me sentir chez moi. Il ne connaît que le danger et est toujours en action. Ce n'est pas avec une fermière qu'il va s'éclater.

— Ne croyez pas cela, la rassura Holly avec un petit sourire énigmatique. Les disciples de Hosteen Silver ont la faculté de réaliser des choses qui paraissent impossibles. Soyez patiente et donnez sa chance à Kyle.

Dans la pièce à côté, Kyle continuait de discuter avec ses frères.

— Ces hommes n'ont pas agressé Hank Leland sans raison, assurait Paul. Ils se sont servis de lui, le contraignant, d'une façon ou d'une autre, à envoyer ce colis aux Etats-Unis. Ce qu'il nous faut découvrir, c'est le nombre de détonateurs qui étaient dans le colis à l'origine et ce que Hank en a fait avant d'être tué. Ces types se sont permis de l'agresser en plein jour ; ils n'auraient pas pris un tel risque si ce qu'ils recherchent n'était pas d'une importance capitale.

— C'est aussi ce que je pense, renchérit Kyle. Je dois découvrir où se trouvent les autres détonateurs avant qu'ils mettent la main dessus.

— J'ai dressé une liste de cibles potentielles, dit Paul en désignant l'écran de son ordinateur.

Kyle et Dan vinrent regarder par-dessus son épaule.

— Les trois premières entreprises de la liste ne peuvent en aucun cas être concernées, observa Daniel.

— Mais la quatrième semble très intéressante, commenta Kyle. Je me suis beaucoup absenté du pays ces dernières années, donc je ne suis plus trop au fait des projets de la région. Cependant, quel serait le lien entre une société d'extraction d'uranium basée en Espagne et la construction d'une conduite d'eau sur nos terres ?

— La majeure partie de l'eau distribuée par cette conduite servira à des essais souterrains d'extraction d'uranium, expliqua Daniel. Cette eau, mélangée à de nombreux composants chimiques, sera infiltrée dans le sol.

— Cette société espagnole compte sur ces essais pour parfaire sa connaissance du sujet et mettre au point un nouveau procédé d'extraction, ajouta Paul.

Kyle demeura songeur un moment.

— Daniel, tâche de recueillir le maximum d'informations au sujet de cette entreprise. Je me souviens d'avoir entendu parler d'attentats contre ce type de projets pendant que j'étais en Espagne.

Daniel identifia rapidement trois groupes terroristes ayant mené des actions de sabotage à l'encontre de l'industrie nucléaire espagnole.

— Ces gens sont particulièrement motivés et sans pitié. Malheureusement, d'après les fichiers d'Interpol et des services secrets espagnols, aucun de leurs membres n'est encore identifié. On a accès à des descriptions physiques et quelques photos de très mauvaise qualité, certainement tirées d'après des images de caméras de vidéosurveillance.

— Il faudrait leur envoyer une photo de l'agresseur qui s'est tiré une balle dans la tête, avança Kyle. Cela leur permettrait peut-être de faire le lien avec des criminels de chez eux. Il faut que l'on découvre à qui nous avons affaire.

— J'envoie tout de suite un mail à Preston et à son supérieur, proposa Dan.

— Et à mon supérieur, par la même occasion, ajouta Kyle. C'est notre seule piste pour l'instant. D'après ce que je lis sur cet écran, du beau monde viendra à la cérémonie d'inauguration de cette conduite d'eau. Ce n'est pas précisé, mais je suppose que tu connais déjà la liste des invités, dit-il à l'intention de Daniel.

— Ma société gère une partie du dispositif de sécurité

de la cérémonie et je peux te dire que des grosses huiles de Washington vont y assister. Ils représentent des cibles de choix.

— Nous bénéficions de toutes les autorisations pour agir, alors mettons le paquet, insista Kyle.

— Ces personnalités sont quasiment intouchables, rappela Paul.

Kyle ne releva pas.

— La presse va-t-elle s'emparer de l'événement ?

— Plutôt deux fois qu'une, rétorqua Daniel.

— Quand se déroulera la cérémonie ?

— Dans trois jours. La liste officielle des invités ne sera communiquée qu'au dernier moment.

— Je comprends à présent pourquoi mon supérieur voulait m'envoyer des renforts, quitte à révéler le véritable objet de ma mission, dit Kyle.

— Tu as une sacrée pression, confirma Paul. Tu dois rester sur le qui-vive malgré la présence d'Erin. Cette femme est *une bombe.*

— Surveille ton langage, grogna Kyle.

— N'ai-je pas raison ? insista Paul en souriant. Elle t'a envoûté, c'est indéniable. Ce qui sous-entend que tu ne raisonnes pas avec ta tête mais avec ton…

Paul se tut comme Holly entrait dans la pièce.

— Qu'est-ce qu'il y a ? Ma présence vous dérange, les gars ?

Daniel alla embrasser sa femme.

— Que veux-tu, chérie ?

— Un petit incident est survenu pendant que nous faisions la vaisselle et Erin a besoin de se changer. J'ai des vêtements à lui prêter, alors nous allons passer un moment dans ma chambre. Avez-vous besoin d'elle tout de suite ?

— Non, répondit Kyle. Nous avons encore pas mal de travail. Merci, Holly.

— Très bien. Je voulais que vous sachiez où nous sommes.

Dès qu'elle fut sortie, Daniel jeta un regard à Kyle.

— Tu devrais aussi te changer, frère. Tu as lavé cette chemise à l'eau bouillante ou quoi ? Elle a rétréci de façon grotesque.

— Elle n'est pas à moi. C'est tout ce que j'ai trouvé à me mettre dans le refuge de Preston.

— Comme nous faisons à peu près la même taille, tu pourras te servir dans ma penderie, proposa Daniel.

Paul se racla la gorge.

— Quand vous aurez fini de parler chiffons, j'aimerais vous montrer quelque chose.

Il leur désigna l'écran de l'ordinateur.

— Le logiciel n'a détecté aucun message codé entre Erin Barrett et Hank Leland.

— Cela ne me surprend pas, confia Kyle. Peux-tu lancer une recherche identique au sujet de Bruce Leland ? C'est le frère de la victime. Tâche aussi de voir ce que tu trouves sur Mike Bewley. Il travaillait pour Hank, mais a été viré peu avant que ce dernier se rende en Espagne. Vois si tu peux dénicher une photo de lui par la même occasion ; Dan la joindra au dossier qu'il compte envoyer en Espagne et à Interpol.

— Je m'en charge, acquiesça Paul. Ce genre de recherches prend du temps, et vu qu'il te reste moins de trois jours pour résoudre cette affaire, Kyle, ne me mets pas la pression. Laisse-moi travailler en paix.

Erin enfila sans la moindre difficulté le jean que Holly lui avait prêté.

— Il me va à merveille.

Holly soupira.

— Je ne rentre plus dedans depuis la naissance du bébé, alors vous pouvez le garder.

Soudain, il y eut un fort bruit sourd et Holly leva les sourcils.

— Oh ! Oh !

— Que se passe-t-il ? s'enquit Erin.

— Les hommes sont dans la salle de sport, et soit ils s'entraînent, soit ils se bagarrent. Ils aiment se défier chaque fois qu'ils en ont l'occasion. Je comprends qu'ils se manquent l'un l'autre, mais leur besoin de s'affronter m'étonnera toujours.

— Ils se bagarrent ? A coups de poing ? demanda Erin, choquée.

— Non. Avec les autres épouses, nous avons insisté pour qu'ils portent des gants de boxe, expliqua Holly. Ils ont prétendu que cela ôtait tout le charme, mais nous n'avons pas cédé.

— Pourquoi se combattent-ils alors que nous sommes en pleine tourmente ?

— Il ne faut pas voir les choses sous cet angle, nuança Holly. Pour Dan et Kyle, c'est juste une façon de décompresser.

— Et Paul ?

Holly eut une mimique gênée.

— On lui a tiré dessus quand il était marshal fédéral et il en a conservé des séquelles. Il n'aime pas spécialement en parler.

Au loin, les hommes riaient et juraient.

— Vous voulez aller jeter un coup d'œil ? demanda Holly. Je ne me lasse jamais de voir mon mari chéri torse nu.

— Kyle… est aussi torse nu ?

— Evidemment.

— Alors, qu'est-ce qu'on attend ? dit Erin en suivant Holly.

Dans la salle de sport, elle ne put détacher son regard de Kyle. Il évoluait avec la rapidité de l'éclair, rendant coup pour coup à son frère. A dire vrai, cela n'avait pas grand-chose à voir avec une bagarre. Ils se connaissaient tellement bien qu'ils anticipaient et esquivaient les coups avec facilité.

Les muscles de Kyle se durcissaient et se relâchaient au gré de ses mouvements. Erin mourait d'envie de promener ses mains sur ce corps sculpté, de se blottir contre ce torse puissant.

— Et dire qu'ils font cela pour le plaisir…, murmura Holly, visiblement songeuse. Je ne comprendrai jamais, mais j'apprécie le spectacle.

— Moi de même, admit Erin, sous le charme.

Finalement, Paul intervint :

— Les gars, il est temps de retourner au travail.

Les deux frères cessèrent aussitôt leur combat. Kyle récupéra sur une chaise sa chemise et une petite poche suspendue

à une cordelette en cuir. Il se la passa autour du cou. Daniel
en fit autant.

— Qu'est-ce qu'il y a dans ces pochettes en cuir ? demanda
Erin à Holly.

— Chaque frère possède son fétiche. C'est un présent de
Hosteen Silver. Kyle vous en dira plus à ce sujet le moment
venu.

Erin suivit les hommes dans la salle informatique.

Paul y évoqua une somme d'argent à six chiffres.

— C'est ce qu'il leur doit. Il a prévu de revendre sa maison
et sa voiture pour leur régler un acompte.

— De qui parlez-vous ? intervint Erin.

— De Bruce Leland, répondit Paul.

A cet instant, Holly, suivie de Preston, entra dans la pièce.

— Je dois vous laisser, annonça-t-elle à l'intention des
hommes.

Puis elle s'adressa à Erin :

— Vous êtes entre de bonnes mains.

— Tu arrives pile, lança Kyle à Preston. Tu as reçu les
mails de Dan ?

— Oui, j'ai tout renvoyé aux services secrets espagnols
et à Interpol. Alors, du nouveau ?

Sur ce, il jeta un coup d'œil à l'écran de l'ordinateur.

— Bruce ? C'est une sacrée somme pour une dette de jeu,
dit-il en se frottant le montant. J'ai découvert que Bruce avait
émis des chèques sans provision. Il s'en est fallu de peu qu'il
ne se retrouve derrière les barreaux.

— Hank connaissait l'addiction au jeu de Bruce, et c'est
pour ça qu'il ne lui faisait pas confiance, ajouta Erin.

— Vous avez du nouveau depuis que vous m'avez envoyé
ces mails ? demanda Preston.

Paul lui exposa leur théorie au sujet de la cérémonie
d'inauguration de la conduite d'eau.

— On dirait que vous avez compris leur motivation et
identifié leur cible, mais trois jours, ça fait court, commenta
Preston. Vous avez un plan ?

— Nous allons travailler sans relâche les prochaines vingt-quatre heures, assura Kyle. Si nous ne trouvons rien de probant, nous aurons deux options. Annuler la cérémonie, et dans ce cas les terroristes risquent de s'évaporer dans la nature, ou suivre le planning mais en renforçant la sécurité. La seconde option ne diminue pas pour autant les risques d'attentat. Au final, nous devons à tout prix résoudre cette affaire.

— Nous sommes avec toi, dit Preston.

Daniel approuva d'un petit signe de tête.

— Il est temps de se retrousser les manches, intima Kyle. Agitons tout cela et voyons ce qu'il en ressort.

Son portable se mit à sonner au même moment.

— C'est Joe Pacheco, annonça-t-il en regardant l'écran.

Il brancha le haut-parleur.

— J'appelle de ma voiture, annonça Joe d'une voix tendue. Je suis dans une situation délicate. Il me faut des renforts !

13

— Je suis actuellement avec un représentant des forces de l'ordre, dit Kyle. Dites-nous ce qui vous arrive, Joe.

— J'ai envoyé ma famille chez ma sœur et, afin d'être sûr qu'ils seraient en sécurité, je les ai suivis jusqu'à la sortie de la ville, expliqua Joe. J'ai remarqué qu'un van bleu sombre les avait pris en chasse. En le dépassant, j'ai jeté un regard au conducteur afin qu'il sache que je l'avais repéré. Ensuite, quand j'ai rebroussé chemin, il a effectué la même manœuvre et s'est mis à me suivre.

— Le van vous suit toujours ? demanda Kyle.

— Oui, répondit Joe en lui communiquant sa position.

— Nous venons vous prêter main-forte, lança Preston en sortant de sa poche ses clés de voiture.

— Vous avez entendu, Joe ? ajouta Kyle.

— Bien compris. Retrouvez-moi et nous trouverons bien un moyen de le piéger entre nos véhicules.

— Bien, acquiesça Kyle. Faites en sorte de vous diriger vers l'ouest et suivez un itinéraire avec beaucoup de trafic afin qu'ils ne puissent pas vous bloquer.

Kyle, les clés de son 4x4 en main, fit signe à Erin de le suivre. Daniel et Preston s'étaient déjà précipités hors de la maison.

— Dès que nous serons en route, dit Kyle à Joe, vous m'indiquerez votre itinéraire et votre position exacte.

Quelques instants plus tard, les trois frères, connectés par radio, fonçaient vers l'ouest de la ville. De son côté, Joe faisait en sorte d'arriver aux intersections quand le feu passait au rouge.

— Où vous trouvez-vous, Joe ? demanda Kyle comme ils arrivaient au centre-ville.

Erin surveillait les mouvements des différents véhicules sur l'écran du GPS. Kyle, qui s'était absenté une longue période hors de la ville, la laissait les diriger. Elle était plus à même de connaître les modifications d'itinéraire liées aux travaux d'urbanisme.

— Je viens de dépasser Orchad Street et me dirige vers l'ouest, répondit Joe. Mais si je vais plus loin, il n'y aura plus de rues perpendiculaires vous permettant de le coincer.

Sa voix tremblait un peu, nota Kyle.

— Joe peut prendre à droite dans la Quatorzième Rue, suggéra Erin en montrant l'écran du GPS.

— Bonne idée, répondit Kyle. Suivez la consigne, Joe, et restez sur la voie centrale. Compris ?

— Compris, assura Joe.

— Preston, Daniel, vous avez entendu ?

— Oui, répondit Preston. J'approche de l'hôtel Hilton. Je vais prendre la Quatorzième Rue et me placer devant Joe.

Daniel prit à son tour la parole.

— Je suis à un pâté de maisons de Preston. Je vais attendre de voir passer le véhicule de Joe et me placer entre lui et le van. Joe, à quelle distance de toi se trouve le van ?

— A une bonne vingtaine de mètres. Il garde ses distances. Je vois un stop à la prochaine intersection, vous me le confirmez ?

Kyle se tourna vers Erin, laquelle reporta son regard sur le GPS et acquiesça d'un hochement de la tête.

— Confirmé, reprit Kyle. Je vais bientôt me placer derrière le van.

Comme le véhicule apparut devant eux, il réduisit l'allure.

De son côté, Erin prit la paire de jumelles dans la boîte à gants et lut la plaque d'immatriculation du van. Puis elle nota le numéro sur son carnet et le montra à Kyle qui le transmit à ses frères.

— Bien noté, dit Preston. Le trafic tend à se réduire par

ici, alors passons à l'action. Joe, prends la première à droite dès que possible mais sans mettre ton clignotant.

— Nous allons le serrer, et Kyle le bloquera par l'arrière, ajouta Paul qui se trouvait dans le véhicule de Daniel.

Kyle jeta un coup d'œil à Erin : elle se tenait raide sur son siège.

— Détends-toi, lui conseilla-t-il.

Devant eux, Joe bifurqua brusquement sur la droite dans un crissement de pneus. Preston écrasa la pédale de frein en effectuant un dérapage pour s'arrêter en travers de la route. Daniel tenta alors de se porter à la hauteur du van, mais le conducteur de celui-ci freina pour se glisser derrière le véhicule de Daniel. Après quoi, il effectua un demi-tour manquant de le faire se renverser et mit pleins gaz en direction du 4x4 de Kyle.

— Accroche-toi ! s'écria Kyle en effectuant lui aussi un demi-tour spectaculaire.

— On va dans la mauvaise direction ! s'exclama Erin.

— Pas pour longtemps, rétorqua Kyle.

Il prit à droite, sauta le terre-plein central en klaxonnant et se retrouva à peu de distance du van qui fuyait devant eux.

— Ne le lâche pas, dit Preston dans la radio.

Le van devait rouler à plus de cent kilomètres à l'heure dans les rues de la ville ; fort heureusement, le trafic était faible. Kyle avait allumé ses feux de détresse et ne cessait de klaxonner pour avertir les autres conducteurs.

Lorsqu'ils atteignirent Main Street, le van prit le risque de griller le feu rouge.

— On peut le suivre ? demanda Kyle tandis qu'Erin scrutait les alentours pour s'assurer qu'aucun véhicule ne risquait de les percuter.

— Fonce !

Leur course-poursuite les conduisit hors de la ville, vers une route à deux voies qui s'enfonçait au milieu d'un paysage désertique parsemé de derricks.

Le van ralentit afin de négocier un virage raide, ce qui permit à Kyle de réduire la distance qui les séparait.

— Preston, quelle est ta position ?

— Je suis pris dans la circulation. Vous êtes sur la route 135 ?

— Affirmatif. Je me rapproche du van. Où se trouve Dan ?

— Juste derrière moi, coincé entre deux voitures.

Erin lança un regard interrogateur à Kyle.

— Qu'est-ce qu'on fait, maintenant ?

— On ne les laissera pas nous semer, répondit-il d'une voix rauque.

— Le voilà qui ralentit, remarqua-t-elle. Pour quoi faire ?

La portière arrière du van s'ouvrit brusquement et des éclairs jaillirent de l'intérieur.

Des impacts, accompagnés de sons claquants, étoilèrent le pare-brise.

— Baisse-toi, Erin !

Bien que la vitre du pare-brise fût à l'épreuve des balles, la visibilité devenait réduite.

Le capot avant reçut alors une série de balles et un choc terrible résonna.

— Ça ne présage rien de bon, dit Erin, la voix tremblante. Le moteur est touché ?

Kyle consulta le tableau de bord ; l'aiguille de température grimpait dangereusement.

— C'est le radiateur.

— Ce 4x4 n'est donc pas indestructible, marmonna Erin.

— Il est conçu pour protéger les passagers, pas pour subir l'assaut de terroristes.

Puis il s'adressa à Preston à travers la radio :

— Tu es à l'écoute, frère ?

— Oui. Qu'est-ce qui ce passe ?

— Mon système de refroidissement est endommagé. Je perds de la vitesse et le van s'enfuit.

— Arrête-toi avant que le moteur rende l'âme, conseilla

Preston. J'ai demandé un hélicoptère pour prendre le relais. Je perds ton signal…

— Preston ? Daniel ?

Kyle étouffa un juron : le GPS et la radio étaient hors réseau. Les lignes à haute tension qui bordaient la route devaient interférer avec le signal. Pire, une désagréable odeur de brûlé et de la fumée s'échappait du capot. Kyle se gara sur le bord de la route.

— L'endroit est vraiment isolé, observa Erin. Le conducteur du van, quand il remarquera que nous ne le suivons plus, ne risque pas de faire demi-tour pour venir nous attaquer ?

— Je ne sais pas, répondit Kyle, regrettant aussitôt ses paroles peu réconfortantes.

A cet instant, les feux stop du van s'allumèrent.

— Ils se sont arrêtés. On doit quitter le 4x4 !

— Et si nous condamnons les portières ? avança Erin.

— Ils mettront le feu au véhicule et nous abattrons quand nous tenterons d'en sortir. Nous sommes en mauvaise posture. Sortons de là.

Kyle récupéra son fusil d'assaut M4 et des magasins de rechange, puis ils abandonnèrent le 4x4.

— Il n'y a aucun endroit près de la route où se mettre à l'abri, remarqua Erin.

Elle désigna des arbres de l'autre côté de la route.

— On devrait se cacher dans ce bosquet, là-bas.

— Non, tâchons de rester de ce côté, répliqua Kyle. Et ne nous éloignons pas trop du 4x4. Les renforts ne devraient plus tarder. Tout ce que nous avons à faire, c'est gagner du temps.

Un énorme rocher ceinturé d'acacias se dressait à une cinquantaine de mètres de la route.

— Nous allons escalader ce rocher. De là, nous aurons une vue panoramique des environs. Suis-moi, Erin. Nous allons faire en sorte que nos traces de pas soient bien visibles.

— Ne serait-ce pas plus malin de les effacer ? demanda Erin.

Il ne put s'empêcher de sourire.

— Je vois, fit-elle. La meilleure défense, c'est l'attaque.

Prenant soin de bien marquer leurs pas dans le sable, ils parvinrent au rocher, l'escaladèrent et se laissèrent glisser de l'autre côté. Ainsi, leur agresseur penserait les surprendre sur le dessus du rocher.

Ils se tapirent derrière une haie de buissons épineux. De là, ils avaient vue sur la route et Kyle suivit le van avec la lunette de son fusil : le véhicule approchait de leur 4x4. S'il avait été seul, Kyle se serait posté en embuscade et n'aurait pas hésité à faire feu… mais il avait quelqu'un sous sa protection. Les renforts allaient arriver et, pour le moment, ils étaient en sécurité.

Deux silhouettes descendirent du van et approchèrent d'un pas rapide du 4x4. A une dizaine de mètres du véhicule, ils se séparèrent et en firent le tour, arme au poing. Tandis que la première silhouette s'arrêtait à bonne distance du 4x4 et surveillait les alentours, l'autre s'approcha pour regarder à l'intérieur. Il essaya d'ouvrir la portière et, échouant, recula en secouant la tête.

— D'après sa silhouette, le plus petit des deux est Frieda. J'en suis pratiquement sûre, chuchota Erin.

Kyle colla de nouveau l'œil à la lunette de son M4. Si l'un d'eux s'approchait trop de leur retraite, il serait dans l'obligation de l'abattre.

Le conducteur du van cria à ses complices de le rejoindre et avança à leur rencontre.

— Je connais cette voix, fit Erin. C'est celle de Mike Bewley !

— Le type que Hank a viré ?

— Oui, c'est lui.

Les complices grimpèrent dans le van qui démarra sur les chapeaux de roues.

— Retournons au 4x4, lança Kyle. Il y a peu de risques qu'ils reviennent. Ils ont dû penser qu'on leur tendait une embuscade, ou ils étaient en retard sur leur planning.

— Je n'arrive pas à croire que Mike soit de mèche avec

ces criminels. J'espérais tellement qu'il reprenne sa vie en main de façon honnête.

Comme ils atteignaient le 4x4, Preston arriva.

— Un garde forestier nous a appelés pour nous dire qu'il avait vu le van abandonné au bord de la route, à quelques kilomètres au nord. Ils ont dû changer de véhicule. Avez-vous aperçu vos agresseurs ?

Erin hocha la tête.

— Je suis presque sûre que l'un d'eux est Mike Bewley, et l'autre, Frieda Martinez.

Preston interrogea Kyle du regard pour obtenir confirmation.

— Nous n'avons pu voir distinctement le visage de Frieda, mais la personne correspond à sa description. D'autre part, Erin a reconnu la voix de Bewley.

— Il avait l'habitude de participer à des courses de voitures, le week-end, ajouta Erin. C'est un très bon pilote.

Kyle raconta à Preston la façon dont les derniers événements s'étaient déroulés et comment ils avaient tendu une embuscade aux deux agresseurs descendus du van.

— Et l'autre type, celui qui est venu inspecter ton 4x4 ? demanda Preston alors que Daniel et Paul arrivaient à leur tour.

— Même à travers la lunette de mon M4, je n'ai pas pu identifier son visage.

Kyle se tourna vers Erin.

— Je veux que tu saches que tu t'es comportée comme une vraie professionnelle. Je ne pouvais rêver d'une meilleure partenaire.

Un léger sourire naquit sur les lèvres d'Erin. Kyle en fut infiniment troublé.

— Il y a une chose que je ne parviens toujours pas à comprendre, intervint Preston. Ces terroristes agissent sur *mon* territoire. Comment peuvent-ils recruter des hommes de main sans que j'en sois informé ?

— Il y a toujours des sales types prêts à vendre leur âme au diable, répondit Kyle.

— Comme Mike Bewley, ajouta Erin. Il a besoin d'une

importante somme d'argent pour racheter ses dettes. En plus, il détestait Hank.

— Ce type de criminel est toujours fiché quelque part, dit Preston. Du coup, ils recrutent des combattants qui ne possèdent pas de casier judiciaire.

Son portable se mit à sonner.

— Ton téléphone fonctionne ici ? demanda Kyle, surpris.

— Ces lignes à haute tension perturbent les liaisons satellites et les ondes radio, mais pas les fréquences GSM, expliqua Preston en décrochant.

Il écouta son interlocuteur un long moment, puis reprit la parole.

— Ne le lâche pas d'un pouce, et s'il tente quoi que ce soit d'illégal, appréhende-le. Demande du renfort si nécessaire.

Dès que Preston eut raccroché, Kyle lui demanda :

— Du nouveau ?

— Oui. J'avais placé un policier devant chez Erin. Il a vu un homme frapper à la porte d'entrée, puis voyant que personne ne répondait, cet homme a contourné la maison pour passer par-derrière. Le policier a relevé la plaque d'immatriculation de son véhicule ; il appartient à Bruce Leland.

— Bruce a-t-il l'habitude de venir chez toi ? demanda Kyle à Erin.

— Il m'a déposée une fois. Mais il souhaite peut-être s'entretenir avec moi de Secure Construction. Moe n'est pas joignable, tu t'en souviens ?

Preston répondit à un nouvel appel.

— Arrête Bruce Leland et ramène-le au Central. Je t'y retrouve dès que possible.

— Vous allez l'arrêter simplement parce qu'il rôde autour de chez moi ? fit Erin d'un ton offusqué.

— Non, pour effraction et intrusion. Il a brisé une fenêtre et a pénétré chez vous, répondit Preston.

— On va te suivre jusqu'au Central, intervint Kyle.

Puis, il s'adressa à Paul :

— Nous allons avoir besoin de toutes les informations

que tu pourras recueillir sur ces terroristes. Cherche du côté des groupuscules espagnols. Il faut découvrir le cerveau de cette opération.

— J'en fais ma priorité, promit Paul.

Kyle se tourna vers Erin : elle était prise de frémissements. Voulant la réconforter, il approcha d'elle, mais elle recula d'un pas.

— Je ne tremble pas parce que j'ai peur, mais parce que je suis furieuse, dit-elle, le regard teinté d'une lueur mauvaise. Si Bruce est responsable, de près ou de loin, de la mort de Hank, alors il devra répondre de ses actes.

14

A travers la vitre teintée de la salle d'interrogatoire, Kyle désigna à Erin l'homme assis à l'intérieur.

— Nous avons intentionnellement augmenté le chauffage dans la pièce afin de le mettre sous pression. D'ici quelques minutes, j'irai l'interroger. Tu assisteras à l'interrogatoire depuis cette pièce.

— Bruce m'est toujours apparu plus pathétique que dangereux, murmura Erin. Je n'ai jamais eu peur de lui ; peut-être aurais-je dû.

— Je ne crois pas qu'il en avait après toi. Il savait que tu n'étais pas chez toi. Si Bruce est entré par effraction, c'est qu'il cherchait quelque chose de précis.

— Les détonateurs ?

— Ce ne peut être que cela, répondit-il. Les terroristes possèdent déjà les explosifs. Ils mettront tout en œuvre pour récupérer ces détonateurs. Ils sont pressés par le temps.

— J'éprouve un genre de pitié pour Bruce. Il a été manipulé, et à présent, il a l'air complètement dépassé, dit-elle en l'observant à travers la vitre teintée.

Kyle poussa un soupir.

— Ce n'est pas de gaîté de cœur que je te dis cela, mais il a le profil d'un homme enclin à trahir son pays. Un type un peu paumé qui cherche un sens à sa vie et quelqu'un à qui imputer ses échecs. Tu ne devrais peut-être pas assister…

— Tu ne veux pas que je te voie en action ? l'interrompit-elle. Je sais que tu n'iras pas de main morte, mais je saurai encaisser.

Des innocents ont perdu la vie, et cela se produira encore tant que tu n'auras pas résolu cette affaire. Fais selon ta méthode.

— Très bien, fit-il en s'éloignant pour rejoindre Preston.

— Tu es sûr de vouloir qu'elle assiste à l'interrogatoire ? chuchota celui-ci. Et si elle jouait un double jeu ? Tout ce que dira Leland pourrait passer dans le camp adverse.

— Je fais confiance à mon instinct, le rassura Kyle. Erin n'est pas le genre de femme à se laisser soudoyer. C'est une vraie patriote qui croit au rêve américain. Impossible qu'elle soit de leur bord.

— Comme tu voudras. Bon, allons-y.

Ils entrèrent ensemble dans la salle d'interrogatoire. Kyle s'assit de l'autre côté de la table, face à Bruce, tandis que Preston s'adossa au mur et croisa les bras.

— Nous possédons assez de preuves pour vous inculper d'effraction et de tentative de cambriolage, attaqua Preston, mais ce n'est pas ce qui nous préoccupe, Bruce. Les gens pour lesquels vous travaillez sont des terroristes. Ils vous tueront à la seconde même où vous ne servirez plus à rien. Ils ne laissent jamais de témoins derrière eux.

Bruce écarquilla les yeux.

— Je ne vois absolument pas de quoi vous parlez et je ne voulais pas m'introduire de façon illégale chez Erin.

Il se reprit aussitôt.

— En fait, c'est ce que j'ai fait, mais parce que j'ai entendu appeler au secours à l'intérieur. J'ai pensé qu'Erin était en danger.

Kyle gardait une attitude impassible.

— Et c'est par hasard que vous vous trouviez dans les environs ? C'est dur à avaler, Bruce.

Il se pencha au-dessus de la table et approcha son visage de celui de Bruce.

— Vous êtes impliqué dans une attaque terroriste visant à déstabiliser notre pays, ce qui fait de vous un traître. Je vais vous laisser une ultime chance de vous en sortir. Coopérez, et nous ferons de notre mieux pour vous garder en vie. Dans le cas contraire, ceux qui ont assassiné Hank vont s'en prendre à vous. Ils vont vous torturer pour vous faire avouer ce que vous savez. Ensuite, si vous êtes chanceux, ils mettront fin à vos souffrances.

— Mais je ne les ai pas…, commença Bruce.

— Vous n'avez pas le colis ? le pressa Kyle.

Il avait choisi ce mot précis pour que Bruce se trahisse.

— Quel colis ? fit celui-ci d'une voix de fausset. Je vous dis la vérité : je ne suis au courant de rien. Ce que je sais, c'est que Frieda a convaincu mon frère de lui rendre service quand il séjournait en Espagne.

— C'est *vous* qui les avez présentés, dit froidement Kyle.

Bruce parut un instant désarçonné.

— C'est exact. Frieda prétendait vouloir rencontrer mon frère et travailler dans sa société. Je lui ai répondu que Hank et moi n'étions pas en bons termes parce que je lui devais de l'argent. Elle m'a proposé une belle somme pour que je les mette en contact. Ce n'est que plus tard que j'ai compris qu'elle s'intéressait à Hank, et non à un emploi dans sa société.

— Qu'avez-vous fait de l'argent qu'elle vous a donné ?

— Je l'ai dépensé, sans toutefois rembourser Hank, et cela l'a mise hors d'elle. Elle comptait se servir de ce prêt pour entrer dans les bonnes grâces de Hank. De toute façon, je suis criblé de dettes…

— Des dettes de jeu ?

— Oui. J'ai vendu tout ce que je possédais pour rembourser la majeure partie de ma dette, et je me suis retrouvé pris au piège par ces bandits.

— Vous ne vous êtes pas demandé où Frieda avait trouvé cet argent alors qu'elle cherchait un travail ? insista Kyle.

— J'avais d'autres soucis en tête. Mes créanciers m'avaient menacé de me passer à tabac si je ne les remboursais pas au plus tôt.

— Alors vous vous êtes compromis avec des gens qui, eux, risquaient de vous tuer. Mauvais choix. A la seconde où ils sauront que vous avez coopéré avec la police, ils vous abattront.

Bruce pâlit brusquement.

— Je ne peux quand même pas vous dire ce que je ne sais pas !

Kyle haussa les épaules.

— Vous pensez que ces truands auront des scrupules de ce genre ? Vous pouvez préparer vos obsèques, mon vieux.

Preston se dirigea vers la porte.

— Prenez le temps de réfléchir pendant qu'on dresse votre procès-verbal pour effraction et intrusion dans un domicile privé.

— Un petit conseil, ajouta Kyle. Quand vous quitterez le Central, soyez sur vos gardes. La mort peut vous frapper à chaque instant.

Sur ces mots, il quitta la salle d'interrogatoire et alla retrouver Erin.

— Qu'en avez-vous pensé ? lui demanda-t-il.

Elle le gratifia d'un sourire un peu forcé.

— Je ne vois pas pourquoi Bruce refuse de coopérer. Il n'a pas d'alternative que d'accepter l'aide de la police.

Kyle lui rendit son sourire et la félicita.

— Tu ne te laisses pas distraire par ce que tu as vu ou entendu. Tu restes concentrée sur notre mission. Tu ferais un sacré bon agent spécial.

— Je le prends comme un compliment et je t'en remercie, mais tout bien considéré, je préfère travailler la terre.

Il éclata de rire.

— Alors je dirais que tu es la fermière la plus courageuse que j'aie rencontrée.

— Le courage est nécessaire dans mon travail.

Elle observa un court silence, puis ajouta :

— Arroser les plantes, les tailler... Tout cela me manque...

— Tu reprendras le cours normal de ta vie dès que tout ceci sera terminé.

— Voilà le souci ; je ne sais plus ce qu'il reste de ma vie d'avant ces événements. Aujourd'hui, je n'ai plus d'emploi. Je dois absolument joindre Moe…

Preston vint l'interrompre.

— Ça va être compliqué, à moins que vous ayez la ligne directe du Saint-Père, dit-il en levant l'index au ciel. Moe est mort.

— Quoi ? s'exclama-t-elle.

— Comment est-ce arrivé ? renchérit Kyle.

— Tué par balle. Nous avons retrouvé la douille. Elle provient d'un calibre 45. Des promeneurs ont découvert son corps au bord d'un sentier de randonnée, à Angle Peak.

— Qui l'a abattu ? demanda Erin, manifestement au bord des larmes. Les mêmes qui ont tué Hank ?

— Nous ne savons pas encore, répondit Preston.

— Et son conseiller, Ron Mora ? intervint Kyle.

— Mora a disparu. Son bureau est fermé et il n'est pas à son domicile.

— Tous ceux qui ont côtoyé Hank sont en danger, c'est bien cela ? conclut Erin.

— Ça m'en a tout l'air, fit Kyle en hochant la tête. Erin, tu connaissais Hank mieux que quiconque ; réfléchis. Où Hank aurait-il pu cacher ces détonateurs ?

— Je n'en sais rien ! Je te le jure, Kyle. Je n'ai aucune raison de te mentir — à moins que tu persistes à penser que je suis de mèche avec ces terroristes.

Kyle n'eut aucune réaction.

— Je ne le crois pas ! s'écria Erin. Tu doutes de moi, même après tout ce que nous avons vécu…

— Tant que nous serons dans le flou, nous ne pouvons éliminer aucun suspect, dit Kyle avec douceur. Mais mon instinct me dit que tu n'es pas impliquée dans cette affaire. Jamais je ne t'aurais fait confiance si j'avais pensé autrement, et je ne t'aurais pas laissée assister à l'interrogatoire.

— Tu savais que je n'étais pas armée lors de la tentative de kidnapping et, vu ton gabarit, tu n'aurais eu aucun mal à me maîtriser.

Il lui caressa la joue.

— Ce n'est pas faux. J'ai confiance en toi, Erin. Nous avons traversé ensemble pas mal d'épreuves en deux jours, aussi sache que je suis sincère.

— Sans toi, je serais morte, rappela-t-elle. Bien que je sois parfois terrifiée par tes actes, je te suis reconnaissante de m'avoir protégée.

— Personne ne te fera du mal tant que tu seras sous ma protection. J'en fais le serment.

— Kyle, il faut que je te parle, les interrompit Preston.

— Attends-moi ici, fit Kyle à Erin. Ce ne sera pas long.

Preston se tourna à son tour vers elle :

— Mon bureau est le deuxième sur la gauche. Vous y trouverez la plante que vous m'avez confiée.

— Merci ! s'écria-t-elle, la joie illuminant son visage.

Kyle précéda Preston dans la salle de réunion et attendit qu'il referme la porte pour lui demander :

— Bon, que voulais-tu me dire ?

— Tu dois tout faire pour gagner la confiance de cette femme, Kyle, et tu n'en prends pas le chemin. Qu'est-ce qui te retient ? Tu as perdu la main, ou quoi ?

— Eh bien, je ne sais pas si tu l'as remarqué, mais nous avons été pas mal occupés ces derniers temps.

— Ce n'est pas cela…

Preston dévisagea son frère, puis lui sourit.

— Tu t'es attaché à elle. Tu l'as dans la peau.

— Elle est non seulement le seul témoin dans cette affaire, mais aussi une personne très attachante. C'est tout.

— Cette fois, c'est toi qui es pris au piège. Tu gardes tes distances parce qu'elle te met mal à l'aise, rétorqua Preston.

Il fit une pause puis reprit :

— Il faut que tu fasses en sorte qu'elle s'ouvre à toi, tu dois faire un effort dans ce sens. Il est capital qu'elle ait confiance en toi, non pas en qualité d'agent fédéral, mais en tant qu'homme.

— Dans d'autres circonstances, c'eût été avec grand plaisir, mais mon objectif est de mener à bien mon enquête tout en veillant à sa survie.

— Pourquoi n'iriez-vous pas à Cooper Canyon ? proposa Preston. Daniel, Paul et moi, nous pouvons poursuivre les recherches pendant que tu lui offriras un moment de répit. Un peu de repos lui permettra sûrement de recouvrer la mémoire, de se souvenir d'un détail important.

Kyle acquiesça d'un petit signe de tête. Son frère avait raison, à tous points de vue. Il devait placer Erin dans une situation lui permettant de faire le point. Elle détenait peut-être la clé de toute cette affaire.

— Il me faut un véhicule.

Preston lui tendit les clés de son propre 4x4.

— Tu l'as.

Kyle le remercia puis alla retrouver Erin. Elle était aux petits soins avec sa rose du désert.

— Elle a mauvaise mine, non ? Je pense qu'elle ne se sent pas bien ici.

— Je connais un endroit où elle pourra s'épanouir, la rassura Kyle.

— On ne retourne pas dans cet horrible refuge ? s'emporta-t-elle. Mabel a besoin de soleil et non de lumière fluorescente et d'air purifié.

— Mabel ? Tu donnes un *nom* à tes plantes ?

— Oui, admit-elle en rougissant légèrement.

— Alors on prend Mabel avec nous, dit-il en riant. Je te conduis dans un lieu très spécial.

Tandis qu'ils empruntaient l'allée menant au parking, Kyle précéda Erin afin de la protéger tout en surveillant les alentours.

Après qu'ils eurent croisé deux policiers qui regagnaient le Central, Kyle remarqua une grosse berline de laquelle sortirent deux femmes en pleine conversation. Il se détendit ; rien de suspect à l'horizon.

— Oh ! la pauvre dame, murmura Erin en regardant une femme âgée qui attendait pour traverser la rue.

Elle s'appuyait lourdement sur une canne et tirait péniblement un charriot qui semblait rempli de courses. Elle trébucha alors et chuta sur le trottoir.

Erin déposa immédiatement sa plante sur le toit d'une voiture en stationnement et se précipita pour lui porter assistance.

— Erin ! cria Kyle. Non, attends !

Comme Erin se baissait pour lui venir en aide, la femme se releva d'un bond, saisit Erin par les épaules et lui plaça un couteau contre la gorge.

— Frieda ? balbutia Erin.

Un pick-up garé non loin démarra et Frieda tourna la tête dans sa direction.

Kyle s'élança alors vers les deux femmes, son regard rivé sur le couteau. D'un geste d'une redoutable précision, il écarta la main armée de Frieda et lui assena un coup de poing en pleine poitrine.

Frieda tomba à la renverse tandis que Kyle prenait Erin dans ses bras pour se mettre à couvert sous un camion en stationnement.

Le pick-up vint s'arrêter non loin d'eux dans un crissement de pneus.

— Monte, dit un homme à l'intention de Frieda.

Une portière claqua et le véhicule démarra en trombe. Il faillit percuter un bus venant en sens inverse et disparut dans une rue perpendiculaire.

Lorsque Kyle et Erin s'extirpèrent de sous le camion, deux policiers, l'arme au poing, couraient après le pick-up. Distancés, ils abandonnèrent la poursuite sans faire usage de leurs armes.

— Qu'est-ce que Frieda espérait ? s'exclama Erin, visiblement choquée. Nous sommes à deux pas du Central de police !

— Ils agissent de façon désespérée, ce qui les rend d'autant plus imprévisibles et dangereux, expliqua Kyle. Tout va bien ?

Erin ne répondit pas, le regard fixé sur sa plante qui avait chuté du toit de la voiture.

— Cette pauvre rose ne fleurira jamais.

Elle alla la ramasser et remit la terre qui s'était répandue hors du pot.

— Erin ?

Elle lui tournait ostensiblement le dos, très probablement parce qu'elle pleurait, songea Kyle.

Il l'aida à se relever.

— Chérie, tiens-bon et accroche-toi à Mabel. Il est temps de se mettre en route.

Preston arriva en courant.

— Vous n'êtes pas blessés ?

Erin essuya ses larmes du revers de la main et fit non de la tête.

— J'ai assisté à la scène depuis la fenêtre de mon bureau, poursuivit Preston. Frérot, je vais me charger de remplir ta déposition. Vous devez partir au plus vite. Destination Cooper Canyon.

Kyle approuva en silence.

— Je suis en contact permanent avec la police tribale, ajouta Preston. Alors vous pouvez compter sur eux en cas de problème.

— Ne les informe pas de notre arrivée, répliqua Kyle. Un surplus d'activité de leur part pourrait trahir notre arrivée.

— Alors tu dois changer de véhicule en route. Emprunte à Dan son 4x4. Il est pourvu des mêmes équipements que le tien. Laisse-moi le prévenir. Dan peut aussi te procurer un lance-missiles équipé d'une vision infrarouge.

Rendez-vous fut pris avec Daniel devant le Quick Perk Coffee Shop, un café situé sur leur trajet pour Cooper Canyon.

*
* *

Ils roulaient depuis un bon moment lorsque Kyle, désignant du regard la plante qu'Erin tenait sur ses genoux, déclara :

— Mabel me rappelle le cas d'une plante médicinale que Hosteen Silver devait cultiver en vue d'une cérémonie bien spéciale. Son milieu naturel étant tout en haut de la montagne, sur un terrain caillouteux et desséché, elle refusait de pousser ailleurs. Et, tout comme toi, Hosteen Silver n'a jamais renoncé.

— Quelle est la fin de l'histoire ? Est-il parvenu à la faire s'épanouir ?

— Pas la première fois. Le premier plant, il l'a placé à l'intérieur de sa maison ; ce fut un échec. Il est allé en chercher un autre qu'il a planté dans son jardin. Il l'a béni, selon nos traditions, et l'a laissé en paix. Quelques semaines plus tard, la plante a commencé à bourgeonner. Elle a acquis aujourd'hui une taille surprenante et poursuit sa croissance en toute sérénité. Hosteen Silver nous a ensuite expliqué que rien, ni quiconque, ne pouvait aller contre le Peuple des Plantes. Il faut lui témoigner de la considération et du respect.

Erin observa le paysage à travers la vitre.

— Il est vrai que la nature…

— Voilà Dan, fit Kyle, interrompant leur discussion. Nous devons changer de véhicule le plus vite possible. Je ne tiens pas à ce que nous nous exposions une seconde de plus que nécessaire.

— Zut, pesta Erin. Mes affaires sont restées dans ton 4x4.

— Alors tu prendras les miennes. J'ai des vêtements de rechange là où nous allons.

15

Alors qu'ils roulaient dans le 4x4 de Dan, Erin ne cessait de se répéter les mots de Kyle.

Tu prendras mes vêtements de rechange.

Bien sûr, c'était pour des raisons pratiques, mais tel un fruit défendu, l'idée de porter ses vêtements la titillait.

Elle s'obligea à penser à autre chose, à Cooper Canyon, par exemple. C'était un endroit dont elle avait souvent entendu parler alors qu'elle vivait dans le Four Corners, mais qu'elle n'avait jamais visité.

Ils longèrent un moment une magnifique vallée dans laquelle coulait une rivière reflétant le bleu du ciel et prirent vers l'ouest, à la rencontre du peuple navajo. Le paysage devenait de plus en plus aride, parsemé çà et là de gigantesques amas rocheux. Au loin, un alignement de collines menait à des montagnes, plus loin encore, que l'on distinguait grâce aux forêts de pins qui s'accotaient à leurs flancs.

— On arrive bientôt ? s'enquit-elle.

Kyle eut un petit rire.

— Ça me rappelle la première fois où Hosteen Silver m'a conduit ici. J'ai dû lui demander un million de fois si nous étions enfin arrivés.

— Où as-tu vécu auparavant ?

— Je suis né en ville, précisément à Albuquerque. Du coup, je ne savais quasiment rien de la culture navajo. Cependant, j'avais appris à survivre dans la jungle urbaine. Pour me procurer de l'argent, il me suffisait de voler le portefeuille d'un type en faisant semblant de le bousculer. C'est dans la rue que j'ai appris à me battre. Mes premiers combats, je les ai perdus, mais il ne m'a pas fallu longtemps pour devenir un dur.

Erin réfléchit à ses propos un moment.

— Je ne crois pas que mes parents auraient apprécié que je sorte avec toi, dit-elle enfin.

— On ne peut pas leur en vouloir. J'étais un garçon difficile, et ce, dès l'âge de treize ans. Si je n'avais pas rencontré Hosteen Silver, qui sait ce que je serais devenu aujourd'hui.

Ils prirent la direction du sud, suivant la ligne des montagnes. Erin n'avait plus aucune idée de là où ils se trouvaient.

La nuit s'annonçait et, hormis le faisceau des phares du 4x4, il n'y avait plus aucune source lumineuse à perte de vue.

Enfin, ils quittèrent la route goudronnée pour une piste en terre qui grimpait doucement le long de la falaise. De part et d'autre de cette piste s'élevait un épais taillis de buissons derrière lesquels apparaissaient de hauts plateaux.

— Tu devrais peut-être ralentir, Kyle. La piste devient de moins en moins praticable. Il ne s'agirait pas qu'on ait une avarie dans cet endroit perdu.

— Tu plaisantes ? C'est la meilleure portion de la piste, dit-il en riant. Ne t'inquiète pas. Je connais tous les recoins de Copper Canyon. Nous approchons du ranch.

— C'est tellement isolé par ici… Tu es vraiment sûr que nous y serons en sécurité ?

— Le ranch est situé dans une espèce de cul-de-sac naturel, ce qui n'offre qu'un chemin d'accès. En plus, la forme du canyon amplifie les sons, ce qui permet d'entendre un véhicule approcher à des kilomètres à la ronde. Nous sommes en sécurité, sur ma terre.

Erin baissa sa vitre.

— Comme c'est calme…

— Au ranch, tu découvriras les sons du canyon. Les chats sauvages viennent y chasser, et les daims et les ours nous rendent parfois visite. Quant aux coyotes, il y en a partout. La vie est omniprésente, et chaque être vivant a sa place, sa raison d'être.

— Quand es-tu venu pour la dernière fois ?

— Pendant mes congés. J'aime revenir ici, sur ma terre. Cela me permet de me ressourcer.

— Tu devais rencontrer Hank, mais tu ne m'as jamais dit à quel sujet. Pour quelle raison le NCIS s'est-il intéressé à lui ?

— Je ne suis pas autorisé à en parler.

Disait-il la vérité ou éludait-il la question ? se demanda Erin. Bien que Kyle adoptât un comportement amical à certains moments, il ne se livrait jamais totalement.

Alors qu'ils surplombaient le canyon, elle se redressa sur son siège.

— C'est ta maison, là-bas ?

— Oui, c'est elle.

A la faveur d'un rayon de lune se dessina la petite maison en latérite, nichée non loin d'une haute colline. Un peu plus loin se trouvaient un enclos et une grange peinte en rouge.

— Tu as des animaux ? Je n'en vois aucun.

— Gene a des chevaux dans son ranch. Il nous prêtera deux montures afin que l'on puisse se promener dans le canyon. Mon frère Rick et moi-même sommes les seuls à ne pas posséder de chevaux car nous ne venons pas assez souvent.

— Tu es en mission la plupart du temps.

— Ces derniers temps, j'ai sérieusement songé à démissionner et à venir m'installer ici pour de bon. Ce jour-là, j'achèterai un cheval et je le confierai à Gene.

— Que feras-tu si tu quittes le NCIS ?

— Je pourrais intégrer la société de Dan ou démarrer une activité de garde du corps pour les personnalités de la région. Cela ne porterait pas préjudice à Dan car il s'occupe principalement de sécuriser des installations. Nous pourrions travailler ensemble en offrant des prestations complémentaires.

— Cela semble prometteur. Qu'est-ce qui te retient ?

— C'est un tournant important dans ma carrière. Je dois affiner mon projet et préparer un solide dossier de présentation.

Il se gara devant la maison et tous deux descendirent du

4x4. Puis il déverrouilla les deux énormes cadenas de la porte d'entrée et se plaça devant Erin.

— Attends-moi ici pendant que je fais le tour de la maison.

Il revint la chercher quelques minutes plus tard.

— Viens, je vais te faire visiter.

Sa plante dans les bras, elle le suivit à l'intérieur.

La petite maison, meublée simplement, n'était pas dénuée d'un certain charme. Sur la droite s'ouvrait une grande cuisine au centre de laquelle se tenaient une table ronde et quatre chaises artisanales de bois.

Au milieu de la pièce principale trônait un canapé en cuir fauve. Face à la cheminée en pierre, sur le mur opposé, étaient suspendues de magnifiques couvertures navajo dans les teintes rouges, noires et indigo.

— Je me sens bien chez toi, dit-elle en posant sa plante sur le comptoir de la cuisine. Ta maison est accueillante, en toute simplicité. Rien à voir avec cet affreux refuge dans la citerne d'eau.

— Nous avons effectué quelques aménagements, ces derniers temps, afin qu'un homme puisse y séjourner avec tout le confort.

Puis il ajouta en lui souriant :

— Une femme, aussi.

— C'est exactement ce que l'on ressent. J'adore ce tapis au pied du canapé.

— C'est une couverture, et non un tapis. Elle a été donnée à Hosteen Silver en contrepartie d'un chant sacré. Jusqu'au début du XXe siècle, les Navajos ne tissaient que des couvertures. Ils ont commencé à confectionner des tapis pour répondre à la demande des touristes.

Erin observa la cheminée.

— Les gens demandent de plus en plus souvent des cheminées au gaz, mais moi, je préfère le bon vieux modèle à bois. Cette odeur de bois, ces petits crépitements… c'est beaucoup plus… romantique.

— Je ferais un feu, tout à l'heure. La nuit, il peut faire

froid dans le canyon et cette cheminée est l'unique source de chaleur de la maison. Il n'y a pas de chauffage.

— Ça doit être rude, l'hiver.

— Pas vraiment. La maison est très bien isolée, et la cheminée a été conçue pour répandre sa chaleur dans toutes les pièces. Comme je te l'ai dit, nous avons effectué des travaux. Nous avons installé l'eau courante, froide et chaude, ainsi que l'électricité.

— Je suis heureuse de l'apprendre. Je n'apprécie guère les douches glacées. Sur ce point, je suis une véritable mauviette.

— Très chère, vous êtes tout sauf cela, répondit-il en lui souriant de nouveau. La maison possède trois chambres, dont une sert de remise, ce qui te laisse le choix entre les deux autres.

— Tu seras dans la chambre contiguë, n'est-ce pas ?

— Non, cette nuit, je dormirai sur le canapé. Je préfère m'installer près de la porte d'entrée. De là, je peux surveiller toutes les pièces.

— Tu penses qu'ils pourraient nous localiser ?

— Ça m'étonnerait, mais je ne vais pas baisser ma garde pour autant.

Erin se dirigea vers le bureau de bois sculpté, dans un angle de la pièce. Posé sur le bureau, un carnet avec une magnifique inscription calligraphiée sur la couverture attira son attention.

— C'est à toi ? demanda-t-elle en désignant l'objet.

— C'est le journal intime de Hosteen Silver. Aucun d'entre nous ne l'a encore ouvert. Il y notait ses pensées, les paroles de ses chants sacrés, ses observations personnelles... Il aurait pu le détruire avant sa mort, mais il l'a laissé bien en évidence à notre intention.

Kyle rejoignit Erin et regarda le carnet, sans toutefois le toucher.

— Le lire serait comme violer son intimité, ajouta-t-il.

— Mais, il l'a laissé là pour vous...

— Je sais, et c'est cela qui est curieux. Les Navajos ne

doivent pas entrer en possession des effets d'un mort sinon ils courent le risque de déchaîner la colère du *Chindi*.

— Son esprit dans l'au-delà ?

— Ce n'est pas tout à fait cela. Les traditionnalistes navajos pensent que le bien, chez l'homme, est relié à l'harmonie universelle, mais que le mal est toujours tapi dans l'ombre, prêt à surgir pour dévaster l'humanité.

Il marqua une pause puis reprit :

— Je ne doute pas un instant que Hosteen Silver ait béni ce carnet avant de nous en faire don, mais lire ses pensées les plus profondes…

— Peut s'avérer pénible, compléta Erin. Tu risques de faire des découvertes désagréables qui pourraient ternir l'image que tu as de lui.

— C'est pourquoi mes frères et moi avons décidé d'attendre d'être tous réunis pour lire ce carnet. Et comme Rick est toujours à l'étranger…

— Que fait-il exactement ?

— Il travaille pour le FBI, c'est tout ce que nous savons. On lui a demandé à plusieurs reprises le poste qu'il occupait, mais il a toujours répondu que c'était « au-dessus de notre niveau de compétences ».

— C'est donc de famille — cette tendance au secret, dit-elle pour le taquiner.

Il se mit à rire.

— Tu as tout à fait raison, à part pour Gene. C'est un fermier, un gars franc et direct.

— Pourquoi ne pas laisser ce carnet fermé à jamais ?

Une ombre passa sur le visage de Kyle.

— Ce n'est pas si simple. La mort de notre père spirituel nous a laissés avec de nombreuses questions. Le contenu de ce carnet pourrait nous éclairer. Cependant, il pourrait aussi susciter de nouvelles interrogations…

Pour la première fois, Kyle semblait vulnérable, nota Erin.

— Raconte-moi ton enfance à Copper Canyon, demanda-t-elle avec douceur. Tu n'as pas dû t'adapter facilement.

— Ce fut une rude épreuve, mais je l'ai surmontée, répondit-il, le regard toujours voilé.

Erin demeura silencieuse un long moment.

— Ma remarque t'a apparemment touché, alors que ce n'était pas mon intention. C'est le problème avec toi, Kyle. Je ne sais jamais quand je suis indiscrète. Tu dois m'en dire plus ; je compte réellement pour toi ou je ne représente qu'un des nombreux aspects de ta mission ?

— Aurais-tu oublié que je t'ai embrassée ?

Il y avait de l'émotion dans sa voix, Erin frémit.

— Ce que tu m'offrais n'était ni de l'amour, ni de l'amitié, mais une aventure d'une nuit.

— Il n'est pas impossible que cela débouche sur autre chose, dit-il en s'approchant.

Il se tenait si près qu'elle frissonna de nouveau. Son cœur se mit à battre plus fort.

— Ne cherche pas à te défiler, le défia-t-elle. Le sexe ne te pose pas de problème ; l'amitié, en revanche…

— Peut-être as-tu raison, fit-il en s'éloignant. Les conditions dans lesquelles j'ai grandi m'ont enseigné qu'il est dangereux de s'ouvrir totalement aux autres.

Elle lui prit doucement la main. Il donnait l'impression d'être indestructible, mais parce qu'il avait appris à dissimuler les défauts de sa cuirasse. Elle commençait à le comprendre.

— Je sais ce que c'est d'avoir le cœur brisé, Kyle. Lorsque j'ai compris que mon mariage était gâché, je n'ai eu personne vers qui me tourner. J'ai dû me débrouiller seule et trouver un moyen de survivre à cette épreuve. S'il y a quelqu'un sur cette terre en qui tu peux avoir pleinement confiance et qui ne te trahira jamais, c'est bien moi. Tu comptes pour moi, Kyle. Je suis sincère.

Il déposa un petit baiser sur sa main, puis la relâcha.

— C'est ton cœur qui parle, ma chérie, mais sache que je ne suis pas un bon parti.

— J'en suis consciente, répliqua-t-elle, prête à affronter ses arguments.

Il détourna la tête et elle suivit son regard : de la terre s'était échappée de la rose du désert.

— Le pot est cassé, dit-elle en se dirigeant vers la plante. Il a dû recevoir un choc plus important que je ne le croyais. As-tu un récipient dans lequel je pourrais replanter Mabel ?

— Peut-être dans la remise près de la grange ? Je ne vois que là…

Il prit une lanterne dans la cuisine et ouvrit la marche.

Dans la remise, il y avait des pots de peinture, des outils et des matériaux ayant servi à la réfection du ranch, mais rien qui pût accueillir Mabel.

— Désolé, fit-il. Et pourquoi pas un saladier ou un autre ustensile de cuisine ?

— L'eau va stagner au fond. Non, il nous faut autre chose. Je ne peux tout de même pas la laisser mourir, dit-elle en poussant un soupir. Mabel me permet de garder foi en la vie et de continuer à lutter.

Elle déglutit avec peine, ravalant ses larmes.

— Je suis un peu folle, n'est-ce pas ? ajouta-t-elle en se forçant à sourire.

— Non, chérie, tu n'es pas folle.

Il se saisit d'une pelle et lui fit un signe de la main en direction de la maison.

— Nous allons la planter en terre à côté de la maison. Je connais l'endroit idéal. Il est ensoleillé la majeure partie de la journée et le sol, à cet endroit, retient les eaux de pluie.

— Là où se trouve la plante médicinale de Hosteen Silver ?

Il acquiesça d'un signe de tête et lui sourit.

— Cette plante peut s'élever jusqu'à plus d'un mètre quatre-vingt. Son feuillage dense et étalé procure de l'ombre qui favorise l'infiltration de l'eau dans le sol. Et, par-dessus tout, c'est une plante qui porte chance.

Il posa la lanterne à ses pieds et, saisissant le manche de la pelle à pleines mains, commença à creuser un trou.

Avec beaucoup de soin, Erin y planta Mabel, recouvrant ses

racines de manière à créer un léger évasement pour recueillir les eaux de pluie.

— Voilà, fit-elle enfin. Nous aurons tout tenté.

— Encore une chose.

Il prit une substance poudreuse dans le pendentif à son cou et en aspergea Mabel.

— Le pollen est symbole de vie et de lumière. Mabel est à présent bénie.

Puis il entonna un chant monocorde, une mélopée aux accents étrangement apaisants. Il se dégageait de lui une telle douceur qu'Erin en fut bouleversée.

— C'était très beau, dit-elle.

— Je n'ai jamais oublié ce *hozonji* ; c'est un chant qui porte chance.

— Merci.

Qu'il comprenne et respecte ce que cette plante représentait pour elle, qu'il ait lui-même creusé la terre pour l'y planter l'avait profondément émue.

— Kyle, avec toi, je vais de surprise en surprise.

16

Le tonnerre se mit à gronder et le ciel se zébra d'éclairs tandis qu'Erin regagnait la petite maison avec Kyle.

— Nous aurons de la pluie, cette nuit, dit-il en observant les nuages plombés qui filaient dans leur direction.

— Il fait soudain plus frais, en effet. J'aimerais que tu fasses un bon feu, puis, quand nous serons tranquillement installés devant la cheminée, que tu m'en dises plus sur ton pendentif.

— Avec plaisir, mais je dois tout d'abord fendre quelques bûches et récupérer du petit bois.

— Je t'aiderai à les porter, proposa-t-elle.

— Ça me va. Je joue de la hache et toi, tu portes le bois. Tu trouveras une brouette sous l'auvent situé près de la grange.

Ils retournèrent à l'extérieur et Erin tint la lanterne pendant qu'il s'employait à débiter une grosse bûche de pin. Il enchaînait les coups et maniait la hache avec une facilité déconcertante.

Comme il levait la hache une fois de plus, sa chemise s'ouvrit et quelque chose s'en échappa pour atterrir sur le sol.

— J'ai perdu trois boutons, remarqua-t-il. Voilà ce que c'est de porter les vêtements de Dan. Quel freluquet !

Erin se mit à rire : Daniel était tout sauf un freluquet. Cependant, aucun des frères de Kyle n'était bâti comme lui : large d'épaules et fin de taille. Bien découplé, sans être massif.

Il ôta sa chemise, ramassa les boutons et s'approcha d'elle.

— Peux-tu me les garder ?

Puis, enlevant son pendentif, il le lui tendit.

Elle fit quelques pas en arrière afin de l'admirer à l'œuvre. Les muscles de ses épaules se tendaient et ses abdominaux se contractaient au rythme de ses frappes. Il était majestueux, d'une beauté à couper le souffle. Aucune femme n'aurait su lui résister. Les mains d'Erin tremblaient du désir de se poser sur ce corps sculptural.

— J'ai presque terminé. Et toi, tu as eu ton compte ? demanda-t-il en la gratifiant d'un sourire ravageur. Je ne suis pas timide, alors si tu souhaites te rincer l'œil encore un peu, je me plierai volontiers au jeu.

Erin sursauta.

— Je ne me rinçais pas l'œil !

— Tu parles.

— Bon, j'avoue. Il est temps de rentrer, maintenant, ajouta-t-elle. Il ne va pas tarder à pleuvoir. Pourrais-tu…

La pluie se mit aussitôt à déverser des trombes d'eau, faisant résonner avec fracas le toit de la grange.

Ils chargèrent la brouette et regagnèrent la maison à la hâte.

— Tu es de la région, alors tu dois savoir que ce genre de tempête ne dure pas longtemps, dit-il. Il va tomber des cordes pendant quinze minutes et puis tout va s'arrêter brusquement.

Il prit des serviettes dans le placard du couloir et lui en tendit une.

— Tu n'as qu'à prendre une chemise dans ma chambre, la première à ta gauche. Il ne doit pas faire plus de douze degrés à l'intérieur de la maison ; il te faut des vêtements secs.

— Ça ira mieux quand tu auras démarré le feu, dit-elle en lui rendant les boutons de sa chemise ainsi que son pendentif. Mes cheveux sont trempés.

Tout en se séchant les cheveux, elle se rendit à la fenêtre et observa l'extérieur.

— Vous n'avez jamais subi d'inondation dans cette partie du canyon ?

— Rarement. Hosteen Silver n'a pas choisi ce lieu au hasard, dit-il en plaçant le petit bois dans l'âtre. En cas de fortes pluies, les eaux ruissellent et s'écoulent naturellement vers l'ouest grâce au relief du canyon. Il a aussi enfoui dans le sol aux quatre coins de la maison de la terre provenant des montagnes sacrées, ceci afin de nous protéger. Cette terre est censée posséder des pouvoirs mystiques, car les montagnes dont elle provient sont considérées par mon peuple comme le territoire des dieux. Lorsque les vents se déchaînent, arrachant les branches des arbres et les faisant tourbillonner, la maison ne subit jamais aucune avarie. Je ne saurais comment l'expliquer, mais rien ne peut aller contre la bénédiction de Hosteen Silver.

— C'est la raison pour laquelle toi et tes frères vous en êtes si bien sortis.

Erin se prit à le contempler, savourant pleinement l'instant. Les flammes dansant dans la cheminée projetaient des éclats cuivrés sur sa peau et faisaient ressortir le relief de sa musculature.

— Viens près de moi, fit-il en lui souriant.

Hésitant un instant, elle ne put résister à la vision de son torse nu. Un incroyable désir de sa peau contre la sienne la traversait.

— Tu peux me toucher, tu sais, je ne mords pas, dit-il d'une voix profonde. Tu es en sécurité avec moi. Tout ce que je demande, c'est un baiser en retour.

Elle aurait dû s'enfuir sur-le-champ ; cet homme déclenchait en elle des sensations incontrôlables. Toutefois, une petite voix lui murmurait d'aller de l'avant.

Elle caressa doucement son torse, apprécia le contact de sa paume se promenant sur ses muscles. Du bout des doigts, elle suivit la ligne médiane de ses abdominaux jusqu'à la ceinture de son jean.

Manifestement, il retenait son souffle.

— Tu n'es pas aussi maître de toi que tu le prétends.

Elle leva les yeux vers lui : son regard s'enflammait lui aussi.

— Je ne demande rien d'autre qu'un baiser.

Elle se nicha contre lui et posa la tête sur son épaule, savourant la parfaite union de leurs corps enlacés.

Puis Kyle, la prenant par la pointe du menton, lui releva la tête et l'embrassa.

Perdant alors toute notion de temps et de lieu, elle fut aspirée par la spirale de leur désir mutuel. Plus il intensifiait son baiser, plus elle s'abandonnait à lui et songeait à des plaisirs interdits.

Il n'était plus question de se refuser à lui. Elle n'avait jamais connu une attirance si brutale pour un homme. Etait-elle sur le point de tomber amoureuse ?

Cette pensée l'effraya et la fit se raidir.

Elle repoussa Kyle doucement, mais fermement, et se recula. Jamais elle ne se donnerait à un homme qui ne l'aimait pas sincèrement et qui allait certainement la délaisser, une fois sa mission accomplie. Les promesses murmurées dans la pénombre ne survivaient que très rarement à la clarté du jour et n'apportaient que larmes et détresse. Elle aspirait à des sentiments purs, et il en était de même pour Kyle, bien qu'il n'en ait certainement pas conscience à cet instant.

— Ce fut un baiser merveilleux, dit-elle en tentant de reprendre son souffle.

— Pourquoi s'arrêter en si bon chemin ? On pourrait reprendre notre petit jeu dans ma chambre.

Elle déglutit. Sa peau était parcourue de petites décharges d'électricité et ses mains se mirent à trembler. Elle se recula un peu plus.

— Je ne joue pas avec l'amour, Kyle. Je ne sais si je croiserai un jour sa route, mais je ne vais pas me contenter d'une pâle imitation.

Il reporta son regard sur les flammes qui dansaient dans la cheminée tandis qu'elle s'éloignait de lui. Elle alla s'asseoir sur la couverture en laine devant la cheminée ; il prit place près d'elle tout en gardant ses distances.

— Je comprends que tu veuilles en savoir plus à mon sujet, mais il m'est difficile de parler de moi. Tentons une nouvelle approche : demande-moi ce qui te passe par la tête.

— Non, toi, raconte-moi des choses, n'importe quoi. Je ne sais rien de toi, Kyle.

Il poussa un long soupir.

— Ma mère est morte en me donnant naissance et mon père, six ans plus tard, dans l'effondrement de la mine dans laquelle il travaillait.

— Mais j'ai cru comprendre que tu étais allé vivre avec Hosteen Silver à l'âge de treize ans.

Il acquiesça d'un hochement de tête.

— J'ai tout d'abord été recueilli par mon oncle, mais il ne supportait pas la présence des enfants, et encore moins la mienne. Il prétendait que j'étais poursuivi par le mauvais œil, et ce depuis ma naissance.

— C'est horrible de dire de telles choses à un enfant, observa-t-elle, contrariée. Un adulte peut accepter d'être repoussé ainsi et prendre sur lui, mais pas un petit garçon de six ans.

— Comme je te l'ai dit, j'ai dû apprendre très tôt à me débrouiller seul.

— Je suis heureuse pour toi que tu aies rencontré Hosteen Silver.

— Je ne lui ai pourtant pas rendu la vie facile. J'étais obstiné à l'époque.

Elle lui sourit.

— Tu l'es toujours autant.

— Je suis sûr que tu le penses vraiment.

Elle parcourut la pièce du regard et sourit de nouveau.

— C'est un endroit parfait où passer son enfance, commenta-t-elle.

— Ce n'était pas aussi confortable quand je suis arrivé. L'électricité n'était pas installée, et nous devions puiser l'eau pour les chevaux et les moutons. C'est l'une des tâches les plus harassantes qui soit. Une fois, alors que j'avais travaillé de nombreux samedis de suite, je me suis fâché contre Hosteen Silver. Je lui ai dit que s'il nous avait pris sous sa protection, c'était uniquement pour percevoir des aides financières tout en nous exploitant.

— Comment l'a-t-il pris ?

— Il m'a sommé de grandir et a ajouté que tout homme

dans la force de l'âge et qui se respectait se devait d'accomplir sa journée de labeur sans rechigner. Il voulait m'inculquer l'amour du travail bien fait et le courage, mais à cette époque, j'étais un gamin habitué à faire ce qu'il voulait. Pour moi, tout se résumait à qui oserait me défier au combat et parviendrait à m'arrêter.

Il se passa la main dans les cheveux et ajouta :

— Je lui dois tout. Absolument tout. Il en est de même pour mes frères.

La foudre s'abattit non loin de la maison. Erin sursauta.

— Hé ! Ce n'était pas loin.

— Tu crains les éclairs ?

— Non, je n'aime pas qu'ils frappent si près de moi. Ce bruit infernal, tel un cri de colère… La foudre sème la destruction, génère des incendies… Je n'y vois que le mal.

Il l'aida à se relever.

— J'ai toujours adoré les nuits d'orage. C'est comme un gigantesque feu d'artifice naturel.

Puis, éteignant l'éclairage, il la mena à la fenêtre et se plaça juste derrière elle. De là, ils avaient une vue dégagée sur la pointe du canyon.

Un éclair zébra le ciel, suivi quelques secondes plus tard d'un puissant grondement qui fit vibrer la maison et tinter les vitres. Elle retint son souffle.

Kyle l'enlaça et la tint serrée contre lui.

— La puissance à l'état brut — indomptable et impré-visible, lui murmura-t-il à l'oreille. Cependant, à condition d'être prudent, elle ne te fera pas de mal.

— Certaines choses doivent quand même être évitées.

— Peut-être, mais tu risques ainsi de passer à côté de ta vie.

— Il y a des gens qui vont au-devant du danger, et d'autres qui se mettent à couvert. Je choisis d'emblée la seconde option, dit-elle en plissant les yeux. Et toi, la première, ce qui se comprend, vu ta profession.

— J'aime mon métier.

Il la fit s'éloigner de la fenêtre.

— Il pourrait y avoir un tireur embusqué, justifia-t-il.

Elle s'exécuta puis reprit leur conversation :

— Tu disais tout à l'heure vouloir changer de vie…

— Oui, lorsque cette mission sera accomplie, je compte réfléchir à la nouvelle orientation de mon existence. Si le NCIS a encore besoin de moi, j'aviserai ; lorsque je prends un engagement, je le respecte, et je n'abandonne jamais ceux qui comptent sur moi.

— Et que feras-tu s'ils font encore appel à toi ? demanda-t-elle tout en se blotissant contre lui.

Il l'enserra tendrement dans ses bras, lui communiquant la chaleur de son corps.

— Cela n'arrivera pas. Ma dévotion pour le NCIS a des limites. J'en ai… trop vu. Je suis un peu « brûlé », comme on dit.

— Un événement particulier a tout chamboulé, c'est cela ?

Puis, comme il ne répondait pas, elle se retourna pour lui faire face et poursuivit :

— Cela fait parfois du bien de se confier, et je suis la personne idéale pour cela.

— Comment cela ?

— Je ne fais que traverser ta vie. Le fait de partager tes secrets avec moi ne devrait pas t'inquiéter.

— Je ne suis pas tout à fait d'accord sur ce point. Si je décide de rentrer définitivement, nous pourrons nous voir aussi souvent que nous le désirons.

Elle alla se placer devant la cheminée et tendit les mains vers les flammes pour les réchauffer. Elle ne pouvait se faire à l'idée que leur relation soit sans lendemain et continuait d'espérer.

— A quoi penses-tu ? demanda-t-il en la rejoignant.

— Je sais que tu es secret de nature, mais tu n'as pas compris que je ne me permettrai jamais de te juger.

— Ce dont j'ai été témoin au cours de mon existence n'a rien de commun avec une petite vie tranquille à Hartley. Je ne suis pas sûr que tu sois de taille à l'affronter.

— A la seconde où tu m'as porté secours, nos vies sont devenues liées. Pour combien de temps ? Personne ne le sait. Mais je veux te dire, ajouta-t-elle en prenant son visage entre ses mains et plongeant son regard dans le sien, quel que soit ton passé, tu es quelqu'un de bien. Et si les erreurs que tu as commises ont fait de toi l'homme que tu es aujourd'hui, je pense que cela en valait la peine.

Il l'attira dans ses bras et l'y maintint serrée tout contre lui, un long, très long moment. Puis, tandis que la pluie redoublait d'intensité, il la relâcha doucement.

Elle reprit sa place sur la couverture, assise face au foyer. La chaleur des bras de Kyle avait été si forte qu'en dépit de la proximité des flammes, elle frissonnait.

— J'ai décidé de te faire confiance, Erin, annonça-t-il d'une voix grave. Non pas parce que je n'ai pas d'autre choix, mais parce que c'est ce que je ressens, sincèrement. Avant toute chose, je veux que tu me promettes que tu ne demanderas pas de détails sur mes missions.

— Je le promets.

Il se mit à arpenter lentement la pièce.

— J'étais en mission à l'étranger, bien entendu sous une autre identité, et je devais lier connaissance avec certaines personnes dans le but de collecter des informations. J'ai fini par découvrir l'existence d'un jeune garçon, d'environ seize ans, qui tenait une station essence et qui, en plus, vendait du pétrole aux habitants de la région pour alimenter leurs réchauds. Il avait repris l'activité de son père, car celui-ci, mécanicien, était immobilisé après un grave accident.

— Quelqu'un de si « ordinaire » avait attiré ton attention ?

— Je devais découvrir qui, dans le village, était de mèche avec un groupe de terroristes qui faisait la contrebande, par la mer, d'équipements de communication. Puisque ce mode de transport nécessite une quantité importante de carburant, je me suis dit que le jeune garçon pouvait peut-être me renseigner.

Il se tut un moment, interrompant sa marche, puis la reprit en poursuivant :

— Je savais que le père souffrait le martyre de se voir ainsi diminué, aussi je me suis arrangé avec mes supérieurs pour qu'ils lui procurent des médicaments. Il s'est remis assez vite et a pu reprendre le travail aux côtés de son fils. Ils m'ont tous deux témoigné la plus grande reconnaissance et ont accepté, en retour, de me montrer leurs registres. La liste de leurs clients et des quantités de carburant commandées m'a permis d'identifier ma cible.

— Tu as donc pleinement rempli ta mission, conclut-elle.

— Oui, mais entre-temps, un chef de guerre avait eu vent de mes agissements. Un matin, alors que je bavarde avec le fils, je vois le père venir dans notre direction. Deux hommes sur une moto s'arrêtent à sa hauteur et engagent la conversation. Très vite, je comprends que le ton monte. Pensant qu'il s'agit d'une simple querelle, je décide de ne pas m'en mêler. Il ne fallait surtout pas risquer d'envenimer les choses en intervenant.

Il alla devant la fenêtre, lui tournant le dos.

— Je vois alors le passager de la moto arracher un objet des mains du père tout en le repoussant avec brutalité. Je sors mon arme, mais il est déjà trop tard ; le passager lui tire dessus à trois reprises et la moto démarre en trombe. Le père s'écroule sous les yeux de son fils.

Erin retint son souffle et porta la main à sa bouche.

— J'ai abattu le passager, mais le conducteur est parvenu à s'enfuir, reprit-il d'une voix monocorde. Le père du pauvre garçon est mort sur le coup. En approchant du père, j'ai alors vu au sol, entre ses jambes, une plaquette de comprimés.

Il se retourna vers elle.

— Ils l'ont tué parce qu'il était en possession de ces médicaments. Si je ne l'avais pas utilisé comme source de renseignements, cet homme serait toujours en vie.

— Tu n'es pas directement responsable, Kyle. Tu ne pouvais pas prévoir la tournure que les choses allaient prendre, dit-elle pour le réconforter. Son fils l'a compris ?

Kyle remua la tête et baissa les yeux.

— Il m'a tenu pour responsable et n'a plus voulu me

revoir. J'ai tout de même posté un homme en surveillance au cas où les assassins de son père s'en prendraient à lui. Une nuit, apercevant des flammes s'élever du garage, je me suis précipité pour le secourir. Je suis parvenu à lui sauver la vie de justesse. Cependant, il était évident qu'il lui fallait quitter la région au plus vite.

Il fit une nouvelle pause.

— J'ai pu identifier les assassins de son père, mais la douleur du fils était telle qu'un acte de vengeance n'aurait pu l'apaiser.

— Tu as fait ton devoir, observa-t-elle en venant le prendre dans ses bras. Tu ne dois pas endosser la responsabilité des actes que les autres commettent.

Il l'enlaça, la serra contre son cœur, et ils demeurèrent ainsi un bon moment sans échanger un mot.

— Tu comptes pour moi, Erin, plus que tu ne le penses.

— Alors, montre-le-moi, murmura-t-elle.

Le corps de Kyle se tendit de désir contre elle. Bien que consciente du danger, elle ne tenta pas de se soustraire à son étreinte. Il ressentait une profonde souffrance, de celle qui déchire l'âme, elle en avait pleinement conscience. A cet instant, il n'avait qu'elle... et elle ne songeait qu'à lui.

Il écrasa sa bouche sur la sienne et l'embrassa avec fougue, passionnément. Il fut un peu brusque, mais l'intensité de son désir pour elle lui fit abandonner toute résistance.

— Encore, gémit-elle. J'ai tellement attendu cet instant...

Il l'aida à ôter ses vêtements tout en l'embrassant. Elle fut aussitôt précipitée dans un abîme de volupté. Il la fit s'allonger sur la couverture devant la cheminée puis se mit nu à son tour.

Elle retint son souffle et admira son corps dans sa totale nudité. Dieu, qu'il était beau !

— Cette nuit n'appartient qu'à nous deux, et à personne d'autre, fit-il d'une voix rauque.

Elle lui tendit les bras, l'invitant à venir la rejoindre.

Il prit son temps, lui prodiguant des caresses d'une infinie tendresse.

Tout comme l'orage grondait autour de la maison, leur

désir se déchaîna et il n'y eut bientôt plus aucun interdit. Il lui enseigna des pratiques dont elle ignorait l'existence, la menant à la lisière de l'extase.

Les heures passèrent tandis qu'ils se tenaient lovés l'un contre l'autre. Elle était allongée sur lui, contre son cœur qui battait. Elle n'avait aucune envie de bouger.

Doucement, il l'embrassa sur le front.

— J'aimerais rester auprès de toi, mais je dois sortir pour inspecter les environs.

Elle s'assit et attrapa sa chemise.

— Il est temps de passer à autre chose, dit-elle en se forçant à lui sourire.

Il commença à se rhabiller.

— Je dors sur le canapé, cette nuit.

— Et moi, où dois-je me coucher ? Tu as une préférence ?

— Dans mon lit. Je veille sur toi, ma chérie, dit-il en déposant un baiser sur ses lèvres.

Puis, il finit de se rhabiller et sortit.

Erin enfila lentement sa chemise. Le souvenir de cette soirée resterait à jamais gravé dans sa mémoire. Dans les bras de Kyle, elle venait de découvrir une facette de sa propre personnalité dont elle ignorait totalement l'existence. Elle avait suivi son cœur et s'était jetée avec bravoure dans le tumulte de la passion. Songeant à sa mère, elle sourit ; Rita Barrett aurait approuvé sa décision.

Il était certain que, tôt ou tard, Kyle lui briserait le cœur. Cependant, elle ne regrettait rien.

17

Erin s'endormit dans le lit de Kyle, vêtue d'un de ses T-shirts. Il lui tombait jusqu'aux genoux, mais peu importait ; elle n'avait pas été aussi bien depuis une éternité.

Elle s'éveilla à l'aube alors que Kyle allait et venait dans le salon. Elle s'habilla à la hâte et le rejoignit.

Il était au téléphone, apparemment préoccupé, mais il lui sourit et lui désigna la cafetière sur le comptoir de la cuisine.

Elle s'en servit une tasse qu'elle se mit à siroter tout en songeant aux mille questions qui se bousculaient dans sa tête et qu'elle se retenait de lui poser. Ce qu'ils avaient vécu avait-il bouleversé sa vie, ainsi qu'il en était pour elle, ou s'agissait-il d'une aventure de plus ?

Elle chassa cette question de son esprit et se secoua. L'amour, le vrai, ne se bâtit pas avec des contraintes ou des attentes. Il s'épanouit en toute liberté.

— Je n'arrive pas à croire qu'ils se soient évaporés dans la nature avec autant de facilité, gronda Kyle. Pour autant que je sache, ils ne savent pas où nous nous trouvons. Je m'assurerai que nous ne sommes pas suivis sur le chemin du retour.

Il raccrocha et jura entre ses dents.

— Preston est incapable de localiser Frieda Martinez, mais il a mené des recherches et découvert qu'elle avait eu une liaison avec Ed Huff, le gérant du Quarter Horse Bar. Son informateur prétend qu'ils ont rompu il y a environ un an. Maintenant, c'est Ed Huff qui a disparu à son tour. Il ne s'est pas présenté à son travail depuis deux jours. Le propriétaire est furieux contre lui.

— Nous devrions retourner à Secure Construction, proposa Erin. C'est là que tout a commencé. Les réponses à nos interrogations doivent forcément s'y trouver.

— C'est aussi ce que suggère Preston, mais nous devons être vigilants tout au long du trajet. Ces terroristes vont tout faire pour nous localiser.

Un frisson la parcourut, qu'elle ne put dissimuler. Kyle la prit aussitôt dans ses bras.

— Ecoute-moi bien. Ils ne parviendront pas à t'atteindre, tu ne risques rien, Erin. Nous sommes ici sur *mon* territoire, et nous avons l'appui de mes frères. La seule façon de s'en prendre à toi est de m'éliminer ; je leur souhaite bien du courage.

— Tu seras là en toute circonstance ?

— Oui, en toute circonstance.

— Très bien.

Elle prit une grande inspiration et songea à la dernière conversation qu'elle avait eue avec son patron.

Mais elle demeura silencieuse tandis qu'ils préparaient leurs affaires pour le départ.

Elle ne reprit la parole qu'une fois sur la route.

— Hank était un drôle de type. Il m'a nommée au poste de vice-manager, mais je devais quand même lui soumettre chacune de mes décisions. Il n'était pas du genre à déléguer.

— Dirais-tu que son entreprise était ce qu'il avait de plus précieux ?

Elle considéra un instant la question.

— Non, je dirais que c'était sa réputation. Etre considéré comme l'une des plus hautes personnalités de Hartley flattait son ego. C'est pourquoi je ne le vois pas en train de conspirer avec des terroristes, qui plus est contre son pays. Ça ne cadre pas avec sa personnalité, tu vois ce que je veux dire ?

— Oui, mais son besoin de respectabilité faisait de lui la cible idéale pour un chantage.

— S'il avait su qu'il s'agissait de détonateurs, il aurait refusé de se mêler à cette affaire. J'en veux pour preuve sa réaction lorsqu'il a démonté ces composants électroniques et découvert ce qu'ils contenaient. Son sens du devoir a immédiatement pris le dessus.

— Et il a fait ce qu'il a pu pour tenter de réparer son erreur, pensant que les choses allaient en rester là, acquiesça Kyle. Partons du principe qu'il s'attendait à ce que les terroristes viennent récupérer les détonateurs ; se sachant pris par le temps, il lui fallait les cacher au plus vite. Erin, ces détonateurs doivent se trouver sur le site de Secure Construction. Ça cadre avec son besoin de tout contrôler.

— Tes frères ont déjà fouillé chez Hank, n'est-ce pas ?

— Oui, et Preston est très méticuleux. S'il dit que les détonateurs ne s'y trouvent pas, on peut lui faire confiance. Ils ont aussi inspecté chaque bureau de la société, accompagnés de chiens entraînés à repérer tous types d'explosifs.

— Il y a tellement de cachettes possibles à Secure Construction. Le périmètre est immense. Il y a aussi l'entrepôt. Inspecter chaque recoin prendrait des semaines.

— C'est bien ce qui m'inquiète : nous n'avons pas le temps. Nous sommes vendredi et la cérémonie d'inauguration est prévue dimanche.

Elle soupira.

— Hank était incroyablement pointilleux avec la sécurité. Partant de ce constat, une idée m'est venue.

Erin se tint silencieuse tout au long du trajet les ramenant à Hartley. Ne voulant interrompre le cours de ses pensées, Kyle respecta son mutisme et se contenta d'observer la route qui défilait à travers le pare-brise.

Cependant, les effluves de son parfum venaient titiller son odorat, ravivant le désir qui couvait en lui. Ce parfum, léger et à la fois fruité, le ramena à leur nuit d'amour et aux larmes qu'elle avait versées lorsqu'il l'avait menée à l'extase.

Il avait connu de nombreuses femmes, mais tout était différent avec Erin. Ils avaient vécu bien plus qu'une simple aventure, du moins en ce qui le concernait.

Il se secoua afin de chasser ces pensées. Ce n'était pas le moment de se laisser distraire. Il devait se concentrer sur son engagement à la protéger.

Ils firent halte dans une station-service pour prendre un café et des viennoiseries et, vingt minutes plus tard, arrivèrent à Hartley.

— Tu n'as pas été très bavarde pendant le trajet, dit-il. Tu es prête à me livrer tes réflexions ?

— Eh bien, je me suis souvenue de la présence dans l'entrepôt d'un petit local sécurisé. C'est là que Hank allait s'isoler quand il ne voulait pas être dérangé.

— Nous commencerons par là, conclut-il en tournant brusquement à gauche.

— Hé ! Où vas-tu ? Secure Construction est à l'opposé.

— Je veux juste m'assurer que nous ne sommes pas suivis, répondit-il en jetant un œil dans les rétroviseurs.

Après plusieurs détours, il reprit :

— Rien de suspect dans les environs. Nous pouvons y aller, mais tiens-toi sur tes gardes.

— Fais-moi confiance.

— Une dernière chose : c'est juste une mesure de précaution, mais j'aimerais que tu aies toujours ceci sur toi, ajouta-t-il en sortant de sa poche un petit objet identique à un bouton de couture.

— J'imagine que ce n'est pas pour coudre.

Kyle sourit tout en le mettant en service.

— Il est équipé d'une puce GPS permettant de te localiser au cas où nous serions séparés.

Il lui montra le petit point clignotant sur l'écran de l'ordinateur de bord.

— Trouve un endroit où le cacher, là où tu ne risques pas de le perdre.

— Où cela ? Dans mon soutien-gorge par exemple ?

Il ôta le pendentif de son cou et le lui tendit.

— Sors le fétiche de la poche et donne-le-moi. Puis mets

le tracker GPS à l'intérieur du pendentif et porte-le autour de ton cou en le cachant dans ton chemisier.

— Hier soir, tu étais sur le point de m'en dire plus au sujet de ton fétiche quand nous nous sommes livrés à une autre activité, lui rappela-t-elle avec un petit sourire espiègle.

— Une autre activité… C'est bien tourné, fit-il en riant.

Elle sortit de la pochette le fétiche, un petit animal sculpté dans un bois sombre et dur.

— C'est un renard ?

— Oui. Ce fétiche est un don de Hosteen Silver. Chacun de mes frères a reçu un animal qui correspond à sa personnalité. Selon notre coutume, la bonne combinaison renforce les facultés de celui qui le porte. Par exemple, les qualités du renard sont l'intelligence et l'observation.

— C'est un magnifique présent.

— Et très puissant. Je n'y ai pas porté trop d'attention lorsque je l'ai reçu, mais au fil des ans, j'ai appris à dompter ses pouvoirs. Le Renard est mon frère spirituel en quelque sorte. Lorsque je me concentre sur lui, je peux partir en mission en sachant que tout se déroulera bien.

— Peut-être, un jour, j'aurais aussi mon Renard, fit-elle pensivement.

— Tu as déjà un ange gardien, répondit-il avec un clin d'œil.

— Je parlais d'un fétiche.

Il redevint sérieux.

— Le renard ne te conviendrait pas. Ta sœur spirituelle doit être en harmonie avec ta personnalité.

— Puisque c'est moi qui porte ton pendentif, où vas-tu garder ton fétiche ?

— Nous nous trouvons dans le 4x4 de mon frère, n'est-ce pas ? Eh bien, je parie que tu trouveras une pochette identique à la mienne dans la boîte à gants.

Elle ouvrit la boîte à gants. L'objet s'y trouvait bien.

— Qu'y a-t-il à l'intérieur ? Un fétiche différent ?

— Non, il contient du pollen, un fragment de cristal et

une minuscule bouture de genièvre, une plante bienfaitrice et protectrice.

— Tu m'as expliqué les vertus du pollen, mais quelles sont celles du cristal ?

— A l'aube de l'humanité, nos dieux ont placé un cristal dans la bouche de chaque être humain afin que ses prières leur parviennent. Associé au pollen, symbole de bien-être, le cristal a des vertus purificatrices.

D'une main, il plaça le Renard dans la pochette de son frère et passa la cordelette autour de son cou.

— Nous sommes tous deux prêts, lança-t-elle.

Ils approchaient du site. Le portail était verrouillé et aucun véhicule ne stationnait sur le parking, nota Kyle.

— Ne t'inquiète pas, dit Erin, j'ai un double des clés.

— Le fait que nous soyons seuls nous avantage, observa-t-il en les lui prenant. Rien ne viendra perturber nos recherches.

Il descendit du 4x4 et alla ouvrir le portail.

Il venait de le refermer derrière lui quand son portable se mit à sonner. L'appel provenait de Preston. Aussi, il décrocha et activa le haut-parleur.

— Nous sommes de retour à Hartley, indiqua Kyle.

— Je le sais, je vous ai localisés avec le GPS, répondit Preston. Tôt ce matin, je suis passé sur le site afin de m'assurer que personne ne s'y trouvait. Bruce Leland, à qui revient pour le moment la gestion de la société, a demandé aux équipes de terminer les chantiers en cours et d'attendre de nouvelles instructions. Les payes doivent être contresignées par l'avocat de Hank Leland, mais vu qu'il a disparu, la situation est bloquée.

— Aucune nouvelle de Ron Mora ? demanda Erin. J'espère qu'il ne lui est rien arrivé de grave. C'est un chic type.

— Il semblerait qu'il ait usurpé son identité, alors il n'est pas si chic que cela, Erin. Son numéro de sécurité sociale, qui est en fait celui d'un enfant décédé, a été volé par un hacker dans la base de données gouvernementale.

— Alors qui est réellement Ron ? intervint Kyle.

— Nous nous posons la même question. Nous avons

relevé ses empreintes sur son bureau, mais nous n'avons pu encore l'identifier. Ni les fédéraux, ni les officiels espagnols ne détiennent d'informations à son sujet.

— Comment a-t-il fait pour obtenir un poste de confiance auprès de Moe Jenner ? demanda Kyle.

— Moe étant mort, je doute fort que nous ayons un jour la réponse à cette question, soupira Preston.

— Continue de creuser, et tiens-moi informé à la seconde où tu découvriras un fait nouveau.

— Compris. Une chose encore : tu comptes rester long-temps sur le site ?

— Oui. J'ai pris soin de verrouiller le portail, mais j'avoue que quelques hommes en renfort ne seraient pas de refus.

— Tu les as, promit Preston.

Kyle alla garer le 4x4 devant le bâtiment administratif et inspecta du regard les environs.

— Allons-y, dit-il en descendant du véhicule.

Comme ils pénétraient dans l'entrepôt, Erin semblait étrangement calme.

— Quelque chose ne va pas ?

— Je pense à Bruce. Bien qu'il soit le frère du patron, rien ne l'autorise à prendre des décisions relatives à l'activité de la société.

— Qui, alors, en a le pouvoir ?

— Le testament de Hank est explicite. Je pense qu'on devrait respecter ses dernières volontés en attendant de lui nommer un successeur.

— Ces procédures légales prennent beaucoup de temps avant d'être mises en place.

— J'en suis consciente, cependant…

Kyle la suivit vers le fond de l'entrepôt où se trouvait le local sécurisé auquel elle avait fait allusion. Elle s'arrêta et l'invita à entrer.

— Voici la pièce sécurisée qui sert de show-room pour nos clients, expliqua-t-elle. Ses parois sont agencées de manière à permettre l'examen de chaque détail de sa conception. Les murs sont renforcés au carbone et quasiment indestructibles. Tous nos modèles respectent les normes de l'Agence fédérale de sécurité.

Elle entra à son tour et se plaça devant une tablette suspendue à l'une des parois.

— Une fois la porte fermée, plus rien ne peut nous atteindre. La pièce est totalement insonorisée. Hank venait très souvent travailler ici à la conception de nouveaux projets.

Kyle approcha de la tablette et se baissa pour en scruter le dessous.

— Pas là, dit-elle en allant s'asseoir sur un petit canapé. Il aimait particulièrement se tenir ici. Il lui arrivait de s'allonger confortablement pour réfléchir.

Elle imita la position qu'affectait Hank.

Kyle examina la pièce à la recherche de rangements mais il n'y en avait aucun. Puis, remarquant la position dans laquelle Erin se tenait, il lui intima :

— Concentre-toi sur ton angle de vision depuis ta position.

Elle fixait un point derrière lui.

— Que regardes-tu ?

— Le sac de la tondeuse à gazon a disparu, précisa-t-elle.

— Cherchons-le. Mon instinct me dit que tu viens de relever un détail non négligeable.

Ils fouillèrent l'entrepôt de fond en comble, sans résultat.

Déçus, ils se dirigèrent vers le bâtiment administratif en empruntant un chemin pavé de dalles cimentées sur l'herbe grasse.

Kyle fit halte soudainement.

— Deux dalles manquent.

— C'est étrange. Qui aurait intérêt à les voler ? Ce ne sont que des dalles.

— Le soir où Hank est rentré d'Espagne, je l'ai suivi ici depuis l'aéroport, raconta Kyle. Il a passé un court moment dans son bureau, puis s'est rendu à deux reprises à l'entrepôt. Je n'ai pu approcher sans risquer d'être vu. Environ une heure plus tard, il quittait les lieux et regagnait sa maison. Il a effectué un long détour en empruntant l'ancienne route, celle qui passe sur le vieux pont métallique enjambant la rivière. Sur le moment, j'ai pensé qu'il agissait ainsi afin de s'assurer qu'il n'était pas suivi. A présent, j'ai une autre explication.

— J'ai saisi. D'après toi, il aurait placé les détonateurs dans le sac de la tondeuse, y aurait ajouté les dalles pour faire du poids et jeté le tout dans la rivière.

Kyle allait lui répondre lorsqu'il se tut brusquement et lui fit signe d'en faire autant. Il tendit l'oreille, puis attira Erin à l'ombre du bâtiment. Un bruit dans les parages du portail indiquait qu'on venait de l'escalader.

Ils n'étaient plus seuls.

18

Kyle demeura parfaitement immobile. Quelqu'un venait de s'introduire frauduleusement dans le périmètre de Secure Construction. Non loin, des pas crissaient sur le gravier.

— Suis mes instructions, chuchota-t-il à Erin.

Ils longèrent le bâtiment à pas rapides, puis parcoururent en courant la distance qui les séparait de l'un des hangars. Kyle fit suffisamment de bruit pour attirer leur poursuivant dans une embuscade.

Après avoir contourné le hangar, il intima à Erin de se cacher derrière un alignement de barils. Une pelle traînait juste à côté, il s'en empara.

Là où ils se trouvaient, à condition de demeurer immobiles, ils ne pouvaient être vus.

De longues minutes s'écoulèrent. Kyle eut beau tendre l'oreille, il n'y avait que le bruit de la circulation au loin et le chant des criquets. Soudain, un moustique vint vibrer autour de lui. Il s'obligea à ne pas bouger, mais Erin fit mine de vouloir aplatir l'insecte. Du regard, il l'en dissuada : en aucun cas, ils ne devaient trahir leur position. D'autant que des pas s'approchaient. Une ombre grandissait au sol, à quelques mètres d'eux.

Kyle saisit la pelle à pleines mains et bondit à découvert. L'homme tenta de s'enfuir, mais Kyle l'en empêcha d'un coup de pelle bien ajusté. Il pensait être tiré d'affaire, quand il reçut un coup de pied dans les côtes.

— Bien tenté, fit une voix féminine qui ne lui était pas inconnue.

Il se releva d'un bond et se mit en position de combat.

Mais l'homme s'était lui aussi redressé et tenta de lui asséner un coup de poing au visage. Kyle esquiva et lança son pied vers son entrejambe. Il rata sa cible mais atteignit tout de même l'homme à la cuisse, ce qui fit reculer celui-ci.

La femme l'attaqua alors de profil, d'un coup de pied qu'il bloqua à l'aide de son poignet. Au même moment, Erin apparut, cognant lourdement avec la pelle sur la femme. Celle-ci s'écroula au sol.

Kyle se retourna aussitôt : l'homme avait profité de cette diversion pour s'enfuir.

— C'est Mike Bewley ! s'écria Erin. Rattrape-le, je m'occupe de Frieda. Si elle tente quoi que ce soit, elle aura droit à un coup supplémentaire.

Kyle lui tendit son arme de secours.

— Oublie la pelle. Si elle tente de se relever, tire-lui dans les jambes, dit-il surtout pour impressionner Frieda.

Toutefois, Erin semblait déterminée à suivre la consigne si besoin.

Kyle s'élança à la poursuite du suspect : il se dirigeait vers le portail. Mais lorsqu'il y arriva, les feux arrière d'un véhicule filaient au loin.

Il sortit son portable et appela Preston.

— Une berline bleue, de taille moyenne. Quatre portes. Plaque minéralogique du Nouveau-Mexique. C'est tout ce que j'ai. Erin est certaine qu'il s'agit de Mike Bewley.

— J'ai des hommes qui patrouillent dans les environs, le rassura Preston. On va tâcher de le coincer.

— Nous avons besoin d'une ambulance, ajouta Kyle en se dépêchant de rejoindre Erin. Nous tenons Frieda Martinez, mais Erin n'y est pas allée de main morte.

En effet, Erin tenait Frieda en respect en la menaçant de son arme. La jeune femme gisait au sol en gémissant.

Elle s'adressa à Kyle :

— Vous m'avez frappée sans raison, et elle m'a brisé le

genou. Je dois être examinée par un médecin. Vous allez rester longtemps ainsi, à me dévisager comme un imbécile ?

— Tout dépend de vous, répliqua Kyle, sans évoquer l'arrivée prochaine d'une ambulance. J'ai tout mon temps, alors dites-moi pour qui vous travaillez et ce que vous recherchez aussi activement.

Frieda poussa un soupir.

— J'ai perdu mon emploi. J'étais venue voir Erin quand j'ai aperçu vos deux silhouettes qui rôdaient dans les parages ; j'ai pensé qu'il s'agissait de cambrioleurs. Je vous ai suivis, et vous m'avez agressée. J'ai besoin de soins.

— Je ne crois pas un mot de votre histoire, trancha Erin. Que faisait Mike avec vous et pourquoi vous nous suivez ?

— Quel Mike ? Je suis venue toute seule.

— Arrêtez votre petit jeu, Frieda, ou quel que soit votre nom, intervint Kyle. Vous êtes fichue, et vous aggravez votre cas. Usurpation d'identité, terrorisme, tentative de kidnapping, meurtre, tentative de meurtre… et la liste n'est certainement pas complète.

— Terrorisme ? Vous délirez. Mon nom est Frieda Martinez et je suis citoyenne des Etats-Unis d'Amérique.

— Ça, c'est votre couverture, gronda Kyle. Vous êtes démasquée et vous n'irez nulle part. Tôt ou tard, nous saurons tout de cette affaire. Je vous conseille vivement de coopérer ; c'est votre seule chance d'espérer vous en tirer.

Il croisa les bras et attendit qu'elle se décide à parler. Un long silence mettait généralement les nerfs des suspects à rude épreuve et déliait leur langue. C'est alors que résonna le hululement d'une sirène d'ambulance. Frieda leur lança aussitôt un regard de défi.

— Je ne dirai rien en l'absence d'un avocat. Je connais mes droits.

— Vos droits ? s'étrangla Kyle.

Il secoua la tête et reprit :

— Vous êtes une terroriste, et votre seule chance d'éviter

la peine de mort est de tout avouer tant qu'il est encore temps. Pensez-y sérieusement.

Kyle était en conversation avec Preston quand un officier de police monta dans l'ambulance et s'assit à côté de Frieda.

— Ne sois pas inquiet, Perez est un de mes meilleurs hommes, dit Preston. Crois-tu que Frieda acceptera de donner ses complices en échange d'une remise de peine ?

— Tout dépend de son rôle dans cette affaire, mais à condition que notre offre soit suffisamment intéressante, ce n'est pas impossible. Il serait préférable que l'interrogatoire soit conduit par un agent fédéral.

— Tu comptes l'interroger toi-même ?

— Pas maintenant. Une petite baignade m'attend. Je pense que Hank a jeté les détonateurs dans la rivière depuis le pont de l'ancienne route. Tu sais où je pourrais me procurer un équipement de plongée ?

— Auprès des pompiers. Ils accepteront volontiers de nous prêter du matériel. Tu supposes que Hank s'est débarrassé des détonateurs le soir où il est revenu d'Espagne ?

Kyle approuva d'un hochement de tête et Preston ajouta :

— L'eau est fraîche et boueuse à cette période de l'année, et les courants sont particulièrement forts.

— J'ai suivi un entraînement de plongeur sous-marin, ne t'en fais pas. Obtiens-moi l'équipement adéquat ainsi qu'une torche étanche. Si les détonateurs se trouvent bien là, je les trouverai.

— Donne-moi trente minutes pour tout organiser et j'enverrai Bill Walters te rejoindre sur le pont, annonça Preston. C'est un ancien plongeur de la marine qui assiste les pompiers lors des opérations de sauvetage. Il ne pourra pas plonger pour toi car il s'est cassé une côte pendant l'entraînement, mais il saura te conseiller mieux que quiconque.

— Ça me va.

Sur ce, Kyle alla retrouver Erin.

— Comment te sens-tu ?

— Ça va, répondit-elle, je commence à m'habituer aux imprévus, mais je ne me reconnais plus ; je suis certaine que je n'aurais pas hésité à tirer sur Frieda si elle avait tenté de s'échapper.

— Si tu m'avais dit que tu étais prête à l'abattre, je me serais inquiété, mais il s'agissait seulement de la blesser. Tu n'as pas à t'en faire pour cela.

Il la conduisit vers le 4x4.

— Je ne suis pas quelqu'un d'agressif, reprit Erin, et je déteste la violence, même dans les séries télé. Mais j'ai compris que c'est la seule façon de contrer ces terroristes.

— Il n'y en a pas d'autre.

— Une part de moi-même ne peut l'accepter. Ce monde a besoin de guerriers tel que toi, mais aussi de gens pacifiques comme moi.

— Tu retrouveras bientôt tes petites habitudes, mais tant que ces terroristes ne seront pas derrière les barreaux, tu dois continuer à faire preuve de courage et de combativité.

Il lui prit gentiment la main.

— J'ai survécu à bien des épreuves en me répétant que la vie était faite de surprises et que les choses finissaient toujours par s'arranger. Certaines de mes familles d'accueil étaient agréables, d'autres, moins, mais de toute façon, je ne suis jamais resté bien longtemps au même endroit.

— Tu partais de toi-même ?

— Cela dépendait. Parfois, j'étais le seul garçon d'origine indienne de la maison, et quand tu es en minorité, cela te cause fatalement des soucis.

— Alors, tu as toujours été un guerrier.

— Oui, mais je suis bien plus dangereux aujourd'hui, déclara-t-il en lui souriant.

Kyle quitta l'ancienne route et emprunta un chemin caillouteux menant à la rivière. Il franchit un portail ouvert sur lequel était fixé un écriteau indiquant « Accès réservé aux autorités ». Puis il descendit un petit ravin. Un véhicule de police était garé près d'un des piliers du pont. Kyle se rangea à côté et sortit du 4x4 avec Erin.

Un officier en uniforme, de petite taille et au ventre rebondi, descendit alors de son véhicule et vint à leur rencontre.

— Agent Walters ? demanda Kyle.

— C'est bien moi. Prêt pour la baignade ?

— Plutôt deux fois qu'une, répondit Kyle. Montrez-moi ce que vous avez apporté.

Walters ouvrit le coffre de son véhicule.

— Voici l'équipement, mais la combinaison de plongée risque d'être un peu étroite pour vous. Je vais vous attacher à une corde afin que vous ne dériviez pas avec le courant. A cet emplacement, la profondeur de la rivière atteint au maximum six mètres en cette période de l'année, et le courant ne dépasse pas deux kilomètres/heure ; vous n'aurez donc pas à lutter pour rester sur place. Je surveillerai les alentours pendant que vous serez immergé.

— Un instant.

Kyle prit un cliché de Walters avec son portable et l'envoya à Preston.

— C'est bien l'homme que tu m'as dépêché ? demanda-t-il à son frère.

— C'est lui. Tu peux avoir confiance en Bill, c'est l'un de nos meilleurs hommes.

— Du nouveau à propos de Frieda ?

— Elle n'acceptera de coopérer que lorsque l'accord sera rédigé et signé par nos services. Elle exige de ne pas être extradée, ni envoyée dans un centre de détention à l'étranger. Elle veut aussi bénéficier d'une protection et acquérir une nouvelle identité. Nous ne signerons aucun document tant que nous ne connaîtrons pas sa véritable identité.

Kyle raccrocha et alla s'habiller. La combinaison le gênait un peu aux entournures, mais il s'en contenterait. Elle lui permettrait de maintenir sa température corporelle et le protégerait contre les débris et branchages charriés par le courant. Après avoir vérifié son équipement, qui incluait une torche étanche à LED, il pénétra dans l'eau et enfila ses palmes.

— Reste auprès de Walters, ordonna-t-il à Erin.

Puis il désigna son périmètre de recherches et mit au point un code avec Walters : deux coups secs sur la corde signifiaient qu'il fallait le hisser.

Enfin prêt, il avança dans la rivière, ajusta son masque et son détendeur, alluma la torche et plongea dans les eaux sombres.

Le cœur serré, Erin le suivit du regard jusqu'à ce qu'il disparaisse complètement dans les eaux. La plus grande confusion l'envahissait. Elle était impatiente que ce cauchemar prenne fin, mais en même temps, cela signifierait perdre Kyle.

Quand Frieda avait attaqué celui-ci, une certitude s'était imposée à elle : Kyle était l'amour de sa vie. L'âme sœur dont sa mère lui avait si souvent parlé.

Si Kyle avait délibérément choisi de braver le danger au quotidien, il souffrait certainement d'une carence affective. Elle en était intimement convaincue. Aussi, elle serait là pour lui et lui offrirait l'amour et la tendresse auxquels il aspirait secrètement.

De longues minutes s'écoulèrent ; elle commençait à s'inquiéter et approcha de la rive.

Walters parut deviner son inquiétude :

— Il est pratiquement impossible de discerner quoi que ce soit dans ces eaux boueuses. La visibilité se limite, au mieux, à un mètre. J'ai presque immédiatement perdu de vue sa torche quand il a plongé. Il doit lutter contre le courant pour atteindre l'autre rive, et Dieu sait ce qui peut entraver sa progression — carcasses de véhicules, boîtes de conserve, bouteilles et autres débris…

Erin hocha la tête.

— Il est persuadé que ce que nous cherchons se trouve

là, et il restera dans l'eau toute la nuit s'il le faut. Il n'abandonnera pas.

Walters lui sourit.

— Comme tout bon flic. Il n'est pas dans notre nature de baisser les bras, ni de faire le job à moitié.

Tandis qu'elle inspectait la surface de l'eau à la recherche de bulles d'air ou du faisceau de la torche, elle comprit le tournant que prenait sa vie : Kyle avait modifié le cours de sa paisible existence. Elle s'était toujours imaginée travaillant la terre, dans la petite ferme qu'elle s'était promis de bâtir, mais cela ne suffirait plus à son bonheur, elle s'en rendait compte. Son cœur appartenait désormais à Kyle, quoi qu'il puisse advenir.

— Deux coups secs sur la corde, annonça Walters. Je dois l'aider à remonter.

La lueur de la torche perça l'eau noire, puis Kyle apparut à la surface et les rejoignit. Il tenait un sac dans ses bras, et ôta son masque ainsi que son détendeur.

Walters passa la corde à Erin et récupéra le sac que Kyle lui tendait.

— Allez-y doucement, Walters. Le contenu est fragile. Le sac est lesté avec les dalles et, si je ne me trompe pas, il doit contenir des détonateurs électriques.

— Ce ne sont pas des détonateurs à pression ? demanda Walters en éloignant prudemment le sac de lui pour le déposer sur une étendue de sable sec. Nous ne pouvons pas les désamorcer, n'est-ce pas ?

Kyle se mit à rire.

— Non, à moins de déclencher un joli petit feu d'artifice. Déposez avec précaution le sac à terre.

Kyle prit le couteau attaché à sa ceinture et découpa une ouverture dans le sac. Walters s'agenouilla près de lui pour lui prêter main-forte.

— Ils sont là, comme je m'y attendais. Agent Walters, pourriez-vous appeler mon frère Preston pour l'informer de notre découverte et lui demander de nous retrouver chez Daniel ?

Comme Walters regagnait son véhicule, Kyle sourit à Erin.

— Je t'ai manqué ?

— Plus que tu ne le penses, répondit-elle.

Il soutint son regard un instant.

— Attends… Que veux-tu dire ?

Il se releva et voulut la prendre dans ses bras, mais il ruisselait d'eau et était encore chaussé de ses palmes.

— Le devoir nous appelle. Nous reparlerons de cela plus tard. Sois-en certaine.

19

Une fois arrivé chez Dan avec Erin, Kyle fit le point avec ses frères.

— Ces détonateurs sont en tout point identiques à celui que tu as découvert dans le colis chez Secure Construction, observa Daniel. J'ai aussi retrouvé la carte SIM qui les accompagnait au fond de l'eau. Je vais tâcher d'en récupérer les données afin de comprendre pourquoi Leland s'en est débarrassé.

— Tu crois en être capable ? demanda Kyle.

— Je ne peux rien promettre, mais j'ai plus d'un tour dans mon sac, répondit Daniel. Les détonateurs sont-ils encore en état de fonctionnement ? J'hésiterais à les utiliser maintenant qu'ils ont séjourné dans l'eau.

Kyle hocha la tête.

— Voilà comment je vois les choses : Hank est rentré chez lui, a découvert le colis contenant les détonateurs et, ne sachant pas quand ces hommes viendraient les récupérer, il a décidé de s'en débarrasser au plus vite dans la rivière. Si les terroristes prenaient contact avec lui avant nous, il aurait pu prétendre ne pas les avoir reçus. Il a caché le colis dans son bureau afin de faire disparaître la preuve qu'il les avait bien réceptionnés.

— Je ne parviens toujours pas à comprendre le rôle de Frieda dans cette affaire, intervint Erin.

— J'ai la réponse à cette question, annonça Preston en entrant dans la pièce.

— Il était temps que tu arrives, lui dit Kyle avec un clin d'œil.

— Pendant que tu t'accordais une petite baignade dans la rivière, je travaillais, moi, plaisanta Preston. Frieda est citoyenne mexicaine et se nomme Evelyn Santeiro. Elle officiait en tant que « silencieuse » pour un cartel mexicain. Le gérant du Quarter Horse Bar, Ed Huff, ayant découvert sa véritable identité, il lui a offert de travailler pour lui. Huff, soit dit en passant, n'est pas non plus son vrai nom, mais nous ne sommes pas encore parvenus à l'identifier.

— Qu'est-ce qu'une *silencieuse* ? demanda Erin, l'air un peu honteuse de son ignorance.

— Une tueuse à gages, expliqua Kyle.

Erin le dévisagea, visiblement choquée, tandis que Preston précisait les choses.

— Après son dernier contrat — un concurrent de son employeur —, ce dernier lui a fourni de faux papiers et l'a envoyée aux Etats-Unis afin qu'elle s'y installe sous une nouvelle identité. Ensuite, Evelyn a rencontré Huff, lequel, semble-t-il, était en affaire avec des distributeurs de bière mexicains. L'un de leurs commerciaux a reconnu Evelyn lors d'une visite et a averti Huff de se tenir sur ses gardes. C'est alors que Huff a décidé de se servir d'elle et d'utiliser ses talents. Il s'est arrangé pour lui faire rencontrer Bruce de manière à tisser un lien avec la famille Leland lui permettant de se rapprocher de Hank, son objectif final. Evelyn n'a pas perdu de temps et est rapidement parvenue à mener Hank par le bout du nez.

— Pauvre Hank, fit Erin en secouant la tête.

— Hank et Bruce étaient tous les deux manipulés, poursuivit Preston. L'argent que Evelyn a prêté à Bruce provenait de Huff, et du coup, elle pensait que Huff tenait Bruce sous sa coupe. Cet argent leur a servi de preuve pour faire chanter Bruce en le mêlant à cette affaire et à la mort de Hank.

— Il demeure néanmoins certaines pièces manquantes au puzzle, rappela Kyle en se tournant vers Daniel. Il nous faut découvrir le contenu de cette carte SIM.

— J'ai besoin d'un minimum de préparation, répondit son

frère. Une tentative de décryptage à la va-vite pourrait nous faire perdre toutes les données.

Preston répondit à un appel sur son portable. Il écouta un instant puis dit :

— C'est une excellente idée, monsieur Leland. Nous arrivons dans les plus brefs délais.

— Du nouveau ? s'enquit Daniel.

— C'était Bruce Leland qui m'appelait depuis chez lui. Il prétend avoir longuement réfléchi à la raison pour laquelle son frère a été éliminé et prétend avoir découvert un lien avec sa présence en Espagne. Il a effectué une recherche sur Google selon les dates de séjours de Hank, et a découvert qu'il y avait une exposition de pierres précieuses à Rota pendant que son frère y séjournait. Bruce pense que Hank a été victime d'un chantage le contraignant à introduire des bijoux, principalement des diamants, sur le territoire des Etats-Unis. D'après lui, si cette affaire de bijoux est reliée à celle concernant les détonateurs, nous devrions aller inspecter son mobile home. Les deux frères n'étaient pas en bons termes, mais Hank en possédait une clé.

Kyle l'interrompit.

— Hank ne s'est pas rendu au mobile home en quittant son bureau ce soir-là, et nous savons pertinemment qu'il ne s'est pas envoyé des pierres précieuses. Mais c'est quand même une occasion de se pencher sur le cas de Bruce Leland. Il est possible que Hank ait envoyé un autre colis contenant des détonateurs à l'intention de son frère de façon à brouiller les pistes. Si tel est le cas, il se pourrait que Bruce ait ouvert le colis, prenant conscience du pétrin dans lequel il s'était fourré.

— Alors, il nous a appelés, sachant que nous avions toutes les chances de les découvrir, ajouta Preston.

— Tout à fait, acquiesça Kyle. Ainsi, il peut prétendre que Hank les a déposés au mobile home la nuit de son retour d'Espagne. Mais il ignore que je filais Hank et que je sais exactement où il s'est rendu.

— Pas si vite, petit frère, fit Daniel. Tu tires des conclusions hâtives. Cette histoire ne présage rien de bon.

Kyle approuva de nouveau.

— Je suis de ton avis, et nous allons devoir surveiller nos arrières, mais nous devons aussi suivre la piste du mobile home.

— Erin devrait peut-être rester ici, proposa Daniel.

— Hors de question, rétorqua Erin. Je vous accompagne. J'ai beau ne pas porter Bruce dans mon cœur, je le connais bien mieux que vous tous.

— Elle vient avec nous, conclut Kyle. Erin est sous ma protection.

Cela fit sourire la jeune femme, remarqua-t-il.

Il monta avec elle dans son 4x4 et roula jusqu'au domicile de Bruce, tandis que Daniel était avec Preston dans son véhicule de police.

— Le mobile home se trouve le long du chemin d'accès, dans un profond canyon, précisa Erin en surveillant leur position sur le GPS du 4x4. D'après l'image satellite, le mobile home est ceinturé de buissons et d'arbres, en tout cas lorsque les photographies ont été prises.

— Pas d'autre bâtiment dans les environs ? demanda Kyle en accélérant.

— Une espèce de grange ou un hangar au fond de la propriété.

Comme ils bifurquaient pour emprunter la piste en terre, deux traces de pneus apparurent sur celle-ci.

— Il a récemment reçu de la visite, observa Kyle.

Une forte détonation éclata au loin, suivie de deux autres enchaînées. Kyle pressa le bouton de communication sur son volant pour appeler Preston.

— Attention ! Coups de feu !

— J'ai entendu, répondit Preston.

— Je parierais que Bruce est pris d'assaut, dit Daniel.

— Dépassez-moi et rendez-vous directement à son domicile, ordonna Kyle. Je m'arrêterai là où le chemin se rétrécit et bloquerai le passage avec mon véhicule. Je vous rejoindrai à pied tandis que vous me couvrirez. Erin va rester près du 4x4. Preston, fais-moi un point de la situation dès que possible.

— Compris, fit Preston en les dépassant.

Kyle se serra sur sa droite pour lui faciliter la manœuvre. La pente raide du canyon dévalait à quelques centimètres de la portière.

— Nous sommes au bord du précipice, Kyle, s'alarma Erin. Le moindre écart nous ferait basculer dans le vide.

Il acquiesça d'un petit signe de tête et ralentit.

— Je viens de recevoir un appel de Leland, annonça Preston dans la radio. Il est sous le feu de deux tireurs. Il possède un revolver et un fusil de chasse, mais les deux assaillants sont équipés d'armes lourdes. Leland s'est réfugié derrière son pick-up et les hommes ont pris position derrière leur véhicule.

Kyle hocha la tête : la fusillade résonnait dans le ciel.

Au loin, Preston effectuait un virage et s'engageait à découvert, sur un plateau rocheux. A droite, près des ruines d'un vieux bâtiment de bois, était garée une berline noire. Les deux hommes apparaissaient de temps à autre derrière le capot lorsqu'ils se relevaient pour faire feu. L'un d'eux dirigea son arme en direction du 4x4 de Kyle et tira à plusieurs reprises. Les balles vinrent s'encastrer dans le pare-chocs avant.

— Accroche-toi ! cria Kyle à Erin.

Il écrasa la pédale de frein, faisant déraper son véhicule pour le placer en travers du chemin.

— Sortons de mon côté, dit-il à Erin, et reste à couvert derrière le 4x4.

Erin se glissa hors du véhicule tout en tendant la radio à Kyle. Puis elle se tapit au sol.

— Il y a deux tireurs embusqués derrière la berline noire, annonça Kyle à Preston en dégainant son arme.

— Le pick-up de Bruce ne se trouve pas à proximité de sa maison, fit remarquer Preston. Pourquoi se serait-il garé ici si ce n'est pour nous tendre une embuscade ?

— On dirait que Bruce a trahi ses complices et se retrouve pris au piège, conclut Kyle.

— Le souci, c'est qu'ils sont mieux armés que nous, grogna Preston. Nous devons préparer un plan d'attaque. J'ai déjà demandé des renforts, mais ils n'arriveront, au mieux, que dans une vingtaine de minutes.

— Très bien, voici comment nous allons procéder, fit Kyle. Je vais les prendre à revers, armé de mon fusil d'assaut. Je vais détourner leur attention afin que tu puisses contourner le mobile home et les avoir dans ta ligne de mire. Daniel, tu nous couvres.

— A quel moment ? demanda celui-ci.

— Dès que je vous ferai signe.

Kyle ouvrit la portière de son 4x4 et se saisit de son fusil d'assaut caché sous son siège.

— Et moi, qu'est-ce que je fais ? intervint Erin.

Kyle lui tendit son revolver.

— Prends-le, juste au cas où tu aurais à te défendre. Mais je veux que tu restes à l'abri derrière le 4x4. Si l'un de ces hommes venait à s'approcher, grimpe dans le véhicule, condamne les portières et plaque-toi au sol. Tu pourras entendre nos échanges à la radio.

— Je préférerais t'accompagner.

— C'est beaucoup trop risqué. Tu seras en sécurité, ici, et je ne laisserai personne t'atteindre, chérie.

— C'est sympa de nous faire partager vos émotions, fit la voix de Preston dans la radio. On peut y aller, maintenant ? Je commence à m'impatienter.

— O.K. Je me dirige vers la berline. Couvrez-moi.

Contournant le 4x4, Kyle s'arrêta brusquement : il s'était garé vraiment tout près du précipice. Il lui fallut se plaquer contre le côté passager pour avancer. La pente était trop raide pour tenter de la descendre sans risquer de chuter sur ce sol meuble composé de sable et de petits graviers.

Parvenu devant son 4x4, il fit un signe de la main à ses frères. Daniel se mit alors à tirer de manière soutenue vers les assaillants pour permettre à Preston de faire le tour du mobile home.

Kyle s'élança en zigzaguant, à demi fléchi, son fusil bien en main. L'un des deux hommes l'aperçut et tira dans sa direction. Des projectiles sifflèrent à ses oreilles et l'un d'eux atteignit la crosse de son fusil, le faisant sauter de ses mains. Le fusil tomba au sol à quelques centimètres du précipice.

Kyle se plaqua au sol et tenta de ramper pour récupérer son arme, mais les projectiles se rapprochaient dangereusement de lui et il dut battre en retraite.

Il releva la tête : Daniel n'avait rien vu, occupé à recharger son arme.

— Kyle !

Erin se précipita pour le rejoindre tout en tirant vers la berline noire.

— Erin, à terre !

D'un bond désespéré, il parvint à reprendre son fusil et roula à couvert. Voulant ajuster l'arme, il s'écorcha les doigts contre l'anneau de la gâchette : elle avait été endommagée par un projectile. Le fusil était désormais hors d'usage, à moins de s'en servir comme matraque.

Tandis qu'il maudissait l'adresse du tireur, Erin s'était agenouillée et tirait en direction opposée à la fusillade.

Kyle se retourna : les hommes avaient regagné leur véhicule et fonçaient droit sur eux. Se relevant d'un bond, il plongea pour éviter la berline et roula sur lui-même. Le véhicule le manqua de peu, un déplacement d'air lui fouetta la nuque.

Il sauta sur ses pieds et scruta les environs. Erin, toujours agenouillée, fit feu à deux reprises vers la berline qui fonçait sur elle.

— A terre ! cria Kyle.

Elle plongea juste à temps par-dessus la crête du ravin. La berline fit demi-tour dans un nuage de poussière, accéléra et s'élança sur la piste, manquant de percuter le 4x4.

Kyle se précipita vers le ravin pour secourir Erin. Elle était à quelques mètres en contrebas, luttant pour escalader la pente.

— Je vais t'aider, Erin.

Il s'allongea et, tendant les bras, la saisit par les poignets pour la hisser à son niveau.

— Comment as-tu pu faire une chose aussi insensée ? demanda-t-il en ôtant la poussière de ses vêtements. Tu étais supposée rester derrière le 4x4. Tu aurais pu te faire tuer !

Il la prit par les épaules et lui adressa un regard de reproche.

— Kyle, tu avais besoin de mon aide, répondit-elle en soutenant son regard. Tu aurais agi de même pour moi — et pas simplement parce que tu es un agent du NCIS.

Ses mots le touchèrent. Les émotions se bousculaient en lui — la peur, l'instinct de protection — et il l'attira à lui avec rudesse, l'embrassant fougueusement.

— Au boulot, Roméo, fit la voix de Preston à la radio. Au cas où tu ne l'aurais pas remarqué, les types ont pris la fuite.

— Nous n'en avons pas encore terminé, tous les deux, murmura Kyle à l'oreille d'Erin. On reprendra cela plus tard.

Sans lui permettre de répliquer, il lui prit la main et l'entraîna vers ses frères qui interrogeaient déjà Bruce.

— Encore vous ! tonna celui-ci en dévisageant Erin. Vous êtes mêlée à tout ceci, avouez-le !

— Vous reportez toujours la faute sur les autres, n'est-ce pas, Bruce ? riposta Kyle. C'est peine perdue, car nous connaissons la vérité. C'est vous qui avez organisé cette embuscade, mais elle a failli vous coûter la vie.

— Qu'est-ce que vous racontez ? Je vous ai appelé afin que vous veniez perquisitionner au mobile home. Ces types sont apparus avant votre arrivée et j'ai dû me défendre seul. Ils m'ont demandé de leur remettre les détonateurs, faute de quoi ils me tueraient. Je n'avais aucune idée de ce dont ils parlaient. Quels détonateurs ? Je pensais qu'il s'agissait d'une affaire de bijoux volés !

Il se massa la nuque d'un air dépité.

— Jolie tentative de nous mener en bateau, mais votre histoire ne tient pas debout, trancha Kyle. Que s'est-il réellement passé, Bruce ?

— Bon sang, vous ne voulez toujours rien entendre, n'est-ce

pas ? Ces types sont de véritables terroristes, pas des enfants de chœur. Quand je leur ai dit que je ne savais rien à propos de ces détonateurs, ils ont sorti leurs armes et menacé de m'exécuter. C'est alors que j'ai menti en prétendant qu'ils se trouvaient dans mon pick-up. Je m'y suis rendu pour prendre mon fusil ; ils se sont alors précipités vers leur voiture. J'ai pensé qu'ils allaient déguerpir, mais quand je les ai vus prendre leurs armes, j'ai compris que j'étais pris au piège. Si vous n'étiez pas arrivés à temps, je serais mort, à l'heure qu'il est.

— Vous avez donc pu voir le visage de ces hommes, intervint Daniel. Vous les avez reconnus ?

— Non, mais ils semblaient en savoir long sur moi. Allez-y, fouillez les environs tant qu'il vous plaira. Je ne passerai pas une nuit de plus dans cet endroit. Je vais chez mon frère.

— Vous n'irez nulle part tant que nous n'en aurons pas terminé avec vous, gronda Preston.

Bruce porta la main à son épaule en gémissant, puis la ramena maculée de sang.

— Bon sang ! Je suis blessé !

Comme il déchirait sa chemise pour découvrir son épaule, Daniel approcha.

— La balle vous a juste effleuré, mon vieux. J'ai vu des brûlures plus moches que cette égratignure. Vous ne risquez rien. Un peu de désinfectant et tout ira bien.

— Mais, *je saigne* !

— Un peu de courage, fit Preston en lui adressant un regard méprisant.

— Il me faut des soins de toute urgence ! Appelez une ambulance.

Les frères se regardèrent tour à tour ; Kyle leva les yeux au ciel.

— Bon, d'accord. Accompagne-le dans un dispensaire pour cette blessure, dit-il en s'adressant à Preston.

— Je vais plutôt charger l'un de mes hommes de cette importante mission, rétorqua Preston d'un ton ironique. Il est hors de question de déranger une ambulance pour ce petit bobo.

Ils laissèrent Daniel surveiller Bruce et pénétrèrent dans le mobile home avec Erin.

— Mon instinct me dit que Bruce est de mèche avec ces hommes depuis le tout début, peut-être sans savoir qui ils étaient réellement et quelle était leur motivation, jusqu'à ce qu'ils abattent son frère, dit Kyle.

— Il a eu peur d'être le prochain sur leur liste et a retourné sa veste, ajouta Preston.

Ils examinèrent chaque recoin du mobile home, sans rien découvrir de probant.

Quand ils sortirent du véhicule, une sirène résonnait dans l'air et Bruce montait à bord d'un véhicule de police, guidé par un agent en uniforme.

Preston alla s'entretenir rapidement avec l'agent, puis rejoignit Daniel.

— L'agent devra reprendre son service sitôt qu'il aura déposé Bruce au dispensaire. En attendant que le Central me dépêche un inspecteur pour le surveiller, peux-tu te charger de lui ?

— Pas de souci, répondit Daniel en allant rejoindre Bruce dans la voiture de police.

Preston revint auprès de Kyle et Erin.

— Nous n'avons pas identifié les deux tireurs, ce qui nous fait à présent trois suspects en liberté.

— Ed Huff, Mike Bewley et Ron Mora, compléta Kyle. Je suis convaincu que Huff est le cerveau de la bande et qu'il a recruté lui-même ses complices.

— Ils sont toujours à la recherche des détonateurs, ce qui vous expose tous deux à un grand danger, rappela Preston.

— S'ils procèdent par élimination, ils doivent être désormais persuadés que c'est moi qui les détiens, dit Erin.

— Le meilleur conseil que je peux vous donner est de vous déplacer en permanence, fit Preston, l'air grave.

— C'est bien ce que nous comptons faire, annonça Kyle en raccompagnant Erin vers le 4x4. Tu sais où nous trouver...

— On va se contenter de rouler, sans destination précise ? demanda-t-elle.

— Certainement pas. Je dois d'abord récupérer quelque chose, ensuite nous ferons nos préparatifs. Ils vont se lancer à nos trousses et utiliser tous les moyens dont ils disposent pour nous retrouver. La situation était critique, mais elle va à coup sûr empirer.

20

Le regard rivé à son rétroviseur, Kyle roula à pleine vitesse pour gagner le centre-ville de Hartley.

Erin finit par rompre le silence dans l'habitacle :

— Je me doute que tu sais où nous allons, et c'est la raison pour laquelle je me suis tue, mais cela fait vingt minutes que nous roulons et j'aimerais savoir où tu nous conduis.

— Nous y sommes, répondit Kyle en se garant devant Southwest Treasures, une petite boutique sur Main Street. Pablo Ortiz, un très bon ami de Hosteen Silver, en est le propriétaire. Il a fabriqué de ses propres mains les fétiches que mes frères et moi portons.

Elle afficha un sourire radieux.

— Je vais avoir *mon* fétiche ?

— Oui, j'ai finalement trouvé celui qui te convient. Comme je te l'ai dit, chaque membre de la famille possède le sien et il est temps que tu nous rejoignes.

Il lui prit la main et plongea son regard dans le sien.

— Tu comptes beaucoup pour moi.

Dans les yeux d'Erin brillait une lueur d'espoir. Mais Kyle n'osa en dire plus. Il n'avait jamais déclaré son amour à une femme.

Un homme de petite taille mais de forte corpulence sortit alors de la boutique et vint à eux.

— Vous allez rester toute la journée assis dans la voiture ? plaisanta-t-il.

— Pablo ! Ça fait plaisir de te voir, lança Kyle en descendant du 4x4.

Une fois à l'intérieur de la boutique, Erin se dirigea vers un étalage de poteries traditionnelles. Kyle en profita pour discuter avec Pablo.

— Qu'est-ce qui t'amène ici ? lui demanda celui-ci.

— Il me faut un fétiche bien spécifique : un Ours noir.

Pablo réfléchit un instant.

— Il existe différentes versions d'ours fétiches. Certains sont destinés à la chasse, d'autres à éloigner les mauvais esprits. Qu'attends-tu de moi ?

— Je veux un Ours noir qui soit pour elle ce que mon Renard est pour moi, répondit Kyle d'une voix posée.

Pablo se pencha pour apercevoir Erin qui se promenait parmi les étalages et les vitrines.

— En clair, tu aimerais un fétiche qui confère à ton amie le courage d'affronter les coups durs et l'équilibre pour faire face aux changements que nous impose la vie.

Kyle, pas le moins du monde surpris par l'intuition de Pablo, hocha la tête en signe d'assentiment.

Pablo eut l'air absent un court moment, puis répliqua :

— Il y en a un que j'ai terminé hier. Mon instinct me disait qu'il serait bientôt utile à quelqu'un.

— Puis-je le voir, cher Oncle ? demanda Kyle en employant ce titre en signe de respect.

— Je vais te le montrer. Celui-là, je l'ai façonné à partir d'un éclat de marbre noir. Je l'ai commencé il y a un bon moment déjà et, dès les premières tailles, j'ai su que son destin était déjà scellé, confia Pablo.

Puis il disparut derrière le rideau qui séparait la boutique de son atelier.

Il revint quelques instants plus tard, l'objet au creux de sa main. La petite statuette représentait un ours debout sur ses pattes postérieures, semblant scruter les environs. Elle offrait de fins détails, patiemment façonnés, comme ces griffes minuscules dans le prolongement de ses pattes et les moustaches de son museau.

— Il incarne à la fois la puissance dans la quiétude et la faculté de discerner l'ami de l'ennemi.

— Je l'accepte avec joie, Oncle, s'enthousiasma Kyle. Il est parfait.

— Je vais lui trouver un *jish*, répondit Pablo en faisant référence à la petite pochette remplie de pollen.

— Merci.

Erin rejoignit Kyle alors que Pablo était retourné dans son atelier pour y conditionner le fétiche.

— Il y a tellement d'objets intéressants et magnifiques, commenta-t-elle en désignant une vitrine au centre de la boutique. Les fétiches se trouvent là, dans cette vitrine.

— Aucun de ceux-là n'est pour toi. Je sais exactement celui qu'il te faut et j'ai déjà passé commande.

Erin lui sourit et son regard pétilla.

— Quand l'aurai-je ?

— Pablo est en train de le préparer, mais tu devras attendre encore un peu avant de le découvrir. Nous devons d'abord nous rendre quelque part. Disons que c'est ma façon de respecter la tradition que Hosteen Silver a instaurée en nous offrant nos fétiches.

— La tradition, répéta-t-elle en hochant la tête, l'air grave. Je dois aussi te faire un présent ; je me souviens que tu as longuement parlé d'équilibre entre les êtres humains et Mère Nature.

Elle inspecta rapidement les étalages autour d'elle.

— Tu m'as donné bien plus que je ne pouvais espérer, reconnut-il avec douceur.

Pablo revint avec la pochette et sourit à Erin.

— Tu as bien choisi, mon Neveu, observa-t-il, le regard pétillant de malice.

Ils remercièrent Pablo et regagnèrent le 4x4.

Ils roulaient depuis quelques minutes lorsque Erin, se tournant vers Kyle, demanda :

— Pablo parlait-il du fétiche ou de moi ?

— Je ne saurais le dire. Il vaut mieux parfois ne pas chercher à savoir. La personnalité de Pablo est très proche de celle de Hosteen Silver. Ses prédictions sont toujours d'une étonnante justesse. Est-ce dû à un sens particulièrement aiguisé de la déduction ? A un don qui dépasse notre entendement ?

Ils quittèrent le ruban d'asphalte et cahotèrent un bon moment sur des routes défoncées qui faisaient tressauter le véhicule.

Enfin, ils arrivèrent devant un petit plateau que contournait un ruisseau alimenté par un vaste lac.

— Nous y sommes, annonça-t-il.

— Où cela ? demanda-t-elle en descendant du 4x4.

— Un lieu sacré. Les *Diné*, le peuple navajo, venaient s'y ressourcer et demander aux dieux la victoire lorsqu'ils étaient en guerre.

Il la conduisit au bord du ruisseau, à un endroit précis où il se séparait en deux bras, formant une fourche matérialisée par un gros rocher strié. Il sortit son propre fétiche de sa pochette. Puis, prenant celui d'Erin, il les plongea tous deux dans les eaux turbulentes du ruisseau. Ensuite, il les recouvrit de pollen, replaça son Renard dans son *jish* et déposa l'Ours noir dans la paume d'Erin.

— L'eau, en ce lieu précis, est source de puissance. En y plongeant nos fétiches, nous faisons don du pollen qui les recouvre et espérons recevoir, en retour, une bénédiction. Puissent nos fétiches acquérir des pouvoirs qui nous rendront plus forts et plus soudés encore, et qu'ils nous portent chance et nous éclairent dans le combat qui nous attend.

Erin, le regard pétillant de joie, observa le petit objet en le manipulant du bout des doigts.

— Il est magnifique.

— Cet Ours sera désormais ton frère spirituel — à condition que tu l'acceptes comme tel. Il t'apportera confiance en toi et courage dans les moments difficiles. Que tu doives te tirer d'une situation délicate, quitte à battre en retraite, l'Ours te rappellera que la force naît aussi de la remise en cause de soi. Pour l'Ours, l'hibernation est symbole de renaissance.

Il se tut un instant, la fixant intensément.

— Erin, j'ai passé mon existence à tenter le diable, mais il y a une décision que je n'ai jamais su prendre : offrir à une femme de partager mon intimité. C'est alors que tu es entrée dans ma vie.

Il la prit dans ses bras.

— Je vais me battre pour te garder auprès de moi.

— M'accorderas-tu la même importance au fil du temps ? s'inquiéta Erin.

— Je t'aime. Je ne l'ai jamais dit à personne de toute ma vie, mais c'est ce que je ressens pour toi. Il te suffit de m'aimer en retour.

Elle lui murmura à l'oreille, dans un souffle :

— Je t'aime.

Il l'embrassa longuement et tendrement.

Puis leurs lèvres se séparèrent doucement et ils demeurèrent un moment à se fixer avec intensité.

— Il y a une chose à laquelle j'aimerais que tu songes sérieusement, Erin. Quelle que soit la profession que je choisirai d'exercer quand j'aurai décidé de me poser, je serai toujours un enquêteur. C'est dans ce domaine que j'excelle. Sauras-tu vivre avec l'angoisse que quelque chose m'arrive un jour et que je ne rentre pas à la maison ?

Elle songea à la question quelques instants.

— Je ne sais pas.

— Prends le temps d'y penser et, quand tu auras la réponse, nous en reparlerons.

Il la prit par la main et la mena près d'une petite retenue d'eau au cœur du ruisseau.

— Tu vois ? demanda-t-il en montrant un point à la surface de l'eau un peu plus loin.

Deux feuilles s'étaient réunies l'une contre l'autre, adossées à un petit rocher émergeant.

— Elles forment un cœur.

— C'est peut-être un signe, dit-elle en lui souriant.

Les feuilles contournèrent le rocher et poursuivirent leur chemin, toujours enlacées.

La magie de cet instant, comme suspendu hors du temps, s'évanouit lorsque le portable de Kyle se mit à sonner. Il consulta l'écran et retint un juron.

— Nous devons nous remettre au travail, Erin.

Kyle poursuivit sa conversation avec Preston sur le chemin du retour à Hartley.

— Nous avons interrogé Bruce Leland, expliqua son frère, mais nous ne sommes pas parvenus à le faire craquer. Nous avons dû le relâcher. Il s'est retranché derrière son avocat et n'a cessé de clamer qu'il était la victime de toute cette affaire. Il reconnaît avoir emprunté de l'argent et prétend que cette somme était destinée à l'impliquer dans la mort de son frère. Il serait victime de chantage, d'après lui. Je ne m'attendais pas à avoir de ses nouvelles de sitôt, mais il vient tout juste de m'appeler. Il dit avoir deviné où son frère a caché les détonateurs et me demande de le rejoindre à Secure Construction. J'ai tenté de lui faire préciser l'endroit, mais il a refusé catégoriquement de me le dire. Il craignait d'être sur écoute. Et il a insisté pour qu'Erin soit présente car, pour lui, elle est la seule personne à même de deviner la combinaison du verrou électronique.

— Sais-tu à quoi il fait allusion ? demanda Kyle à Erin.

— Non. Hank a fait poser un verrou électronique sur la pièce sécurisée, mais uniquement dans le cadre des présentations aux clients. J'en connais le fonctionnement parce que j'ai effectué plusieurs démonstrations, mais je ne vois pas d'autres verrous de ce genre sur le site.

— Depuis l'embuscade au mobile home, je n'ai plus aucune confiance en lui, intervint Preston. Je vous retrouve sur place, accompagné d'une unité d'intervention.

— Surtout pas, répliqua Kyle. Mieux vaut le laisser croire que nous viendrons seuls. Tu pourras suivre notre conversation via mon portable ; je le laisserai allumé dans ma poche de chemise.

— Très bien. Si Bruce est une fois de plus animé de

mauvaises intentions, tâche de gagner du temps afin que nous puissions intervenir. Paul sera en place devant l'ordinateur central et suivra vos déplacements par GPS. Gene est déjà dans les parages, prêt à agir.

— Juste au cas où nous serions séparés, Erin porte sur elle une puce de localisation, précisa Kyle en communiquant à son frère les codes d'accès.

— Connexion sécurisée ? s'enquit Preston.

— Elle se trouve dans une petite pochette que je porte autour de mon cou, répondit Erin. S'ils venaient à me fouiller, je pourrai la dissimuler dans mon soutien-gorge. Elle y sera en sécurité.

Preston ne fit aucun commentaire, ce qui fit sourire Kyle.

— Encore une chose, ajouta Preston. Daniel est parvenu à extraire les données de la carte SIM ; elles prouvent que Hank était victime d'un chantage. Dan a récupéré des mails que les terroristes lui avaient envoyés pendant qu'il séjournait en Espagne. Ils sont parvenus à s'introduire frauduleusement dans le central informatique de Secure Construction, et ils ont falsifié les comptes personnels de Hank de façon à faire croire qu'il effectuait des achats aux montants démesurés et surfacturait le Département de la Défense.

— Comment sont-ils parvenus à pénétrer notre système ? s'étonna Erin. Hank apportait un soin tout particulier à la sécurité.

— D'après moi, Frieda — Evelyn Santeiro — a espionné Hank et lui a subtilisé les mots de passe, avança Kyle.

— Vraiment personne n'est à l'abri de ces terroristes, tonna Erin.

— Ne t'inquiète pas, je veille sur toi, et mes frères veillent sur moi. Nous sommes en de bonnes mains.

Ils approchèrent de Secure Construction une vingtaine de minutes plus tard. Kyle se pencha alors vers Erin.

— Tiens-toi prête. Nous sommes suivis par un van depuis cinq minutes, et maintenant, ça va chauffer.

21

Kyle ralentit et s'arrêta à quelques mètres du portail de Secure Construction. Celui-ci était fermé.

— J'ai les clés, lui indiqua Erin. Tu veux que je descende ouvrir ?

— Non, ne bouge pas, répondit-il en observant dans son rétroviseur le van blanc.

Le véhicule approcha derrière eux, puis les dépassa. Bruce était au volant, remarqua Kyle. Il se gara devant leur 4x4.

— Tu vas sortir de mon côté et rester derrière moi, intima Kyle à Erin.

Bruce fit quelques pas dans leur direction, puis la porte latérale du van s'ouvrit et un homme portant un masque sauta à terre, son arme pointée vers Kyle.

— Bruce, tu es de mèche avec ceux qui ont tué ton frère ? demanda posément Kyle.

— Pas du tout, et je n'y suis pour rien, protesta-t-il en regardant tour à tour Kyle et l'homme armé.

— La ferme, fit l'homme en pressant Bruce du canon de son arme pour le faire avancer.

Un autre homme sortit du van par la porte latérale tandis qu'un troisième ouvrait la portière côté passager. Tous trois portaient des masques et menaçaient Kyle et Erin de leurs armes.

— Ils m'ont eu par surprise, je le jure, pleurnicha Bruce.

Le premier homme vint se placer devant Kyle.

— Pose ton arme à terre, doucement.

C'était la voix de Ed Huff, le gérant du Quarter Horse Bar, reconnut Kyle.

— D'accord, Ed, fit-il.

— Je me doutais que tu me reconnaîtrais, maugréa Huff.

Kyle ôta le chargeur de son arme et déposa celle-ci au sol.

— Nous savons, toi et moi, que tu es impliqué dans cette affaire, alors pourquoi ces masques ? lança-t-il à Ed.

— C'est juste une précaution au cas où les choses tourne-raient mal, rétorqua Ed.

Erin intervint à son tour en dévisageant l'un des hommes :

— Mike Bewley, même avec ce masque, je te reconnais. Rien qu'à ta silhouette… La police sait bien que Huff et toi êtes mouillés jusqu'au cou. Pourquoi persistez-vous ?

— La ferme, fit Mike.

— Maintenant, dépose ton arme, ordonna Huff à Erin.

— Je ne suis pas armée, déclara-t-elle tandis que le troi-sième homme palpait Kyle.

— Il n'est pas armé, indiqua-t-il à ses complices.

— Ron Mora. Je sais que c'est toi, pesta Erin comme il la palpait à son tour.

— Nous savons qui vous êtes, et la police est aussi informée, annonça Kyle, puisque Preston écoutait la conversation à travers son portable.

— Vous marquez un point, concéda Mike en ôtant son masque.

Ron Mora fit de même, suivi de Ed Huff, qui poussa un juron.

Kyle réfléchit à toute vitesse. Il devait contenir la situation en attendant que Preston puisse intervenir. Huff avait certai-nement tué Moe et n'était plus à un meurtre près pour tenter de sauver sa peau.

— Huff, tu t'es compromis avec une bande de terroristes dégénérés et tu es fait comme un rat. Nous savons qui est ta cible et nous avons déjà pris nos dispositions en renforçant la sécurité. Ta meilleure option est de te rendre.

— Boucle-la, marmonna Huff. C'est moi qui commande, à présent. Enlève tes bottes.

Kyle s'exécuta, et Huff aperçut le pistolet de secours fixé à sa cheville.

— Prends-le délicatement et dépose-le à terre.

Kyle obéit, puis renfila ses bottes.

Huff scruta rapidement les environs.

— Allez vous placer derrière le van afin que personne ne nous voie.

Ils se déplacèrent en gardant le silence et Huff s'adressa à Erin :

— Donne-moi tout de suite les détonateurs ou je loge une balle dans le ventre de ton petit ami, menaça-t-il. Ma patience est à bout.

— Erin, donnez-leur ce qu'ils demandent, pleurnicha Bruce une nouvelle fois.

Huff arma le chien de son revolver.

— Comme tu voudras, Erin…

— Non, attendez ! s'écria-t-elle. Vous avez raison. Je sais où ils se trouvent, mais si vous tirez sur l'un de nous, je mourrais plutôt que de parler.

— Vous les aviez donc depuis tout ce temps ! s'exclama Bruce, interloqué. Vous m'avez menti, vous nous avez menti à tous ! ajouta-t-il en regardant Kyle.

— Oui. Pardonnez-moi, Kyle, Bruce. J'ai cru naïvement que tant qu'ils seraient en ma possession, plus personne ne mourrait.

Kyle dévisagea Erin en feignant la déception pour gagner du temps.

— Où sont-ils ? demanda Huff.

— Hank me les a confiés en me demandant de les cacher, répondit Erin. Il se doutait que vous viendriez les récupérer. Après sa mort, j'ai compris qu'ils ne devaient plus rester sur le site et les ai déplacés.

— *Où ?* aboya Huff. J'ai en marre de votre petit jeu.

— Comme la police inspectait chaque recoin de la société, je les ai mis dans mon sac à main pour ensuite les placer en lieu sûr, là où personne ne penserait à les chercher. Ils se trouvent en plein désert ; si vous voulez ces détonateurs, il va falloir nous y rendre en voiture.

Huff secoua la tête de dépit.

— Je n'y crois pas. Vous cherchez à gagner du temps dans l'espoir qu'un miracle vienne sauver vos petites fesses. Prouvez-moi que vous avez vu ces détonateurs ; décrivez-les-moi.

Erin ne se démonta pas :

— J'avais déjà vu des détonateurs par le passé, mais ceux-ci sont différents. Ils sont en métal, peint en beige, avec des inscriptions en espagnol, ce qui va de soi puisqu'ils viennent d'Espagne. Ils mesurent environ sept centimètres de long et sont connectés par deux fils… rouge et vert, je crois. Ce sont des détonateurs électriques et non mécaniques. Ils y en avaient au moins huit ou neuf, peut-être dix. J'étais trop nerveuse pour les compter.

Kyle réprima un sourire ; lui-même n'aurait su fournir une meilleure description. Erin était dotée d'une mémoire stupéfiante.

— Bon, d'accord, soupira Huff. Vous allez nous conduire là où vous les avez cachés.

— Bon sang, intervint Kyle pour compléter le petit scénario d'Erin. Tu les as cachés alors que nous étions au ranch de Hosteen Silver, n'est-ce pas ?

Erin baissa le regard et acquiesça d'un petit signe de tête.

— Oui, je les ai enterrés près d'un rocher.

Huff approcha de Kyle et lui appliqua le canon de son arme contre la tempe.

— Je veux des informations précises sur la localisation. Au centimètre près.

— C'est impossible, répondit Erin. Ce n'est pas comme en ville où les noms des rues et les numéros sont affichés. Tout se ressemble, là-bas. La meilleure façon de procéder est que je refasse le chemin à pied. Je reconnaîtrai l'endroit quand je m'y trouverai.

— Si vous me mentez, je vous flingue tous les trois et vous laisse crever à petit feu dans le désert, tonna Huff.

— J'en suis consciente, répondit Erin.

Puis elle ajouta :

— Je vais vous y conduire, mais avant, je veux la garantie que vous nous laisserez en vie quand vous aurez obtenu ce que vous voulez.

— Vous voulez peut-être une promesse écrite ? se moqua Huff.

Kyle demeurait de marbre et se contentait d'observer la scène.

Fais attention, Erin. Ne le pousse pas trop loin.

— Quand nous aurons parcouru le tiers du chemin, je veux que vous libériez Bruce. Au milieu de nulle part, ce sera parfait. De toute façon, je ne l'ai jamais apprécié. Il devra marcher des heures avant de rejoindre la civilisation et espérer trouver de l'aide. Ainsi, il ne représentera pas une menace pour vous.

Huff approuva d'un hochement de tête.

— Ensuite, reprit-elle, vous laisserez Kyle partir. Quand tous deux seront libres, je vous indiquerai l'endroit exact où je les ai cachés.

— J'accepte. Mais si l'un d'entre eux tente quoi que ce soit, je les abats tous les deux. Vous êtes la seule que je dois garder en vie. Et encore une chose : avant de nous mettre en route, donnez-moi tous vos portables.

Kyle sortit son téléphone de sa poche de chemise en veillant à l'éteindre afin que Huff ne se doute pas que Preston avait suivi leur conversation.

— Jette-le à terre, ordonna Huff.

Kyle obéit sans broncher.

Ron vint l'écraser d'un coup de talon et le ramassa pour le placer devant le pneu avant du van.

— Bonne idée, Ron, dit Mike. Dès que nous avancerons, il sera réduit en miettes. Où est ton portable, Erin ?

— La police me l'a pris.

— Alors, tu ne vois pas d'inconvénient à ce que je te fouille ?

— J'ai le choix ?

— Non, rétorqua Huff en faisait signe à Mike.

Kyle serra la mâchoire comme Mike promenait ses mains sur le corps d'Erin tout en le dévisageant, un petit sourire aux lèvres. Courageusement, Erin resta de marbre.

— Pas de téléphone, déclara Mike.

Huff désigna le van à l'aide de son arme.

— Allons-y. Bruce, Kyle, grimpez à l'arrière et plaquez-vous au sol. Ne faites aucun mouvement brusque. Vous serez tenus en joue tout au long de la route. Erin, vous monterez devant, avec moi. Au moindre geste suspect, vos petits copains sont morts.

Une heure de route plus tard, et suivant les consignes d'Erin, ils franchirent un petit pont de bois surplombant un profond canyon. Le van traversa à faible allure, ses pneus faisant résonner les lattes de bois disjointes.

Un peu plus loin se trouvait une intersection en forme de fourche.

— Je me rappelle ces parois de sable aggloméré, indiqua Erin. Je connais aussi ces rochers, mais je ne suis venue ici qu'une fois. A partir de ce point, je ne sais plus s'il faut prendre à gauche ou à droite pour rejoindre le sentier menant au canyon.

— Tâchez de vous souvenir, ou l'un de nos passagers va y laisser la vie, menaça Huff.

De la main, elle désigna la route bifurquant à gauche, puis hésita et secoua la tête.

— Faites passer Kyle à l'avant. Il connaît le chemin, tout au moins jusqu'au refuge. Je saurai me repérer depuis là-bas.

— Si c'est une ruse…, gronda Huff.

— Mais regardez autour de vous ! Il n'y a aucune indication. Du sable, des rochers, des pins… Vous oseriez prétendre que la vue sur votre gauche diffère de celle sur votre droite ?

Huff arrêta le van et ordonna à Mike de faire passer Kyle à l'avant.

— Erin, au milieu. Kyle, près de la portière. Mike, tu restes derrière mais tu surveilles Kyle et tu le tiens en joue. S'il tente de sortir, tu le butes.

Kyle prit place près d'Erin.

— Bon, dans quelle direction allons-nous ? demanda Huff.

— A droite, répondit Kyle. Vous apercevrez bientôt des traces de pneus qui nous mèneront au refuge. Une fois là-bas, il faudra abandonner le van et poursuivre à pied.

Kyle observa discrètement l'expression de Huff. Dès qu'ils ne lui seraient plus d'aucune utilité, Bruce, Erin et lui-même seraient froidement exécutés. Il lui fallait aider Erin à gagner du temps jusqu'à ce que ses frères soient prêts à intervenir. D'après les traces de pneus récentes dans le sable, les renforts les avaient devancés.

Comme prévu, ils laissèrent le van près du refuge et continuèrent à pied. Mike marchait à la suite de Kyle, le pressant régulièrement du canon de son arme.

Le sol se composait d'une épaisse couche de sable dans laquelle on s'enlisait à chaque pas et de cailloux de différentes tailles. Erin n'avait pas dit un mot depuis qu'ils avaient abandonné le van et, d'après sa démarche pesante, elle était épuisée, conclut Kyle.

— Tout se ressemble, par ici, dit-elle en effectuant un tour complet sur elle-même afin de s'orienter. J'ai du mal à retrouver mon chemin. Je me souviens avoir dépassé une grotte dans une falaise, mais je ne suis pas sûre de la direction à suivre.

— Faites un effort, gronda Huff. Vos vies en dépendent.

Quelques minutes plus tard, ils progressaient au milieu d'un paysage composé de blocs de pierre leur arrivant à la taille. Huff, ainsi que Ron et Mike, respiraient avec difficulté. A la grande surprise de Kyle, Erin semblait avoir recouvré ses forces.

Elle fit soudain halte et s'adressa à Huff :

— Il y a une demi-heure que vous auriez dû laisser partir Kyle. Nous avons un accord, Huff.

— Les termes de notre accord ont changé. Je vous laisserai tous partir quand j'aurai ce que je veux.

— Non. Quand vous serez en possession des détonateurs, vous nous tuerez. Soit vous respectez notre accord, soit je ne fais pas un pas de plus.

— En admettant que je libère Kyle et Bruce, qu'est-ce qui vous laisse croire que je ne *vous* tuerai pas ensuite ?

— Parce que deux personnes pourront témoigner de ce qui est arrivé, le défia-t-elle. Je suis prête à parier qu'au moins l'un d'entre eux s'en tirera.

— Vous vous trompez du tout au tout, ricana Huff. Quand j'aurai les détonateurs, pour quelle raison vous tuerais-je ? Le désert s'en chargera à ma place. Mes hommes et moi vous ligoterons, regagnerons le van et brûlerons le refuge. Ensuite, nous nous en irons tranquillement. Il vous faudra des heures pour vous défaire de vos liens, et deux ou trois jours pour sortir du désert, à la condition qu'un animal sauvage ne vous ait pas dévorés. Je laisse à la nature le soin de décider si vous devez vivre ou mourir. Même si vous restez en vie, nous serons à l'autre bout du pays quand vous pourrez enfin obtenir de l'aide.

— Et si je refusais de vous conduire aux détonateurs ?

— Bang, bang, bang. Tous les trois morts, répliqua Huff en joignant le geste à la parole. Ce qui ne nous empêchera pas de nous enfuir.

— Accepte, Erin, intervint Kyle. Cela nous laisse une chance de survie.

— Sage conseil. Ecoute ton homme, ajouta Huff.

Ils reprirent leur route, longeant une profonde crevasse lorsque Huff perdit patience.

— Très bien, j'ai saisi. Au prochain mensonge, l'un de vous va mourir, dit-il en armant son revolver.

— Du calme, l'enjoignit Kyle. La grotte à laquelle Erin a fait allusion se trouve juste après le prochain canyon.

Avec un peu de chance, ses frères devaient s'y tenir embusqués.

— Où les avez-vous enfouis précisément, Erin ? demanda Huff, excédé.

— Tu les as cachés à l'endroit que je t'ai montré, là où j'avais l'habitude de jouer enfant, n'est-ce pas ? demanda Kyle en réprimant un clin d'œil. Dans la boîte en métal où je cachais mes secrets, je suppose.

Erin remua la tête en signe d'approbation.

— Oui, cette boîte m'a semblé solide et étanche. Je me suis dit que tu finirais par deviner que je les y avais cachés.

Kyle eut envie de l'embrasser. Dès qu'ils prendraient cette direction, Preston, Daniel et Gene connaîtraient exactement leur destination. Paul, qui suivait leurs déplacements grâce à la puce que portait Erin, serait aussi informé.

— Nous allons emprunter un raccourci, annonça Kyle. Il est temps d'en finir.

Les fils de Hosteen Silver avaient chacun leur endroit secret dans Copper Canyon. Ces enfants, le plus souvent orphelins, n'avaient confiance en personne et s'étaient dégotté une cachette pour entreposer les objets auxquels ils tenaient le plus.

Des années plus tard, Kyle avait découvert que ses frères — ainsi que Hosteen Silver — avaient trouvé sa cachette, mais qu'ils ne l'avaient pas mise au jour, par respect.

Kyle n'avait pas revu cette boîte depuis des années. Elle devait toujours se trouver là où il l'avait laissée. Dans le cas contraire, ils étaient en très mauvaise posture.

Après être descendus au fond du canyon, ils gravirent un petit sommet rocheux et se faufilèrent dans une gorge étroite. A partir de cet endroit, le signal de la puce que portait Erin risquait d'être altéré, voire interrompu, songea Kyle.

Seules deux personnes pouvaient avancer de face dans le boyau. Celui-ci commença à s'élever doucement pour former une pente de plus en plus raide. Ils progressaient lentement et finirent par déboucher sur l'entrée d'une grotte formée à la base d'une haute falaise. Kyle fit un petit signe discret à Erin.

— C'est par ici, dit-elle en désignant vaguement un point au loin. Je ne sais plus l'emplacement exact car il faisait sombre quand je suis venue. J'ai formé un petit tas de sable pour identifier l'endroit, mais la pluie et le vent ont dû l'effacer. Il va falloir creuser.

— Vous allez creuser, rétorqua Huff en s'adressant à Kyle. Allez, au boulot.

Kyle réprima un sourire.

Bien joué, Erin !

— Je veux bien, mais il me faut une pelle, dit-il.

— Vous voyez une pelle dans les parages ? Débrouillez-vous.

— Sans pelle, j'en ai pour plus d'une heure, prévint Kyle. Donnez-moi au moins un couteau avec une longue lame.

— Certainement pas. Commencez tout de suite ou le sang va couler.

Kyle commença à creuser à mains nues et Huff poussa Erin vers lui.

— Aidez-le.

Ils fouillèrent le sable sur une trentaine de centimètres de profondeur, sans succès.

Huff eut un regard mauvais pour Erin.

— Si vous tentez de me doubler…

— Non, je vous le jure. Je ne parviens pas à bien sonder le sable…

— Trouve un bâton, ordonna Huff à Mike. Pas plus de trente centimètres de long.

Mike s'éloigna en maugréant et revint quelques instants plus tard avec une branche à peu près de la taille de son avant-bras.

Erin s'activa avec son nouvel outil.

— Tu devrais peut-être creuser un peu plus sur ta gauche, conseilla Kyle. Le sable a l'air d'y être plus fin. Ce doit être là que tu les as enterrés.

Erin se déplaça et creusa avec plus d'énergie. Un choc métallique se fit entendre.

— J'y suis, dit-elle triomphalement.

Tandis que l'attention des trois hommes était captivée par

la découverte d'Erin, Kyle prit une poignée de sable et invita du regard Erin à faire de même.

Elle amassa une copieuse quantité de sable entre ses mains et, quand Huff se baissa pour tenter de voir ce qu'elle avait découvert, elle la lui jeta au visage.

Kyle fit de même avec Ron, puis lui asséna un coup dans l'estomac avec la branche. Ron récupéra presque aussitôt, mais comme il levait son arme pour tirer sur Kyle, un homme s'interposa et le frappa d'un crochet à la mâchoire. Preston !

Huff, tout en crachant du sable, tirait à l'aveuglette, les projectiles ricochant contre les parois rocheuses. D'un coup de pied, Kyle lui fit sauter l'arme des mains et Huff hurla de douleur.

Gene survint à son tour et envoya Huff au sol d'une puissante manchette en pleine gorge.

Mike tenta de contourner la mêlée et parvint à s'éloigner de façon à viser Kyle de son arme, mais Daniel le surprit par-derrière.

— Lâche ton arme ou je te descends, gronda-t-il en lui pressant le canon de son revolver entre les omoplates.

Les trois hommes furent rapidement maîtrisés, gisant face contre terre, alignés l'un à côté de l'autre. Preston et Gene, leur arme en main, les surveillaient de près.

Erin, qui avait pris son arme à Huff, la tendit à Kyle, les mains tremblantes.

— Prends-le. Je vais finir par appuyer sur la gâchette tellement je tremble.

Kyle lui passa le bras autour des épaules.

— Tu t'en es merveilleusement bien tirée. Tu as compris mes signaux comme une vraie pro.

— Hé, et mon rôle dans tout ça ? fit Preston tout en menottant les trois complices. Tu te souviens comment nous avions l'habitude de nous tendre des embuscades quand nous étions gosses ?

— Qui aurait cru que nos jeux d'enfants nous serviraient un jour, ajouta Daniel avec un large sourire.

Les frères de Kyle firent se lever les hommes, Bruce y compris, et leur firent refaire le chemin inverse dans la gorge étroite.

Erin s'assit, adossée au pied de la falaise.

— J'ai besoin de récupérer quelques instants, soupira-t-elle. Mon cœur bat si fort que j'ai l'impression qu'il va bondir hors de ma poitrine.

Kyle s'installa à côté d'elle.

— Tout va bien, à présent, chérie. Tout est terminé. Il est temps de songer à nos piments.

Elle se mit à rire.

— Ah ! Tu t'intéresses à mon projet ?

— Quel citoyen du Nouveau-Mexique resterait insensible à la bonne odeur du piment grillé ? Je sais où nous pouvons faire une plantation, quand — et si tu le décides — tu seras prête à quitter Secure Construction. Mais peut-être pourras-tu mener les deux activités de front ?

Elle se laissa aller contre lui et il l'enlaça tendrement. Elle demeura ainsi un long moment.

— Comment peux-tu continuer à exercer une profession où tu risques à chaque instant de te faire tuer ? demanda-t-elle. Je n'ai jamais eu aussi peur de toute ma vie !

— En fait, c'est le goût du danger qui m'a fait choisir cette profession. Je ne voulais m'attacher à personne, et cette façon de vivre répondait à mes souhaits.

— Et désormais ?

— J'ai décidé de cesser de courir la planète et rentrer chez moi.

Il ouvrit le couvercle rouillé de sa boîte en fer, la boîte qu'Erin avait déterrée. Elle contenait un billet de cinq dollars usé jusqu'à la corde et un porte-clés sans clé. Il le prit et le manipula un moment.

— Ce porte-clés appartenait à mon père. Comme le veut la tradition, la clé de la maison a dû être restituée à notre chef de clan, mais on m'a autorisé à conserver cet anneau. Cet objet n'a aucune valeur, excepté pour moi. Pendant un long moment, je me suis convaincu qu'il était doté de pouvoirs magiques et qu'il allait faire revenir mon père. La mine dans laquelle il travaillait s'est effondrée et on n'a jamais retrouvé son corps. J'ai espéré…

— Je suis désolée, dit-elle en prenant ses mains dans les siennes.

— C'était le rêve d'un jeune garçon. A présent, je caresse l'espoir d'un nouveau rêve, dit-il en lui déposant l'anneau dans la main. J'aimerais te faire don d'une vraie bague, mais à cet instant, c'est tout ce que j'ai sous la main. Je vais bientôt revenir au pays pour de bon. Seras-tu là pour moi ? Acceptes-tu les contraintes liées à mon travail ?

— Tu es un guerrier, Kyle, et ton métier fait intégralement partie de toi-même, répondit-elle dans un souffle. Tu es l'homme que j'aime. Je serai là quand tu reviendras. Je t'attendrai.

Il l'embrassa, puis se leva et lui tendit la main.

En sortant du canyon, ils croisèrent les trois prisonniers assis dans le sable, adossés à un rocher. Gene et Daniel les tenaient en joue tout en bavardant.

Preston vint féliciter Erin et Kyle.

— Des renforts sont en route. Un véhicule doit venir récupérer les prisonniers et Bruce. Le second vous ramènera à Hartley. Les fédéraux décideront de leur sort et des charges à retenir contre Bruce.

— Tu vas avoir besoin de nos dépositions, dit Kyle.

— Oui, et ton supérieur va exiger de toi un débrief complet. Il a pris l'avion tôt ce matin et se trouve actuellement au Central. Il nous a appris que Ed Huff, Eduardo Cruz de son vrai nom, a séjourné plusieurs années en Espagne où il s'est rapproché du mouvement Invierno Nuclear — Hiver Nucléaire —, un groupe terroriste obscur et sans grande influence. Les deux hommes abattus le jour de la tentative de kidnapping étaient de nationalité espagnole, et de mèche avec différents groupes extrémistes.

— Nous devons nous féliciter que mon supérieur ait fait

preuve d'une telle patience, conclut Kyle. S'il était intervenu plus tôt…

— Quelle sera sa réaction en apprenant que tu quittes le NCIS ? s'enquit Erin.

— Il va certainement tout mettre en œuvre pour m'en dissuader. Mais ma décision est prise, et personne ne me fera changer d'avis.

22

Kyle roulait dans un véhicule de location avec Erin. Ils étaient attendus par toute la famille à Copper Canyon. Les frères de Kyle avaient en effet décidé d'y organiser une grande fête.

— Qu'est-ce qui te tracasse ainsi ? demanda soudain Erin. Tu n'as pas dit un mot depuis que nous avons quitté Secure Construction.

— Aujourd'hui, je compte bien ouvrir la lettre que Hosteen Silver m'a léguée avant de mourir. Il est temps.

— Un lettre ? Je pensais qu'il s'agissait de son journal intime.

— En marge de ce journal, il a laissé à chacun de nous une lettre confidentielle. D'après celles qu'ont reçues mes frères, il doit s'agir d'un genre de prédiction. Bien entendu, elle est rédigée en des termes qui ne prendront tout leur sens que lorsque les faits se seront produits.

— J'aurais immédiatement ouvert la mienne, reconnut-elle. Comment as-tu pu te priver aussi longtemps d'une telle révélation ?

— Certains de mes frères n'ont pas eu cette patience, mais après avoir pris connaissance du contenu, ils se sont retrouvés devant l'autel, comme par enchantement. Oh ! Ils sont heureux en ménage, mais moi, j'avais une peur bleue de franchir le pas. J'ai donc décidé d'attendre quelques années.

Il ne put s'empêcher de rire.

— Maintenant que l'idée de me marier a fait son chemin, je présume que je suis enfin prêt à lire cette lettre.

— Et pourtant, cela te rend nerveux, devina Erin. Pour quelle raison ?

Il réfléchit un bon moment.

— Tous mes frères, à l'exception de Rick qui est à l'étranger, ont lu leur lettre avant de rencontrer leur future épouse. En ce qui me concerne, c'est l'inverse, et cela a fait naître un doute en moi. Que se passerait-il si nous prenions soudainement conscience que les prédictions de Hosteen Silver n'étaient en fait que de pures allégations auxquelles *nous* avons donné vie par *nos* actes ?

— Tu t'inquiètes de ce que ses prédictions te concernant soient en décalage avec la réalité, avec notre relation ?

Comme il acquiesçait, elle poursuivit :

— Tu tiens Hosteen Silver pour un être infiniment honorable, et tu as pleinement raison, mais tout le monde commet des erreurs. Le souci n'est pas le contenu de cette lettre, Kyle, mais tes attentes face à la vie.

— Bien vu, répondit-il en s'engageant sur la piste menant au ranch.

— Songe aussi que ces prédictions sont basées sur le garçon que tu étais à l'époque, et non l'homme que tu es aujourd'hui.

Kyle sourit.

— Il me voyait comme un garçon incapable de tenir en place, un garçon déterminé à se frayer un chemin dans l'existence. Je suis toujours ainsi, du moins je le pense, mais mon objectif n'est plus d'enchaîner mission sur mission. T'avoir à mes côtés et pouvoir te serrer dans mes bras suffit amplement à mon bonheur.

Après avoir garé le véhicule près de ceux des convives, Kyle se pencha vers elle et l'embrassa. Ses frères sortirent alors du ranch.

— Vous pourriez faire cela ailleurs ! cria Daniel en plaisantant. Trouvez-vous une chambre.

— Désolé, chérie, fit Kyle en riant. Lorsqu'ils prennent du bon temps, mes frères peuvent être un peu « pénibles ».

Elle rit à son tour.

— Détends-toi. Allez, présente-moi aux invités.

Kyle lui fit faire la connaissance de l'épouse de Preston, Abby, et de Kendra, celle de Paul, ainsi que de Gene et sa femme, Lori.

Holly accompagnait bien entendu Daniel.

Erin fut rapidement la bienvenue dans la famille et dut en embrasser chacun des membres.

— Je suis si heureuse que tout se termine ainsi, les félicita Holly.

— Moi aussi, répondit Erin avec un grand sourire.

Alors que Kendra restait au-dehors pour surveiller les enfants, les autres rentrèrent dans le ranch et se réunirent avec une certaine excitation autour du bureau de Hosteen Silver.

— J'ai sorti du tiroir la lettre qui t'est destinée, annonça Preston en désignant l'enveloppe portant le nom de Kyle.

— Tu ne veux pas que je te tienne la main, des fois ? plaisanta Gene.

Preston donna une tape amicale dans le dos de Kyle.

— Tu ferais tout aussi bien de l'ouvrir, frère, car je te promets que nous ne bougerons pas de là tant que ce ne sera pas fait.

Emu plus qu'il n'aurait voulu le laisser paraître, Kyle ouvrit l'enveloppe et lut le mot silencieusement. Puis, regardant tour à tour ses frères, il le relut à haute voix :

— Le Renard errera de place en place avant que Mère Nature le rappelle parmi les siens pour accomplir sa destinée. C'est seulement alors qu'il prendra conscience de ce qui est né à ses pieds et a grandi dans son cœur.

— On ne peut plus obscur, comme toujours, marmonna Paul.

— Non, c'est très clair, objecta Daniel. Il est temps pour toi de rentrer parmi nous, frère. J'ai besoin de toi dans mes affaires.

— Tu pourrais aussi travailler avec moi au ranch, proposa Gene.

— Moi, en fermier ? demanda Kyle en éclatant de rire. Désolé, les gars, mais je vais épouser la responsable de la plantation des meilleurs piments de tout le Nouveau-Mexique. Je ne pourrai être plus proche de Mère Nature.

— Peut-être que la phrase « ce qui est né à ses pieds » fait allusion à la plantation d'Erin, avança Holly.

— Ce pourrait être plus symbolique que cela le paraît, ajouta Erin d'une voix douce. Kyle m'a aidée à planter une rose du désert, juste à l'extérieur du ranch. Le pot s'était brisé, et la replanter à cet endroit était la seule alternative. Je me demande si elle est toujours en vie.

— Allons voir, proposa Holly.

Erin ouvrit la marche et les mena auprès de la plante. Deux feuilles minuscules étaient apparues ainsi qu'un petit bourgeon.

— Regardez ! s'exclama Erin.

— C'est un signe, et il ne fait que conforter ma décision, déclara Kyle en sortant une petite boîte de sa poche. Erin, je t'aime.

Puis, un genou à terre, il lui offrit son présent et ajouta :

— Veux-tu être ma femme ?

Elle ouvrit la boîte, les mains tremblantes.

Kyle avait choisi une bague en or blanc avec un cœur serti de diamants.

Elle poussa un petit « Oh » d'émerveillement.

— Est-ce un oui ? demanda-t-il.

— Oui !

Il se releva et la prit dans ses bras tandis que les membres de la famille les encerclaient pour les féliciter.

— Embrasse ta future femme et venez nous rejoindre quand vous serez prêts à faire la fête ! lança Holly.

Dès qu'ils furent seuls, Kyle lui sourit et lui dit :

— Tu sais à présent combien ma famille compte pour moi. Tu te sens prête à vivre à mes côtés ?

— C'est ce que j'ai toujours voulu, murmura-t-elle. A présent, embrasse-moi.

Il lui sourit et l'embrassa tendrement. La seule présence

d'Erin suffisait à le combler de bonheur. Il avait voyagé à travers le monde, mais ce qui lui manquait le plus, son bien le plus précieux, se trouvait sur ses terres et attendait d'être cueilli.

Retrouvez ce mois-ci
dans votre collection

BLACK ROSE

Angi Morgan
Une enfant a disparu
Une troublante affaire de famille

Beverly Long
L'héritière piégée
Aimée Thurlo
Témoignage à haut risque

Carla Cassidy
Complice malgré elle
Meredith Fletcher
Le goût du danger

Suzanne Brockmann
Pour l'amour d'un innocent
Beverly Bird
La sincérité en question
Justine Davis
Il faut que tu me croies

Amour + suspense = Black Rose

www.harlequin.fr

OFFRE DE BIENVENUE

Vous êtes fan de la collection Black Rose ?
Pour prolonger le plaisir, recevez gratuitement

◆ 2 romans Black Rose gratuits ◆
et 2 cadeaux surprise !

Une fois votre colis de bienvenue reçu, si vous souhaitez continuer à recevoir nos romans Black Rose, cela se fera automatiquement. Vous recevrez alors chaque mois 3 volumes doubles inédits de cette collection au tarif unitaire de 7,40€ (Frais de port France : 1,95€ - Frais de port Belgique : 3,95€).

➡ **ET AUSSI DES AVANTAGES EXCLUSIFS :**

➡ **LES BONNES RAISONS DE S'ABONNER :**

Aucun engagement de durée ni de minimum d'achat.
◆
Aucune adhésion à un club.
◆
Vos romans en avant-première.
◆
La livraison à domicile.

Des cadeaux tout au long de l'année.
◆
Des réductions sur vos romans par le biais de nombreuses promotions.
◆
Des romans exclusivement réédités notamment des sagas à succès.
◆
L'abonnement systématique et gratuit à notre magazine d'actu ROMANCE.
◆
Des points fidélité échangeables contre des livres ou des cadeaux.

➡ **REJOIGNEZ-NOUS VITE EN COMPLÉTANT ET EN NOUS RENVOYANT LE BULLETIN !**

✂ ┄┄┄┄┄┄┄┄

N° d'abonnée (si vous en avez un) ⌷⌷⌷⌷⌷⌷⌷⌷⌷⌷   IZ5F09 IZ5FB1

Mme ☐ Mlle ☐ Nom : .... Prénom : ....

Adresse : ....

CP : ⌷⌷⌷⌷⌷ Ville : ....

Pays : .... Téléphone : ⌷⌷⌷⌷⌷⌷⌷⌷⌷⌷

E-mail : ....

Date de naissance : ⌷⌷ ⌷⌷ ⌷⌷⌷⌷
☐ Oui, je souhaite être tenue informée par e-mail de l'actualité d'Harlequin.
☐ Oui, je souhaite bénéficier par e-mail des offres promotionnelles des partenaires d'Harlequin.

Renvoyez cette page à : Service Lectrices Harlequin – BP 20008 – 59718 Lille Cedex 9 - France

OFFRE DE BIENVENUE

Vous avez aimé la collection Black Rose ? Vous aimerez sûrement
nos romans Best-Sellers Suspense ! Recevez gratuitement :

◆ 1 roman Best-Sellers suspense gratuit ◆
et 2 cadeaux surprise !

Une fois votre colis de bienvenue reçu, si vous souhaitez continuer à recevoir nos
romans Best-Sellers de genre suspense, cela se fera automatiquement. Vous recevrez alors tous les 2 mois, 3 romans inédits au tarif unitaire de 7,50€ (Frais de port
France : 1,95€ - Frais de port Belgique : 3,95€).

➡ **LES BONNES RAISONS
DE S'ABONNER :**

Aucun engagement de durée
ni de minimum d'achat.
◆
Aucune adhésion à un club.
◆
Vos romans en avant-première.
◆
La livraison à domicile.

➡ **ET AUSSI DES AVANTAGES EXCLUSIFS :**

Des cadeaux tout au long de l'année.
◆
Des réductions sur vos romans par
le biais de nombreuses promotions.
◆
Des romans exclusivement réédités
notamment des sagas à succès.
◆
L'abonnement systématique et gratuit
à notre magazine d'actu ROMANCE.
◆
Des points fidélité échangeables
contre des livres ou des cadeaux.

➡ **REJOIGNEZ-NOUS VITE EN COMPLÉTANT ET EN NOUS RENVOYANT LE BULLETIN !**

✂ -

N° d'abonnée (si vous en avez un) ⊔⊔⊔⊔⊔⊔⊔⊔⊔⊔

`XZ5F02`
`XZ5FB2`

Mme ☐ Mlle ☐ Nom : .... Prénom : ....

Adresse : ....

CP : ⊔⊔⊔⊔⊔ Ville : ....

Pays : .... Téléphone : ⊔⊔⊔⊔⊔⊔⊔⊔⊔⊔

E-mail : ....

Date de naissance : ⊔⊔ ⊔⊔ ⊔⊔⊔⊔

☐ Oui, je souhaite être tenue informée par e-mail de l'actualité d'Harlequin.

☐ Oui, je souhaite bénéficier par e-mail des offres promotionnelles des partenaires d'Harlequin.

<u>Renvoyez cette page à :</u> Service Lectrices Harlequin – BP 20008 – 59718 Lille Cedex 9 - France

Date limite : **31 décembre 2015**. Vous recevrez votre colis environ 20 jours après réception de ce bon. Offre soumise à
acceptation et réservée aux personnes majeures, résidant en France métropolitaine et Belgique. Prix susceptibles de
modification en cours d'année. Conformément à la loi Informatique et libertés du 6 janvier 1978, vous disposez d'un droit
d'accès et de rectification aux données personnelles vous concernant. Il vous suffit de nous écrire en nous indiquant vos
nom, prénom et adresse à : Service Lectrices Harlequin - BP 20008 - 59718 LILLE Cedex 9. Harlequin® est une marque
déposée du groupe Harlequin. Harlequin SA – 83/85, Bd Vincent Auriol - 75646 Paris cedex 13. Tél : 01 45 82 47 47. SA au capital de 1 120 000€
- R.C. Paris. Siret 3186715910069/APE5811Z.

HARLEQUIN

La romance sur tous les tons

Toutes nos actualités et exclusivités
sont sur notre site internet.

E-books, promotions, avis des lectrices,
lecture en ligne gratuite, infos sur
les auteurs, jeux-concours… et bien
d'autres surprises !

Rendez-vous sur
www.harlequin.fr

HARLEQUIN
www.harlequin.fr

OFFRE DÉCOUVERTE !
2 ROMANS GRATUITS et 2 CADEAUX surprise !

Vous souhaitez découvrir nos collections ? Recevez **2 romans gratuits et 2 cadeaux surprise !**

Une fois votre colis de bienvenue reçu, si vous souhaitez continuer à recevoir nos romans, cela se fera automatiquement. Vous recevrez alors chaque mois vos romans inédits en avant première.

Vous n'avez aucune obligation d'achat et cette offre est sans engagement de durée !

☞ **COCHEZ la collection choisie et renvoyez cette page au**
Service Lectrices Harlequin – BP 20008 – 59718 Lille Cedex 9 – France

Collections	Références	Prix colis France* / Belgique*
❏ **AZUR**	ZZ5F56/ZZ5FB2	6 romans par mois 27,25€ / 29,25€
❏ **BLANCHE**	BZ5F53/BZ5FB2	3 volumes doubles par mois 22,84€ / 24,84€
❏ **LES HISTORIQUES**	HZ5F52/HZ5FB2	2 romans par mois 16,25€ / 18,25€
❏ **BEST SELLERS**	EZ5F54/EZ5FB2	4 romans tous les deux mois 31,59€ / 33,59€
❏ **BEST SUSPENSE**	XZ5F53/XZ5FB2	3 romans tous les deux mois 24,45€ / 26,45€
❏ **MAXI****	CZ5F54/CZ5FB2	4 volumes triples tous les deux mois 30,49€ / 32,49€
❏ **PASSIONS**	RZ5F53/RZ5FB2	3 volumes doubles par mois 24,04€ / 26,04€
❏ **NOCTURNE**	TZ5F52/TZ5FB2	2 romans tous les deux mois 16,25€ / 18,25€
❏ **BLACK ROSE**	IZ5F53/IZ5FB2	3 volumes doubles par mois 24,15€ / 26,15€

*Frais d'envoi inclus

**L'abonnement Maxi est composé de 2 volumes Edition spéciale et de 2 volumes thématiques

---

N° d'abonnée Harlequin (si vous en avez un) ⬚⬚⬚⬚⬚⬚⬚⬚⬚⬚⬚

Mme ❏ Mlle ❏   Nom : _____

Prénom : _____ Adresse : _____

_____

Code Postal : ⬚⬚⬚⬚⬚   Ville : _____

Pays : _____ Tél. : ⬚⬚⬚⬚⬚⬚⬚⬚⬚⬚

E-mail : _____

Date de naissance : _____

❏ Oui, je souhaite recevoir par e-mail les offres promotionnelles des éditions Harlequin.
❏ Oui, je souhaite recevoir par e-mail les offres promotionnelles des partenaires des éditions Harlequin.

Date limite : 31 décembre 2015. Vous recevrez votre colis environ 20 jours après réception de ce bon. Offre soumise à acceptation et réservée aux personnes majeures, résidant en France métropolitaine et Belgique, dans la limite des stocks disponibles. Prix susceptibles de modification en cours d'année. Conformément à la loi Informatique et libertés du 6 janvier 1978, vous disposez d'un droit d'accès et de rectification aux données personnelles vous concernant. Par notre intermédiaire, vous pouvez être amenée à recevoir des propositions d'autres entreprises. Si vous ne le souhaitez pas, il vous suffit de nous écrire en nous indiquant vos nom, prénom et adresse à : Service Lectrices Harlequin BP 20008 59718 LILLE Cedex 9. Service Lectrices disponible du lundi au vendredi de 8h à 17h : 01 45 82 47 47 ou 33 1 45 82 47 47 pour la Belgique.

Harlequin® est une marque déposée du groupe Harlequin. Harlequin SA – 83/85, Bd Vincent Auriol – 75646 Paris cedex 13. SA au capital de 1 120 000€ – R.C. Paris. Siret 318671591000069/APE5811Z.